UF1666: Depuración de aguas residuales

Elaborado por: Sergio Jesús López del Pino y Sonia Martín Calderón

Edición: 5.1

EDITORIAL ELEARNING S.L.

ISBN: 978-84-16360-14-7 • Depósito legal: MA 23-2015

Impreso en España - Printed in Spain

Presentación

Identificación de la unidad formativa

Bienvenido/a a la Unidad Formativa **UF1666: Depuración de aguas residuales**. Esta Unidad Formativa pertenece al Módulo Formativo **MF0073_2: Funcionamiento y operación de los procesos de depuración y tratamiento del agua,** que forma parte del Certificado de Profesionalidad **SEAG0210: Operación de estaciones de tratamiento de aguas**, de la familia profesional de Seguridad y Medio Ambiente.

Presentación de los contenidos

La finalidad de esta unidad formativa es saber poner en marcha, parar y verificar el funcionamiento de los procesos unitarios de una estación depuradora de aguas residuales. Para ello, se estudiarán en primer lugar las características de las aguas residuales, las estaciones depuradoras de aguas residuales (EDAR) y el pretratamiento del agua residual. Seguidamente se analizará el tratamiento primario, biológico y terciario o complementario de aguas residuales, la línea de lodos de una EDAR, la línea de aire en una EDAR y el reciclado de aguas depuradas.

Objetivos de la unidad formativa

Al finalizar esta unidad formativa podrás:

- Identificar los distintos procesos de tratamiento de las aguas residuales, las instalaciones básicas que se emplean y las condiciones normales de funcionamiento.

- Ajustar y operar equipos mecánicos, eléctricos o de medida de distintos parámetros para el control de procesos de depuración.

- Realizar y controlar las operaciones de tratamiento, almacenado, aprovechamiento y retirada de residuos y subproductos de depuración.

Índice

UD1. Las aguas residuales

UD2. Estaciones depuradoras de aguas residuales (EDAR)

UD3. Pretratamiento del agua residual

UD4. Tratamiento primario de aguas residuales

UD5. Tratamiento biológico de aguas residuales

UD6. Tratamiento terciario o complementario de aguas residuales

UD7. Línea de lodos de una EDAR

UD8. Línea de aire de una EDAR

UD9. Reciclaje de aguas depuradas

Índice

Área: seguridad y medioambiente

UD1

Las aguas residuales

1.1. Tipos y composición general de las aguas residuales

Las aguas residuales son aquellos líquidos procedentes de las actividades desarrollados por el ser humano, caracterizadas por presentar una fracción de agua y un elevado porcentaje de residuos contaminantes.

Técnicamente, es definida por la Organización de las Naciones Unidas para la Alimentación y la Agricultura (FAO) como:

Definición

"Agua que no tiene valor inmediato para el fin para el que se utilizó ni para el propósito para el que se produjo debido a su calidad, cantidad o al momento en que se dispone de ella. No obstante, las aguas residuales de un usuario pueden servir de suministro para otro usuario en otro lugar. Las aguas de refrigeración no se consideran aguas residuales".

Las aguas residuales son vertidas a cursos de agua o a masas de agua continentales o marinas, con o sin tratamiento previo.

Presentan una composición química u otra dependiendo de su origen. Una composición media es la siguiente:

Aguas residuales:

- Agua (99,9%).

- Sólidos (0,1%):

  · Orgánicos (70%):

    › Proteínas.

    › Carbohidratos.

    › Grasas.

  · Inorgánicos (30%):

    › Arenas.

    › Sales.

    › Metales.

En el presente apartado vamos a estudiar los tipos de aguas residuales así como su composición general. Para ello vamos a dividirlo en 5 epígrafes:

- Urbanas.

- Industriales.

- Mixtas.

- Pluviales.

- Blancas.

1.1.1. Urbanas

Las aguas residuales urbanas son aquellas derivadas de las actividades humanas desarrolladas en el ámbito doméstico, principalmente.

Distinguimos dos fuentes principales:

Excreciones

Son los residuos que forman las deposiciones, sólidas y líquidas, humanas.

– Deposiciones sólidas:

Las heces están compuestas de: agua (en torno un 65%), bacterias, grasas, materia inorgánica, proteínas, fibra no digerida y componentes de los jugos digestivos.

Tras su expulsión, las proteínas de las heces sufren un proceso de putrefacción. Además, sus aminoácidos sufren:

· Descarboxilación, dando lugar a lesina, aminas, tirosinas, etc.

· Desaminaciones, se desprende el grupo amino (NH_3).

La formación de productos como la cisteína (produce SH_2), el fenol o el indol provocan la aparición de un olor desagradable.

– Deposiciones líquidas

La orina, con un pH de 6 (ligeramente ácido) está formada por:

Cationes	Aniones	Compuestos orgánicos
		Ácidos grasos
		Ácido hipúrico
NA		Ácido úrico
K	Cl	Alcoholes
Ca	PO4	Aminoácidos
Mg	SO4	Bases púricas
NH4		Creatinina
		Glúcidos
		Urea

Sabías que

El ser humano elimina, diariamente, 1,3 litros de orina.

Las excreciones son una fuente importante de contaminación. Por ello, se deben construir instalaciones adecuados para su circulación desde las casas hasta la red urbana de evacuación. Esta red urbana llevará el agua residual hasta las estaciones depuradoras, donde será sometida a tratamiento.

Residuos domésticos

Los residuos domésticos son definidos por la **Ley 22/2011, de 28 de julio, de residuos y suelos contaminados** como:

Definición

"Residuos generados en los hogares como consecuencia de las actividades domésticas. Se consideran también residuos domésticos los similares a los anteriores generados en servicios e industrias.

Se incluyen también en esta categoría los residuos que se generan en los hogares de aparatos eléctricos y electrónicos, ropa, pilas, acumuladores, muebles y enseres así como los residuos y escombros procedentes de obras menores de construcción y reparación domiciliaria.

Tendrán la consideración de residuos domésticos los residuos procedentes de limpieza de vías públicas, zonas verdes, áreas recreativas y playas, los animales domésticos muertos y los vehículos abandonados".

La características de las aguas residuales urbanas aparecen recogidas en la siguiente tabla:

Parámetros (mg/l)	Contaminación alta	Contaminación media	Contaminación ligera
Sólidos totales	1000	500	200
Sólidos Volátiles	700	350	120
Sólidos Fijos	300	150	80
Sólidos en suspensión totales	500	300	100
Sólidos en suspensión Volátiles	400	250	70
Sólidos en suspensión Fijos	100	50	30
Sólidos disueltos totales	500	200	100
Sólidos disueltos Volátiles	300	100	50
Sólidos disueltos Fijos	200	100	50
DBO5 a 20ºC	300	200	100
Oxígeno consumido	150	75	30
Oxígeno disuelto	0	50	0
Nitrógeno total	86	50	25
Nitrógeno orgánico	35	20	10
Amoniaco libre	50	30	15
Nitritos	0.10	0.05	0
Nitratos	0.40	0.2	0.1
Cloruros	175	100	15
Alcalinidad	200	100	50
Grasas	40	20	0
pH	6-9	6-9	6-9

Fuente: Harold E. Babbit y E. Robert Baumann

1.1.2. Industriales

Las aguas residuales industriales son las que proceden de las actividades desarrolladas en las industrias tanto en la producción de bienes como en la refrigeración.

La composición de las aguas residuales industriales se caracteriza por su alto contenido en sustancias contaminantes tales:

– Microbios patógenos.

– Metales pesados (mercurio y plomo principalmente).

– Materia orgánica persistente.

– Pesticidas y fertilizantes.

– Sedimento en suspensión.

Importante

Las aguas residuales industriales incrementan la temperatura de la cuenca receptora, provocando importantes efectos ambientales.

Vamos a representar ahora las principales características de una serie de industrias:

– Papelera:

  · Color.

  · Materia en suspensión y decantable.

  · Materia orgánica.

  · pH en algunos casos.

– Ganadería:

  · Materia orgánica e inorgánica.

- Curtido:

    · Alcalinidad.

    · Materia en suspensión y decantable.

    · Materia orgánica.

    · Sulfuros.

    · Cromo.

- Refinerías:

    · Aceites.

    · Materia orgánica.

    · Fenoles.

    · Amoníaco.

    · Sulfuros.

- Metalurgia:

    · pH.

    · Cianuros.

    · Metales.

Sabías que

Las industrias del petróleo, el acero y la minería son las que presentan mayor riesgo de contaminación por metales pesados.

Las aguas residuales industriales son vertidas al medio, la mayoría de las veces, sin tratamiento previo. Esto reduce la calidad del agua de la cuenca receptora, además puede infiltrarse ocasionando problemas de contaminación de suelos y de acuíferos.

1.1.3. Mixtas

Las aguas residuales mixtas son aquellas que proceden de la mezcla de las aguas residuales urbanas e industriales, donde ésta última altera sensiblemente la composición y características de las residuales urbanas.

A continuación vamos a mostrar una tabla donde se muestran los distintos parámetros que caracterizan a un agua residual mixta y su origen (urbano o industrial).

Parámetro	Origen
Contaminantes físicos	
Sólidos	Urbano e industrial
Temperatura	Urbano e industrial
Color	Urbano e industrial
Sabor	Urbano e industrial
Contaminantes químicos	
Proteínas	Urbano e industrial
Carbohidratos	Urbano
Grasas y aceites	Urbano e industrial
Fenoles	Industrial
Pesticidas	Industrial (sector agrícola)
pH	Industrial
Cloruros	Urbano
Alcalinidad	Urbano
Nitrógeno	Urbano e industrial (sector agrícola)
Fósforo	Urbano e industrial
Azufre	Urbano e industrial
Metales pesados	Industrial
Oxígeno	Urbano
Sulfuro de hidrógeno	Urbano
Metano	Urbano
Contaminantes biológicos	
Protistas	Urbano
Virus	Urbano

Importante

La depuración de este tipo de agua residual requerirá de tratamientos específicos más acordes con las aguas residuales industriales que con las aguas residuales urbanas.

1.1.4. Pluviales

Las aguas residuales pluviales son las aguas procedentes de la escorrentía de las precipitaciones caídas en la zona objeto de estudio por las distintas superficies:

– Techos.

– Calles.

– Jardines.

– Parques.

Importante

Las precipitaciones pueden ser en forma sólida (nieve y granizo) o líquida (lluvias).

Su composición se caracteriza por la presencia de:

- Hollín.

- Polvo de ladrillo y cemento.

- Esporas.

- Polvo orgánico e inorgánico.

- Restos animales y vegetales.

- Partículas sólidas.

- Hidrocarburos.

Los componentes de estas aguas se caracterizan por su alta toxicidad en los primeros 15 min. El componente más tóxico son los hidrocarburos procedentes de los combustibles de los automóviles.

La naturaleza y características de esta agua varía según su procedencia: zonas urbanas o rurales.

Importante

La composición del agua residual pluvial variará en función del uso del suelo, pues arrastrará un tipo diferente de partículas.

Las precipitaciones, si son intensas, arrastran dichas partículas hasta la red municipal de saneamiento y de ahí se dirigirán hasta las estaciones depuradoras.

Sabías que

Si las precipitaciones son abundantes se favorecerá la dilución de los contaminantes que arrastra.

1.1.5. Blancas

Las aguas residuales blancas son aquellas procedentes de la infiltración del agua de lluvia. Es un agua cuyo contacto con las actividades humanas es muy reducido por lo que su contaminación es escasa.

Esto facilitará los tratamientos a los que debe ser sometida en las estaciones depuradoras.

Entre los principales componentes que forman parte de las aguas residuales blancas encontramos:

–   Elementos derivados de la contaminación atmosférica:

    Destaca principalmente el SO_2 y los óxidos de nitrógeno.

–   Restos de la actividad humana:

    Papeles, cartones, colillas, restos de basura, etc.

–   Contaminantes de las aguas de drenaje:

    Se deben principalmente a las fugas del sistema de alcantarillado.

–   Residuos vegetales:

    Son aquellos producidos en las zonas verdes.

–   Residuos del tráfico:

    Entre ellos encontramos los hidrocarburos, aceites, grasas, compuestos fenólicos y de plomo, etc. Estos compuestos son considerados peligrosos.

La composición media de una agua residual blanca se adjunta en la tabla de la página siguiente:

Características	Contaminación (mg / L)
DBO 5	25
DQO	65
Sólidos en suspensión	230
Amoniaca (NH 3)	0,2
Nitrito (NO 2)	0,05
Nitrato (NO 3)	0,5
Nitrógeno orgánico	1,4
PO 4 Total	1,15
Fosfato Soluble	0,46

Recuerda

Dependiendo del tipo de agua residual presentará un composición u otra. Ello influirá en los tratamientos a los que se les deberá someter después.

1.2. Normativa sobre vertido y aguas residuales

Vamos a definir en primer lugar que es un vertido. El **Real Decreto 606/2003, de 23 de mayo, por el que se modifica el Real Decreto 849/1986, de 11 de abril,** establece en su art. 245 lo siguiente:

"Se consideran vertidos los que se realicen directa o indirectamente en las aguas continentales, así como en el resto del dominio público hidráulico, cualquiera que sea el procedimiento o técnica utilizada".

La normativa relativa a **tratamiento de aguas residuales** es la siguiente:

– A nivel europeo:

· Directiva 91/271/CEE del Consejo, de 21 de mayo de 1991, sobre el tratamiento de las aguas residuales urbanas.

· Directiva 98/15/CE de la Comisión de 27 de febrero de 1998 por la que se modifica la Directiva 91/271/CEE del Consejo en relación con determinados requisitos establecidos en su anexo I Directiva 98/15/CE.

– A nivel estatal:

Estas Directivas ha sido transpuesta a la normativa española mediante:

· Real Decreto Ley 11/1995, de 28 de diciembre, por el que se establecen las normas aplicables al tratamiento de las aguas residuales urbanas.

· Real Decreto 509/1996, de 15 de marzo, de desarrollo del Real Decreto-ley 11/1995, de 28 de diciembre, por el que se establecen las normas aplicables al tratamiento de las aguas residuales urbanas.

· Real Decreto 2116/1998 que modifica el anterior el Real Decreto 509/1996, de 15 de marzo.

– Mientras que la normativa que regula el **vertido** es el ya mencionado:

· Real Decreto 606/2003, de 23 de mayo, por el que se modifica el Real Decreto 849/1986, de 11 de abril.

Las comunidades autónomas en el ámbito de sus competencias también pueden emanar normas relativas a vertidos, que completen la norma estatal.

En el presente apartado vamos a estudiar todo lo relativo a la normativa sobre vertido y aguas residuales. Para ello vamos a dividirlo en dos epígrafes:

– Administraciones actuantes.

– Límites de vertido.

1.2.1. Administraciones actuantes

La administración que interviene en los vertidos es el **Organismos de Cuenca** implicado (actualmente reciben el nombre de Confederaciones Hidrográficas).

Para proceder a la realización de un vertido se precisa de una autorización que será concedida por este organismo. El procedimiento para obtener dicha autorización es el siguiente:

1. Incoación del procedimiento

Definición

Incoar se define como "comenzar algo, llevar a cabo los primeros trámites de un proceso, pleito, expediente o alguna otra actuación oficial" (Real Academia de la Lengua Española).

_____

" *El procedimiento para obtener la autorización de vertido se iniciará mediante solicitud del titular de la actividad, con los datos requeridos en el artículo 70 de la Ley de Régimen Jurídico de las Administraciones Públicas y del procedimiento Administrativo Común, y con la declaración de vertido según modelo aprobado por el Ministerio de Medio Ambiente.*

La declaración de vertido contendrá los siguientes extremos:

a) Características de la actividad causante del vertido.

b) Localización exacta del punto donde se produce el vertido.

c) Características cualitativas (con indicación de todos los valores de los parámetros contaminantes del vertido), cuantitativas y temporales del vertido.

d) Descripción de las instalaciones de depuración y evacuación del vertido.

e) Proyecto, suscrito por técnico competente, de las obras e instalaciones de depuración o eliminación que, en su caso, fueran necesarias para que el grado de depuración sea el adecuado para la consecución de los valores límite de emisión del vertido, teniendo en cuenta las normas de calidad ambiental determinadas para el medio receptor.

f) *Petición, en su caso, de imposición de servidumbre forzosa de acueducto o de declaración de utilidad pública, a los efectos de expropiación forzosa, acompañada de la identificación de predios y propietarios afectados.*

En el caso de solicitudes formuladas por entidades locales, la declaración de vertido deberá incluir además:

a) *Inventario de vertidos industriales con sustancias peligrosas recogidos por la red de saneamiento municipal.*

b) *Contenido y desarrollo del plan de saneamiento y control de vertidos a la red de saneamiento municipal. En el caso de que las instalaciones de depuración y el sistema de evacuación formen parte de un plan o programa de saneamiento aprobado por otra Administración pública, se incluirá la información correspondiente a tal circunstancia.*

En el caso de que el solicitante de la autorización de vertido deba solicitar, además, una concesión para el aprovechamiento privativo de las aguas, la documentación a que se refieren los apartados anteriores se presentará conjuntamente con la que resulte necesaria a los efectos de obtener dicha concesión".

2. Subsanación y mejora

Si la solicitud no reúne los requisitos establecidos en el artículo anterior, el Organismo de cuenca requerirá la subsanación al solicitante. Si esta no se realiza se procederá a emitir una resolución motivada denegando la autorización en un plazo de 6 meses.

3. Información pública

"El Organismo de cuenca someterá a información pública las solicitudes no denegadas en aplicación del artículo 247.2 por un plazo de 30 días, mediante anuncio en el boletín oficial de la provincia.

El anuncio expresará las características fundamentales de la solicitud y, en su caso, la petición de declaración de utilidad pública o de imposición de servidumbre.

Simultáneamente, el Organismo de cuenca recabará el informe de la comunidad autónoma y aquellos otros que procedan en cada caso.

De las alegaciones e informes se dará traslado al peticionario para que manifieste lo que a su derecho convenga en plazo de 10 días".

4. Resolución

"Finalizado el plazo a que se refiere el artículo el Organismo de cuenca formulará la propuesta de resolución y la notificará al solicitante y, si los hubiera, a los restantes interesados, que podrán presentar alegaciones en el plazo de 10 días.

La propuesta de resolución favorable al otorgamiento de la autorización deberá expresar el condicionado.

El Organismo de cuenca notificará la resolución motivada en el plazo máximo de un año y, de no hacerlo, podrá entenderse desestimada la solicitud de autorización.

Si el condicionado de la autorización comporta la ejecución de obras o instalaciones, la autorización de vertido no producirá plenos efectos jurídicos hasta que el Organismo de cuenca apruebe el acta de reconocimiento final favorable de aquellas, aplicándose, durante el período de ejecución, el coeficiente de mayoración correspondiente a un tratamiento no adecuado. Aprobada el acta de reconocimiento, será exigible, en su totalidad, el objetivo de calidad que en cada caso corresponda.

Las autorizaciones de vertido tendrán un plazo máximo de vigencia de cinco años, entendiéndose renovadas por plazos sucesivos de igual duración al autorizado, siempre que el vertido no sea causa de incumplimiento de las normas de calidad ambiental exigibles en cada momento. La renovación no impide que cuando se den otras circunstancias, el Organismo de cuenca proceda a su revisión.

En este último caso se notificará al titular con seis meses de antelación".

Importante

Las autorizaciones de vertido tendrán un plazo máximo de vigencia de **cinco años**.

Si quieres conocer más detalle de la normativa, pulsa la siguiente descarga.

En la web del BOE puedes consultar el **Real Decreto 606/2003, de 23 de mayo,** por el que se modifica el Real Decreto 849/1986, de 11 de abril.

1.2.2. Límites de vertido

Los requisitos para el vertido de las aguas residuales urbanas al medio se encuentran recogidos en el Anexo I del Real Decreto 509/1996, de 15 de marzo, de desarrollo del Real Decreto-ley 11/1995, de 28 de diciembre, por el que se establecen las normas aplicables al tratamiento de las aguas residuales urbanas modificado por el Real Decreto 2116/1998. Estos requisitos son los siguientes:

A. Requisitos para los vertidos procedentes de instalaciones de tratamiento de aguas residuales urbanas.

Se aplicará el valor de concentración o el porcentaje de reducción.

Parámetros	Concentración	Porcentaje mínimo de reducción (1)	Método de medida de referencia
Demanda bioquímica de oxígeno (DBO 5 a 20 ºC) sin nitrificación (2).	25 mg/l 02	70-90 40 de conformidad con el apartado 3 del artículo 5 R.D.L. (3).	Muestra homogeneizada, sin filtrar ni decantar. Determinación antes y después de cinco días de incubación a 20 ºC ± 1 ºC, en completa oscuridad. Aplicación de un inhibidor de la nitrificación.
Demanda química de oxígeno (DQO).	125 mg/l 02	75	Muestra homogeneizada, sin filtrar ni decantar. Dicromato potásico.
Total de sólidos en suspensión.	35 mg/l (4) 35 de conformidad con el apartado 3 del art. 5 R.D.L. (más de 10.000 h-e) (3). 60 de conformidad con el apartado 3 del art. 5 R.D.L. (de 2.000 a 10.000 h-e (3).	90 (4) 90 de conformidad con el apartado 3 del art. 5 R.D.L. (más de 10.000 h-e) (3). 70 de conformidad con el apartado 3 del art. 5 R.D.L. (de 2.000 a 10.000 h-e) (3).	Filtración de una muestra representativa a través de una membrana de filtración de 0,45 micras. Secado a 105 ºC y pesaje. Centrifugación de una muestra representativa (durante cinco minutos como mínimo, con una aceleración media de 2.800 a 3.200 g), secado a 105 ºC y pesaje.

(1) Reducción relacionada con la carga del caudal de entrada.

(2) Este parámetro puede sustituirse por otro: carbono orgánico total (COT) o demanda total de oxígeno (DTO), si puede establecerse una correlación entre DBO 5 y el parámetro sustituto.

(3) Se refiere a los supuestos en regiones consideradas de alta montaña contemplada en el apartado 3 del artículo 5 del Real Decreto-ley 11/1995, de 28 de diciembre.

(4) Este requisito es optativo.

Los análisis de vertidos procedentes de sistemas de depuración por lagunaje se llevarán a cabo sobre muestras filtradas; no obstante, la concentración de sólidos totales en suspensión en las muestras de aguas sin filtrar no deberá superar los 150 mg/l.

B. Requisitos procedentes de instalaciones de tratamiento de aguas residuales urbanas realizadas en zonas sensibles cuyas aguas sean eutróficas o tengan tendencia a serlo en un futuro próximo.

Según la situación local, se podrá aplicar uno o los dos parámetros. Se aplicarán el valor de concentración o el porcentaje de reducción.

Parámetros	Concentración	Porcentaje mínimo de reducción (1)	Método da medida de referencia
Fósforo total	2 mg/l P (de 10.000 a 100.000 h-e). 1 mg/l P (más de 100.000 h-e).	80	Espectrofotometría de absorción molecular.
Nitrógeno total (2)	15 mg/l N (de 10.000 a 100.000 h-e) (3) 10 mg/l N (más de 100.000 h-e) (3).	70-80	Espectrofotometría de absorción molecular.

(1) Reducción relacionada con la carga del caudal de entrada.

(2) Nitrógeno total equivalente a la suma de nitrógeno Kjeldahl total (N orgánico y amoniacal), nitrógeno en forma de nitrato y nitrógeno en forma de nitrito.

(3) Estos valores de concentración constituyen medias anuales según el punto 3.o del apartado A) 2 del anexo III. No obstante, los requisitos relativos al nitrógeno pueden comprobarse mediante medias diarias cuando se demuestre, de conformidad con el apartado A) 1 del anexo III, que se obtiene el mismo nivel de protección. En ese caso, la media diaria no deberá superar los 20 mg/l de nitrógeno total para todas las muestras, cuando la temperatura del efluente del reactor

biológico sea superior o igual a 12 ºC. En sustitución del requisito relativo a la temperatura, se podrá aplicar una limitación del tiempo de funcionamiento que tenga en cuenta las condiciones climáticas regionales".

Importante

Antes de proceder a la realización de un vertido al cauce se deben tomas muestras para confirmar que los valores de los parámetros no superen lo establecido en las dos tablas anteriores.

1.3. Indicadores químicos

Para conocer el grado de contaminación que presenta una agua residual se miden una serie de parámetros. Esto parámetros actúan como indicadores de la calidad de un agua.

Sabías que

La calidad de un agua se establece en función de la utilidad para la que va a ser empleada (riego, baño, bebida, limpieza, etc.) mediante el establecimiento de un conjunto de cualidades o en relación a su estado natural.

En los siguientes apartados vamos a estudiar tres tipos de indicadores distintos:

— Químicos.

— Físico-químicos.

— Microbiológicos.

Los indicadores químicos son los más eficaces para determinar la calidad del agua.

En este apartado vamos a estudiar los más destacados, para ello vamos a dividirlo en los siguientes siete epígrafes:

- Materias inhibidoras.

- DQO.

- DBO.

- Sólidos en suspensión.

- Nutrientes.

- Compuestos nitrogenados.

- Compuestos de fósforo.

1.3.1. Materias inhibidoras

Las materias inhibidoras son aquellas que presentan cierta toxicidad o pueden inhibir los procesos biológicos.

Los tipos de materias inhibidoras son:

- Orgánicas:

  · Aromáticos.

  · Fenoles.

  · Aldehídos.

  · Organohalogenados.

  · Productos fitosanitarios.

- Inorgánicas:

  · Metales pesados (mercurio, cadmio, cromo, zinc, cobre, etc.).

  · Aniones (sulfuros).

Importante

Las materias inhibidoras pueden alterar en los resultados de las medidas de la DBO, presentando éstas valores más bajos o nulos, dando lugar a resultados de análisis erróneos.

Para detectar la toxicidad de estos compuestos tenemos dos tipos de pruebas:

– **Con dafnias:**

La dafnia (*Daphnia sp*) es un crustáceo planctónico del orden de los cladóceros. Se conocen vulgarmente como lías de agua o pulgas de agua, debido a su pequeño tamaño y a que nadan dando pequeños salto.

Son muy empleadas en pruebas de toxicidad debido a:

· Su amplia distribución geográfica.

· Su facilidad de cultivo en el laboratorio.

· Su reproducción partenogenética.

· Ciclo de vida muy corto.

· Producción de una gran número de individuos en la reproducción.

Sabías que

Los las especies de dafnias más empleadas son: *Dapnia marga, D. pulex* y *D. similis*.

– **Con bacterias *(Vibrio fischeri)*:**

La bacteria marina luminiscente *Vibrio fischeri* es empleada para medir la toxicidad de las aguas. La prueba es conocida con el nombre de Microtox y se caracteriza por su rapidez. Se pueden conseguir los resultados en un tiempo de 15-30 minutos a diferencia de otras pruebas cuyos resultados se obtienen en varios días o semanas.

La prueba se basa en medir la luminiscencia de las bacterias. A mayor contaminación de las aguas menor luminiscencia (menor cantidad de luz) emiten.

1.3.2. DQO

La **Demanda Química de Oxígeno** (DQO) es un parámetro que mide la cantidad de sustancias (orgánicas e inorgánicas) existentes en una medio susceptibles de ser oxidadas por agentes químicos. Se emplea para calcular la cantidad total de oxígeno necesario para la oxidación de los compuestos presentes en el agua. Se mide en miligramos de oxígeno por litro (mgO2/l).

Como se ha comentado anteriormente, tanto las sustancias orgánicas como las inorgánicas están sujetos a oxidación. Sin embargo, es el componente orgánico el que predomina en las aguas contaminadas, siendo, por tanto, el de mayor interés.

El oxidante usualmente empleado es el ión dicromato (Cr2O72-). A la muestra de agua se le añade una cantidad conocida de dicromato potásico y un catalizador de plata. En un medio ácida la muestra se calienta hasta que alcanza el punto de ebullición. Parte de dicromato es reducido por las materias oxidables presenten en el agua, pasando del estado hexavalente a trivalente (III). Ambos estados del cromo absorben luz en una región distinta del espectro visible. Por tanto, se puede estimar la cantidad de cromato reducido por la absorbancia.

La DQO, valorada a partir del dicromato reducido, se calcula con la siguiente expresión:

$$DQO = 8000c \ (V_1 - V_2)/V_o$$

Donde:

c = concentración expresada en moles por litro (M) de la solución de amonio y de sulfato de hierro.

o = volumen en mililitros (ml) de la muestra empleada

V_1 = volumen en mililitros (ml) de la solución de amonio y de sulfato de hierro empleados para el ensayo del blanco.

V_2 = volumen en mililitros (ml) de la solución de amonio y de sulfato de hierro empleados para la determinación.

Las principales **ventajas** de este método son:

- Su elevada precisión.

- Obtención de resultados certificables.

  Disminución de la interferencia del cloruro.

Sabías que

La DQO se utiliza en otros sectores tales como: las centrales eléctricas, la industria química o papelera.

Otro método empleado para medir la DQO es el método titramétrico de reflujo cerrado .

La DQO es indicador rápido de los contaminantes orgánicos presentes en el agua. Se mide tanto en la entrada de agua a la estación depuradora como a la salida.

1.3.3. DBO

La **demanda biológica de oxígeno** (DBO) es un parámetro que mide la cantidad de oxígeno que los microorganismos requieren para oxidar la materia orgánica presente en el agua. Normalmente se mide cinco días después de que se inicie el proceso. Se mide en miligramos de oxígeno por litro (mgO_2/l).

$$\text{Materia orgánica} + O_2 \xrightarrow{\text{Bacterias aerobias}} CO_2 + H_2O + \text{Materia inorgánica oxidada}$$

El método de ensayo se basa en medir la cantidad de oxígeno consumido por una población de microorganismo bajo condiciones de inhibición de los procesos fotosintéticos.

La fotosíntesis consume dióxido de carbono y libera oxígeno al medio.

A continuación representamos gráficamente las curvas de consumo de oxígeno y de materia orgánica presentes en una muestra de agua tras ser sometida a ensayo.

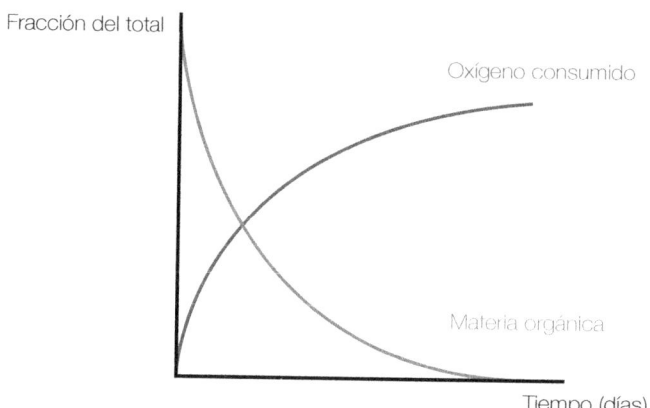

Al contrario de los que sucede con la DQO, la DBO no se utiliza en estaciones de aguas potables debido a que el contenido en materia orgánica es escaso. Se usa el método de oxidabilidad con permanganato potásico.

El análisis de la DBO presenta algunos inconvenientes:

– Su aplicación es compleja.

– La interpretación de los resultados es difícil.

– Reproductibilidad baja.

La relación entre los valores de DBO y DQO nos señala el tipo de contaminación que presenta el agua residual. Si es menor de 0,2 el vertido es inorgánico mientras que si es mayor de 0,6 es orgánico.

1.3.4. Sólidos en suspensión

Los **sólidos en suspensión** (SS) son las partículas que se encuentran flotando en el agua, tales como: restos animales y vegetales, basuras, arenas, arcillas, etc. Algunas pueden ser perceptibles a simple vista. Respecto a su composición ronda entre:

–   Sólidos orgánicos: 68% .

–   Sólidos inorgánicos: 32% .

Los sólidos en suspensión pueden ser eliminados mediante:

–   Filtración.

–   Centrifugación.

Este último método es el más empleado. Un volumen determinado de muestra es sometido a centrifugación (en torno a 3000 revoluciones por minuto) durante unos 10 minutos. Se retira el líquido sobrenadante, se añade agua destilada y se somete de nuevo a centrifugación. El líquido obtenido se seca en una estufa o con una lámpara de rayos infrarrojos quedándose así el material sólido que será pesado.

Además de los sólidos en suspensión podemos distinguir:

–   Sólidos sedimentables:

    Son partículas de mayor tamaño y peso que se depositan en el fondo por la acción de la gravedad.

Tras su decantación y tamizado se analizan por volumetría y gravimetría. Respecto a su composición, se distingue:

- · Sólidos orgánicos: 70%.

- · Sólidos inorgánicos: 30%.

– Disoluciones coloidales:

Son partículas de tamaño intermedio entre las sedimentables y las de suspensión. Su tamaño ronda entre los 1mµ y los 0,2 mµ.

Se caracterizan por ser fácilmente degradables y tener una alta capacidad de absorción.

La fase dispersa constituye hasta el 40% de los sólidos totales. Suele estar formada por coloides liófilos

Definición

Un coloide liófilo es aquel que posee afinidad por el agua.

Respecto a su composición, se distinguen:

- · Sólidos orgánicos: 75%.

- · Sólidos inorgánicos: 25%.

– Sólidos disueltos:

Son todas aquellas partículas sólidas que pasan por el crisol de Gooch.

Definición

El crisol de Gooch es un tipo de crisol diseñado para la filtración en los análisis gravimétricos.

Respecto a su composición, se distingue:

- · Sólidos orgánicos: 40%.

- · Sólidos inorgánicos: 60%.

Los sólidos presentes en el agua están relacionados con la **turbidez**.

1.3.5. Nutrientes

Los principales nutrientes existentes en un agua residual son:

- – Potasio (K).

- – Sodio (Na).

- – Magnesio (Mg).

- – Calcio (Ca).

- – Compuestos nitrogenados.

- – Compuestos de fósforo.

Vamos a estudiar cada uno de ellos. Los dos últimos, dada su importancia, vamos a estudiarlos individualmente en los dos epígrafes siguientes.

Potasio

Para determinar la concentración de potasio existentes en un agua residual se emplea una solución obtenida a partir de la digestión de una muestra de ácido sulfúrico (H_2SO_4) donde se produce la mineralización de la materia orgánica. El potasio, en forma de catión, se determina mediante fotometría de llama.

El cálculo realizado es el siguiente:

K total (ppm) = C x 10

Donde:

C = Se obtiene gráficamente a partir de la lectura del equipo de fotometría de llama al quemar la muestra.

10= Factor de dilución (para hacer la digestión se toman 10 ml de muestra y se diluyen en 100 ml de solución).

Sodio

El sodio, al igual que el potasio puede calcularse a partir de la fotometría de llamas. Cuando se quema la solución de la muestra se obtiene un color en la llama. Su intensidad es directamente proporcional a la concentración de estos nutrientes.

La concentración de potasio y sodio en un agua residual se encuentra en torno a 26 y 180 mg/l.

Magnesio y calcio

Los iones de calcio y magnesio son los responsables de la dureza del agua. La dureza de un agua se expresa atendiendo a la concentración de carbonato cálcico ($CaCO_3$).

Sabías que

Las aguas blandas son las que presentan una concentración de $CaCO_3$ menor a 50 mg/l mientras que las aguas duras son aquéllas cuya concentración de $CaCO_3$ es mayor de 200 mg/l.

1.3.6. Compuestos nitrogenados

Los compuestos de nitrógeno poseen un rol muy importante en el desarrollo de la vida animal y vegetal en el agua. Así, el nitrógeno es uno de elementos

que forman parte de las proteínas celulares y es imprescindible en el crecimiento de los organismos fotosintéticos.

Los compuestos nitrogenados del agua residual tienen su origen en:

– Los compuestos orgánicos.

– Los organismos vegetales.

En las aguas no contaminadas los compuestos de nitrógenos se presentan en
concentraciones residuales.

La mayor parte del nitrógeno encontrado en el agua residual tiene un origen
atmosférico, (N2). Este nitrógeno molecular es transformado por determinadas
bacterias y especies vegetales en nitrógeno orgánico.

Los principales compuestos de nitrógeno que encontramos en las aguas residuales son:

Principales compuestos de nitrógeno	
Nitrógeno molecular	Urea
Nitratos	Ácidos aminados
Nitrito	Amidas
Amoníaco	Hidroxilamina
Moléculas orgánicas nitroge-nadas	Derivados de la piridina

Vamos a detenernos en el estudio de los nitratros, nitritos y amoniaco, por ser
los más importantes.

Nitratos

Los nitratos presentes en el agua pueden tener un origen:

– Natural: proceden de la nitrificación del nitrógeno orgánico o de la disolución y precolación del suelo por la acción del agua de lluvia o riego.

– Artificial: abonos, vertidos ganaderos, etc.

Los nitratos son un compuesto tóxico para la salud del ser humano. Ello es debido a que son reducidos a nitritos en el aparato digestivo por la acción de diversas bacterias. El nitrito pasa a la sangre y forma metahemoglobina, la cual reduce la capacidad de transportar oxígeno.

Definición

La metahemoglobina es un derivado de la hemoglobina. Posee el hierro en estado férrico (Fe3+), es decir, oxidado. Posee gran afinidad por el oxígeno, no cediéndolo a los tejidos.

La Organización Mundial de la Salud (OMS) establece el límite de concentración de nitratos 50 mg/l.

Nitritos

La presencia de nitritos en el agua es debida a:

- La oxidación incompleta del amoniaco.

- La reducción de nitratos presentes en el agua.

Como se ha comentado anteriormente el nitrito, es un compuestos nocivo para la salud, pues provoca metahemoglobinemia.

Importante

La Organización Mundial de la Salud (OMS) establece el límite máximo tolerable de concentración de nitritos en 0,1 mg/l.

Amoniaco

Su presencia se debe a la degradación de la materia orgánicia. Las aguas residuales se caracterizan por tener elevadas concentraciones de materia orgánica.

Se caracteriza por ser biodegradable, incoloro, desprender un fuerte olor y disolverse rápidamente en agua.

Las reacciones que tiene lugar para la transformación de estos tres compuestos así como las bacterias que interviene se presentan en el siguiente esquema:

Amoniaco (NH3) — Nitrosomas → Nitrito (NO2) — Nitrobacter → Nitrato (NO3)

Las concentraciones de estos tres compuestos en las aguas residuales urbanas son de:

Parámetro (mg/l)	Contaminación alta	Contaminación media	Contaminación ligera
Nitrógeno total	86	50	25
Nitrógeno orgánico	35	20	10
Amoniaco libre	50	30	15
Nitritos	0.10	0.05	0
Nitratos	0.40	0.2	0.1

1.3.7. Compuestos de fósforo

Los compuestos de fósforo presentes en las aguas residuales son debidos principalmente a tres fuentes:

– Detergentes domésticos.

– Aguas agrícolas.

– Excreciones humanas.

Los principales compuestos de fósforo son: Ortofosfato, Polifosfato y Compuestos de fósforo orgánico

Sabías que

Los compuestos de fósforo se encuentran en reducidas concentraciones en aguas naturales (no contaminadas).

Una elevada concentración de fosfato en las aguas, especialmente en los lagos, puede provocar **eutrofización**. La eutrofización es un proceso natural que se desarrolla durante millones de años debido al envejecimiento de los lagos. Sin embargo, este proceso se ve acelerado por la contaminación ocasionada por los seres humanos.

Los lagos, debido al vertido de aguas residuales, ven incrementados sus aportes de **fósforo** (P) procedentes principalmente de detergentes y abonos. El fósforo deja de ser un elemento limitante en el medio lo que provoca el crecimiento descontrolado de **fitoplancton**. Este crecimiento ocasiona el agotamiento del nitrógeno (N). Aparecen así **cianofíceas** que son capaces de fijarlo directamente de la atmósfera.

El incremento de organismos fotosintéticos hace que el agua se vuelva turbia y se torne de un color verdoso. Tras su muerte, los organismos fotosintéticos se acumulan en el fondo. Las **bacterias aeróbicas** van consumir elevadas cantidades de oxígeno (O2) para oxidar la materia orgánica muerta. Una vez agotado el oxígeno, aparecen **bacterias anaeróbicas** (*Anabaena spiroides* y *Oscillatoria rubescens*, entre otras) que realizan procesos fermentativos. Estos procesos desprenden sustancias como el sulfuro de hidrógeno (H2S) y el amoniaco (NH3) causantes del mal olor característico.

Este proceso queda sintetizado en el siguiente esquema:

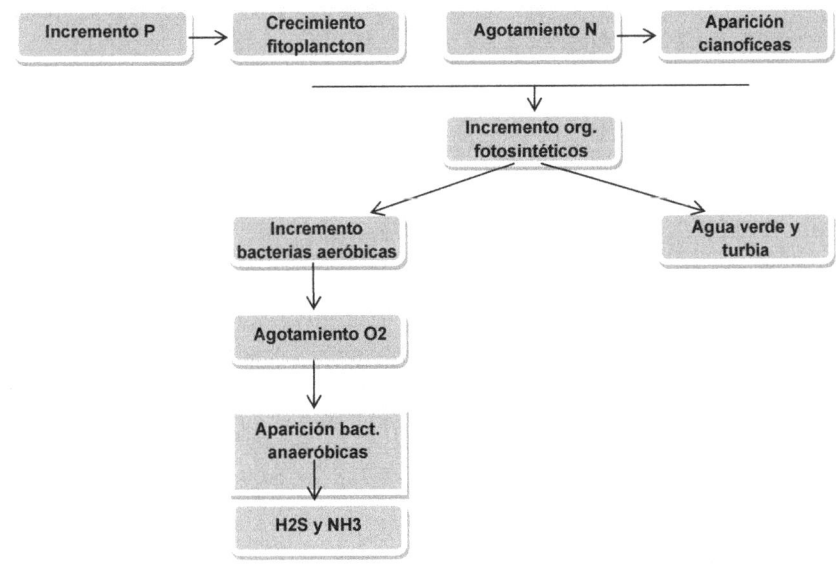

1.4. Indicadores físico-químicos

Además de los indicadores químicos estudiados en los epígrafes anteriores, para el control de calidad del agua se establecen una serie de indicadores físico-químicos.

Los tres indicadores físico-químicos más importantes vamos a desarrollarlos en los epígrafes siguientes. Son tres:

– Conductividad.

– pH.

– Aceites y grasas.

Otros parámetros físicos que podemos destacar son:

El sabor, el olor y el color

Son propiedades organolépticas por lo que están sujetas a la subjetividad de las personas.

No obstante, se considera que aguas poseen un **sabor** salado con concentraciones iguales o superiores a 300 ppm de Cl-.

El CO_2, por su parte, le da un ligero **gusto** picante. El **olor** desagradable es debido a la presencia de gases como el metano y el ácido sulfhídrico.

Respecto al **color**, nos indica que tipo de contaminantes está presente. Así:

Contaminante	Color del agua
Ningún contaminante	Azulada
Ácidos húmicos	Amarillo
Hierro	Rojizo
Manganeso	Negruzco

Turbidez

Hemos hecho anteriormente mención a la turbidez en el epígrafe 1.3.4 referente a sólidos en suspensión. La turbidez hace referencia a la dificultad del agua para transmitir la luz por la presencia de partículas sólidas y microorganismos.

Su medición se realiza con un **turbidímetro**.

Importante

La Organización Mundial para la Salud (OMS) establece que el agua para consumo humano no debe superar las 5 NTU (Unidades Nefelométricas de turbidez).

1.4.1. Conductividad

Definición

La conductividad expresa la capacidad del agua para conducir la electricidad. Depende de la concentración de sales disueltas (materia ionizable).

La conductividad está directamente relacionada con:

- La pureza química del agua (cuanto más pureza, menor conductividad).

- La concentración de sólidos disueltos.

- La concentración de sales.

A continuación vamos a dividir los compuestos según su conductividad:

Buenos conductores	Malos conductores
Cloruro Nitrato Sulfato Fosfato	Aceites Fenoles Alcoholes Azúcares Hidrocarburos

Medición

La conductividad de un agua se mide con un **conductivímetro**, el cual mide la resistividad del agua.

Definición

La resistividad es la "resistencia eléctrica específica de una determinada sustancia" (Real Academia de la Lengua Española). Es la medida opuesta a la conductividad.

La unidad de medida es el microsiemens por centímetro (µS/cm).

La medida de este parámetro sirve para controlar la calidad de un agua siempre y cuando se cumplan una serie de requisitos:

- No presente contaminantes orgánicos.

- La temperatura sea constante (un aumento de la temperatura hace que aumente la conductividad a razón de 1-4% por cada grado centígrado).

- La composición del agua no varíe significativamente.

La medida de este parámetro puede hacerse:

- **In situ:**

  Es la forma recomendada, de hecho los nuevos conductivímetros son fácilmente transportables.

- **En laboratorio:**

  Se debe guardar la muestra en recipientes de polietileno a 2-4°C y en condiciones de oscuridad.

1.4.2. pH

Definición

El pH indica la acidez o basicidad de un medio mediante la medida de la concentración de iones hidrógeno o hidrogeniones (H+).

Se expresa con la siguiente fórmula:

$$pH=\log(1/[H+])$$

Los valores de pH varían entre 1 y 14, siendo:

- De 1 a 6 = ácido

- 7 = neutro

- De 8 a 14 = básico.

Recuerda

Las aguas residuales urbanas tiene un pH que varía entre 6 y 9.

La determinación del pH de una solución acuosa se determina mediante dos métodos:

- pHmetro:

  Mide el flujo de protones que se establece entre dos disoluciones debido a la existencia de una diferencia de potencial. Para ello se introduce una varita de vidrio común (contiene un electrodo) en la disolución.

  Estos aparatos tienen que ser calibrados periódicamente para garantizar la precisión de la medida. Para ello se emplean disoluciones de pH conocido.

- Papel indicador:

  Se emplea cuando no se requiere de mediciones muy precisas.

  Se introduce el papel impregnado en indicadores en la disolución. Éste cambiará de color. Dependiendo del color que aparezca el pH será uno u otro.

Cuando se procede a anotar la medida del pH se debe puntualizar la temperatura de la medición, pues los valores del pH depende de ella.

El pH de un medio puede ser corregido mediante la adición de sustancias ácidas o básicas para conseguir la neutralización.

1.4.3. Aceites y grasas

Definición

La distinción entre grasas y aceites hace referencia al estado físico en el que se encuentra el lípido, sólida y líquida respectivamente.

Propiedades

Los lípidos se caracterizan por:

- Solubilidad:

    Son solubles en disolventes orgánicos e insolubles en agua (son molécu-
    las hidrófobas).

    Los aceites y las grasas al ser inmiscibles en agua, van a permanecer en
    su superficie dando lugar a la aparición de natas y espumas. Éstas son
    eliminadas en el pretratamiento de las aguas residuales en las estaciones
    depuradoras.

- Tensión superficial:

    Los aceites suelen tener baja tensión superficial.

- Densidad:

    Los aceites tienen una densidad menor que el agua (1g/l), presentando
    unos valores comprendidos entre 0,92 a 0,964 g/l.

- Biodegradabilidad:

    Su biodegradabilidad es nula. Sin embargo, son atacados por los ácidos
    minerales dando lugar a la separación de sus compuestos (glicerina y
    ácido graso).

Tipos

Las grasas y aceites que aparecen en las aguas residuales son:

- Grasas animales: grasas de cerdo, mantecas, etc.

- Aceites vegetales: de girasol, de oliva, de soja, de maíz, etc.

- Aceites bituminosos derivados del petróleo.

Efectos

Los principales efectos derivados de la presencia de aceites y grasas en las
aguas son:

- Dificultan los tratamientos físicos y químicos llevados a cabo para su de-
    puración.

- Dificultan en el intercambio de gases entre la atmósfera y el agua (el oxígeno no puede llegar la agua y el dióxido de carbono no puede salir a la atmósfera).

- Puede producir acidificación del agua.

- Dificulta la penetración de la luz.

Medición

No se mide cada sustancia individualmente sino todas en su conjunto, mediante la adición hexano para su disolución.

Recuerda

No debes arrojar los aceites vegetales derivados de la alimentación por el desagüe, pues los costes para su eliminación en las depuradoras es muy elevado.

1.5. Indicadores microbiológicos

Los indicadores microbiológicos son microorganismos cuya presencia y niveles de concentración en las aguas nos va a indicar su calidad.

En este apartado vamos a estudiar los siguientes indicadores microbiológicos, para ellos se ha divido en 5 epígrafes distintos:

- Bacterias.

- Protozoos.

- Metazoos.

- Coliformes fecales y totales.

- Estreptococos fecales.

Además de los indicadores expuestos, cabe mencionar también la presencia de **virus** en las aguas residuales.

Los virus llegan a las aguas residuales a partir de las heces humanas.

Sabías que

Hasta 10^9 partículas de virus infecciosos podemos encontrar en un gramos de heces humanas.

Los virus más comunes son:

- Adenovirus.

- Enterovirus.

- Hepatitis A.

- Reovirus.

- Rotavirus.

Su eliminación en los procesos de tratamiento es importantísimo pues causan enfermedades tales como:

- Poliomelitis.

- Hepatitis.

- Diarrea.

- Entre otros.

Pueden sobrevivir varias semanas en el medio.

1.5.1. Bacterias

Las bacterias son microorganismos unicelulares procariotas.

Son organismos procariotas aquellos que poseen un núcleo definido.

Su tamaño es diverso según las especies, variando entre 0,5 y 5 µm de longitud. Respecto a su forma, pueden ser:

- Esféricas (cocos).

- Cilíndricas (bacilos).

- Sacacorchos (vibrios).

- Hélices (espirilos).

Tienen una pared celular compuesta por peptidoglicano (también conocido como mureína). Algunas bacterias disponen de flagelos para desplazarse (son móviles) mientras que otras son fijas.

Se multiplican por división celular (fisión binaria). Su velocidad de reproducción es muy alta. Una bacteria gram-negativa positiva puede dividirse cada 15–20 minutos y una gram cada 20–30 minutos. Sin embargo, esta velocidad puede ser frenada por varios factores:

- La temperatura del medio.

- La disminución de nutrientes

- La disminución de la concentración de oxígeno disuelto.

- Variaciones del pH.

- Aparición de relaciones de competencia.

Podemos clasificar las bacterias presentes en las aguas residuales en distintos grupos:

Tipos de bacterias presentes en aguas residuales	
Según su nutrición	
Parásitas: necesitan de un huésped para vivir. Suelen ser patógenas provocando enfermedades como el tifus, la legionelosis, el cólera o la disentería.	Saprófitas: se alimentan de los materiales sólidos orgánicos presentes en el agua
Según el medio	
Aerobias: precisan para su alimentación respiración de oxígeno disuelto	Anaerobias: consumen el oxígeno de las sustancias orgánicas e inorgánicas presentes en el agua
Según su fuente de alimento	
Autótrofas: captan la energía necesaria para la biosíntesis de la luz (bacterias fotosintéticas) o de reacciones químicas (bacterias positiva puede dividirse). Destacan: Nitrificantes (nitrobacter y nitrosomonas) Ferruginosas y manganosas Oxidantes del hidrógeno	Heterótrofas: obtienen energía a partir de materia orgánica del exterior.

1.5.2. Protozoos

Los protozoos son microorganismos unicelulares eucariotas que habitan en medios húmedos o acuáticos (salados o dulces)

Respecto a su reproducción puede ser:

- Asexual:

    · Bipartición.

    · Fisión múltiple.

- Sexual:

    · Isogametos.

    · Conjugación.

Su tamaño está comprendido entre los 10-50 μm pudiendo alcanzar hasta 1 mm.

Atendiendo a su distinta **movilidad** se clasifican en cuatro grupos:

- **Rizópodos** *(Rhizopoda):*

  Se desplazan por medio de pseudópodos (apéndices temporales producidos por deformaciones del citoplasma y de la membrana plasmática).

- **Ciliados** *(Ciliophora):*

  Como su nombre indica se mueven gracias cilios (filamentos de escasa longitud y muy numerosos). Un ejemplo de este grupo es el paramecio *(Paramecium).*

- **Flagelados** *(Mastigophora):*

  Se desplazan por medio de uno o más flagelos. Los flagelos presentan una longitud mayor que los cilios y su número es menor.

- **Esporozoos:**

  No presentan movilidad. El esporozoo más conocido es el plasmodio *(Plasmodium sp)*, causante de la malaria.

Sabías que

Existe una gran diversidad de protozoos, distinguiéndose más de 30000 especies distintas.

Existen muchas especies nocivas para el ser humano. Actúan como parásitos y le causan enfermedades. Vamos a resumirlas en un cuadro:

Especie de protozoo	Enfermedad
Balentidium	Diarrea y disentería
Entamoeba histolytica	Disentería amoébica y absceso del hígado
Giardia lambia	Diarrea

La **disentería** es una "enfermedad infecciosa y específica que tiene por síntomas característicos la diarrea con pujos y alguna mezcla de sangre" (Real Academia de la Lengua Española).

1.5.3. Metazoos

Los metazoos son microorganismos pluricelulares, formados por células eucariotas.

Respecto a su alimentación son organismos heterótrofos, por lo que obtienen la energía a partir de la materia orgánica.

La digestión puede ser:

− **Extracelular:**

Se desarrolla fuera de las células. La mayoría de los metazoos tienen este tipo de digestión.

− **Intracelular:**

Se realice dentro de las células.

Al igual que en los protozoos la reproducción puede ser sexual o asexual.

Los metazoos se clasifican en dos grandes grupos:

− **Diblásticos:**

Se caracterizan porque tienen dos capas blastodérmicas. El desarrollo del embrión lleva a la formación de dos capas de células: el ectodermo y endodermo. De ellas se desarrollan el resto de las células y los tejidos.

− **Triblásticos:**

Se caracterizan porque tienen tres capas blastodérmicas. A diferencia del anterior, se desarrolla una tercera capa de células (el mesodermo). Esta tercera capa de células es la que va diferenciar los tejidos para dar lugar a los distintos órganos.

Entre las principales especies que podemos encontrar en las aguas residuales destacamos:

− **Rotíferos:**

Los rotíferos son organismos microscópicos de entre 0,1 y 0,5 mm de tamaño. Son un grupo muy amplio encontrándose unas 2000 especies distintas.

Son muy diversos, así algunos son rígidos mientras que otros son flexibles. Respecto a su movilidad, la mayoría son nadadores, no obstante se encuestan especies sésiles.

Fueron descubiertos en 1696 por John Harris.

− **Anélidos:**

Son animales invertebrados de aspecto vermiforme (forma de gusano) y cuerpo segmentado en anillos similares entre sí.

Su tamaños es variable, encontrándose especies de menos de 1 mm y de hasta 3 m.

− **Larvas:**

Las larvas son los estadios juveniles de las especies que presentan metamorfosis.

1.5.4. Coliformes fecales y totales

Coliformes totales

Los coliformes totales son bacterias gram negativas pertenecientes a las familias de las *Enterobacteriaceae*. Poseen una gran capacidad para fermentar la lactosa, lo cual lo hacen en apenas 48 horas.

$$\text{Lactosa} \longrightarrow \text{Ácido láctico} + \text{Etanol} + CO_2$$

Son aerobios y anaerobios facultativos.

Existen varios géneros, los más destacados son:

- Escherichia.

- Enterobacter.

- Klebsiella.

- Citrobacter.

Habitan en el intestino del ser humano y de los animales. También se encuentran en otros ambientes como el agua o el suelo.

Coliformes fecales

Los coliformes fecales son un subgrupo de los coliformes totales. Su principal representante es la *Escherichia coli*, enterobacteria de origen fecal. Llega a las aguas residuales a través de las heces.

Se conocen también como **termotolerantes** debido a que pueden soportar temperaturas elevadas.

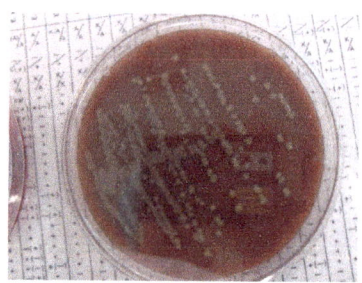

Cultivo de E. coli.

Fue descrita por el alemán Theodere von Escherich en 1885 a partir de heces de niños.

Su detección en agua es claro síntoma de que está contaminada.

Importante

Según **el Real Decreto 140/2003, de 7 de febrero, por el que se establecen los criterios sanitarios de la calidad del agua de consumo humano**, para que un agua sea considera apta para el consumo humano, la concentración de E. coli se debe encontrar entre **0UFC y 100 ml**.

La *E. coli* es la bacteria más estudiada por el ser humano.

1.5.5. Estreptotocos fecales

Los Estreptococcus fecales (también denominados estreptococos del grupo "D" de Lancefield) son, al igual que los coliformes fecales, bacterias que integran la flora intestinal de los animales homeotérmicos.

Son bacterias gram positivas, no presentan movilidad y anaerobios facultativos. Muy empleadas en sectores como la industria o la medicina.

Diferenciamos dos géneros distintos:

– **Enterococcus:**

Pueden habitar en ambientes inóspitos, pues poseen una alta tolerancia a condiciones ambientales adversas: altas o bajas presiones o temperaturas, salinidad, deshidratación, etc.

– **Streptococcus:**

Esta formado por dos especies (*S. bovis* y *S. equinu*) que se encuentran principalmente en especies animales.

Las tasas de supervivencia de los Coliformes fecales y los Estreptotocos fecales son parecidas a la de los patógenos entéricos. Sin embargo, los Estreptococos fecales presentan algunas diferencias respecto a los anteriores:

– Raramente se multiplican en el medio ambiente.

– Son más resistentes en suelos contaminados y ambientes acuáticos.

– Sobreviven cuando las descargas de aguas residuales son intermitentes o tienen mucho tiempo. Ello nos permite detectar que el agua está contaminada.

Al igual que en el caso de *E. coli*, la concentración de estreptocoso según **el Real Decreto 140/2003, de 7 de febrero, por el que se establecen los criterios sanitarios de la calidad del agua de consumo humano**, para que un agua sea considera apta para el consumo humano, debe encontrarse entre **0UFC y 100 ml**.

Los Coliformes fecales y los Estreptococos fecales son microorganismo indicadores de contaminación fecal. Las características que deben tener estos microorganismos para ser considerados como tales son las siguientes:

– Ser un microorganismo habitual de la flora intestinal de individuos sanos.

– Estar presente exclusivamente en las heces de animales homeotérmicos.

– Encontrarse a la misma vez que los microorganismos patógenos intestinales.

– Presentarse en número elevado,

– Ser fáciles de aislar e identificar.

– Reproducirse sólo en el intestino de los animales homeotérmicos.

– Presentar un tiempo de supervivencia tiene que ser igual o superior al de las bacterias patógenas.

– Ser fácil cuantificar.

– No ser patógeno.

1.6. Contaminantes específicos y microorganismos patógenos

A continuación vamos a describir otros contaminantes específicos de las aguas residuales y microorganismos patógenos.

- Contaminantes específicos.

- *Clostridium perfrigens.*

- Microorganismos patógenos.

Contaminantes específicos

Vamos a detenernos a continuación en el estudio de los gases presentes en las aguas residuales.

- **Oxígeno disuelto (OD):**

  Su presencia en el agua es clave para el desarrollo de vida en ella. Las aguas limpias poseen altas concentraciones de oxígeno disuelto, mientras que las aguas residuales (contaminadas) presentas bajas concentraciones. Ello es debido a que se consume para la degradación de la materia orgánica.

  La concentración de OD en un agua depende, además de su grado de contaminación, de otros factores tales como:

  · Temperatura.

  · Altitud.

  · Movimiento de la masa de agua (turbulencia).

  · Actividad biológica y química.

  Su determinación es llevada a cabo por varios métodos analíticos entre los que destacan: Winkler y Winkler-Alsterberg.

- **Ácido sulfhídrico (H_2S):**

  Se forma por la descomposición de sustancias orgánicas que contienen azufre y por la reducción de sulfitos y sulfatos.

  Es un gas incoloro, tóxico para los seres humanos y poco estable a altas temperaturas (se descompone en hidrógeno y azufre).

  Es responsables del mal olor de las aguas residuales (a huevos podridos).

- Dióxido de carbono (CO_2):

  Se produce por la fermentación de la materia orgánica presente en las aguas residuales. Puede encontrase en dos formas distintas:

  · Libre.

  · En forma de bicarbonato.

- Metano (CH4):

  Aparece por la descomposición anaerobia de la materia orgánica.

  Al igual que el ácido sulfhídrico es un gas altamente inflamable y tóxico si se inhala o se consume. Pero a diferencia del anterior, el metano es inodoro.

  Se genera en las estaciones depuradoras por el tratamiento de los lodos. Puede ser aprovechado como combustible.

Clostridium perfringens

Clostridium perfringens, es una bacteria de origen fecal presente en el intestino de animales homeotérmicos.

Presenta las siguientes características:

- Puede habitar en suelos y aguas contaminadas.

- Es una bacteria porulada.

- Puede vivir en condiciones ambientales inhóspitas: altas o bajas presiones o temperaturas, salinidad, deshidratación, pH extremos, baja concentración de nutrientes, etc

- No puede ser utilizado como indicador de la eficiencia de una estación depuradora de aguas residuales, debido a que permanece tras la eliminación de los patógenos.

Microorganismos patógenos

A continuación vamos a describir brevemente algunos ejemplos de microorganismos patógenos presentes en las aguas residuales:

- Cianobacterias:

  También conocidas como algas vedes-azuladas, son bacterias que poseen clorofila a, por lo que realizan la fotosíntesis. Son los únicos organismos procariotas que pueden realizar la fotosíntesis oxigénica.

  Sus principales efectos nocivos sobre la salud humana son:

  - Producen toxinas que provocan gastroenteritis y afecciones al hígado y al sistema nervioso.

  - Irritación de la piel.

  - Alergias.

- Campylobacter:

  Son bacterias gram negativas, con forma de espiral y móviles, ya que presentan uno o dos flagelos.

  Es unos de las principales bacterias que producen enfermedades en países subdesarrollados transmitidos por alimentos contaminados.

  Entre las especies más infecciosas están:

  - *C. jejuni.*

  - *C. coli*

  - *C. fetus.*

  Su dosis para la infección es muy baja, mostrando los resultados de los estudios epidemiológicos una virulencia similar a la *Salmonella*.

- **Yersinia enterocolítica:**

  Es una bacteria gram negativa perteneciente a la familia de las enterobacterias. Posee forma de bacilo y es una especie no esporulada. Es capaz de habitar en un amplio rango de temperaturas (11ºC hasta 40ºC).

  Sólo algunas cepas de esta bacteria tiene factores de virulencia y son patógenas para la población. En raras ocasiones provocan la muerte del individuo. Causan gastroenteritis por la ingesta de agua o alimentos contaminados.

1.7. Problemas en una EDAR debidos a la composición de las aguas residuales

Las estaciones depuradoras de aguas residuales (EDAR) pueden presentar problemas en su funcionamiento debido a la presencia de sustancias contaminantes en concentraciones inadecuadas.

En este epígrafe vamos a estudiar algunos de los problemas más comunes detectados en las EDAR. Para ello vamos a dividir el apartado en los siguientes cuatro epígrafes:

- Separación de fases.

- Formación de espumas.

- Anoxia y producción de olores.

- Vertidos anómalos y choques tóxicos.

Todos estos problemas deben ser resueltos por los técnicos especialistas presentes en la EDAR. Muchos de ellos son frecuentes y cuentan con un protocolo de actuación, de tal manera que cuando surge el problema, los pasos a seguir están bien definidos.

En el funcionamiento de una EDAR no sólo influye la composición de los contaminantes sino también el **caudal** que recibe.

Las variaciones de caudal son frecuentes a lo largo del año:

– **Épocas estivales:**

Una población costera puede en los meses estivales duplicar su población, por lo que el caudal que llegará a las estaciones depuradoras será también el doble.

– **Épocas de lluvias:**

En épocas de elevadas precipitaciones llegará más cantidad de agua por el agua que llega a través del sistema de alcantarillado.

Importante

Es muy importante dimensionar las estaciones depuradoras para los posibles incrementos de caudal que pueda sufrir, tanto los debidos a aumentos de la población (ya sean esporádicos o por el crecimiento de la misma) como los producidos por las precipitaciones.

1.7.1. Separación de fases

En una EDAR se realizan diferentes tratamientos en cada una de las 3 líneas que posee:

Línea de aguas

Es el circuito que recorre el agua residual desde su llegada a la EDAR hasta su vertido final. Los tratamientos que incluye son:

– Pretratamiento:

Separación de sólidos en suspensión y flotantes de gran tamaño y densidad mediante procesos de desbaste o retención, desarenado y desengrasado.

– Tratamiento primario:

Separación de los sólidos en suspensión y del material flotante que no han sido retenidos anteriormente. Para ello se realizan tres procesos: decantación (realizada en decantadores primarios), floculación y neutralización.

–   Tratamiento secundario:

    Conjunto de procesos biológicos para eliminar la materia orgánica presente en el agua residual. Uno de los más utilizados es el de fangos activos.

–   Tratamiento terciario:

    Métodos avanzados realizados para extraer materia orgánica no eliminada en el tratamiento secundario y reducir nutrientes como los compuestos de nitrógeno (N) y fósforo (P). Este tratamiento es caro por lo que no se realizan en todas las estaciones depuradoras. Su realización permitiría la reutilización del agua depurada.

–   Desinfección:

    Aplicación de procesos como la ozonización y la cloración para la eliminación de bacterias y virus patógenos.

Línea de fangos

Como resultados de los tratamientos descritos en la línea de aguas, se generan una serie de contaminantes denominados fangos o lodos que son tratados en esta línea.

Comprende los siguientes procesos:

–   Espesamiento: reducción del volumen.

–   Estabilización: eliminación (aeróbica o anaeróbica) de la materia orgánica.

–   Acondicionamiento químico: coagulación de sólidos.

–   Deshidratación: eliminación del agua.

Línea de gas

Está constituida por el gas resultante de la digestión de fangos. Puede ser reutilizado para aportar energía a la planta depuradora o por el contrario ser quemado en una antorcha.

Si no se realiza una correcta separación de estas 3 fases, las depuradoras pueden disminuir su rendimiento e incluso presentar problemas de funcionamiento que requieran de un servicio técnico.

1.7.2. Formación de espumas

Los fangos obtenidos por el tratamiento de las aguas pueden generar, de forma esporádica o continua, espumas que cubren la superficie de los reactores biológicos. Estas espumas se caracterizan por ser viscosas, persistentes y de color marrón.

Esta espuma se debe a la proliferación de nocardias.

Definición

Las nocardias son bacterias filamentosas gram positivas y catalasas positivas. Algunas especies son patógenas.

Estas bacterias deben ser eliminadas de la superficie de los reactores biológicos. Para ello se pueden realizar distintos métodos y emplear diferentes compuestos biocidas. La mayoría de ellos presentan una serie de inconvenientes:

– No son específicos.

– Presentan alto riesgo para las bacterias que forman los flóculos y para los protozoos.

Así en los últimos años ha aparecido un nuevo método para la eliminación de las nocardias y con ello el problema de la formación de espumas. Se basa en el empleo de ozono y presenta buenos resultados en las estaciones donde se ha realizado.

El ozono (O3) es un gas incoloro caracterizado por:

– **Su alto poder oxidante**. Ello hace que reacciona con numerosos compuestos orgánicos e inorgánicos.

– **Su alto poder desinfectante**.

El ozono en su reacción de oxidación se descompone en oxígeno (O2) no generando ningún compuesto tóxico.

El ozono es suministrado de forma dosificada y controlada al reactor biológico. Aquí se produce su disolución gracias a una turbina.

El gas rompe las membranas de las bacterias filamentosas, las cuales acaban expulsando su contenido celular al medio. Este contenido celular es usado como nutrientes por el resto de microorganismos que resisten a la oxidación.

Su principal **ventaja** es que es un método selectivo, puesto que afecta en mayor proporción a las bacterias que:

− Bacterias que tienen menor capacidad de regeneración.

− Bacterias que poseen mayor relación superficie/volumen.

1.7.3. Anoxia y producción de olores

Si en las aguas residuales se producen situaciones de anoxia (ausencia de oxígeno) se generan gases responsables del mal olor característico de las EDAR. Estos gases se caracterizan por producir altos niveles de olores en pequeñas cantidades.

Los gases responsables del mal olor de las aguas residuales son dos:

Ácido sulfhídrico

Como se comentó en el apartado 1.6, el ácido sulfhídrico se forma por la descomposición de sustancias orgánicas que contienen azufre y por la reducción de sulfitos y sulfatos.

Es un gas incoloro, tóxico para los seres humanos y poco estable a altas temperaturas (se descompone en hidrógeno y azufre).

Tiene un olor muy característico (a huevos podridos). El olor, al ser una propiedad organoléptica, su percepción varía de unos individuos a otros. A continuación presentamos una tabla donde se muestra la concentración de este gas y sus efectos en los seres humanos:

Concentración de H_2S (ppm)	Efectos sobre la población
0,13	Olor perceptible
4,60	Olor moderado
10	Olor fuerte. Irritación de ojos
27	Olor intenso, desagradable
100	Tos e irritación de ojos. Después 5 minutos se pierde el sentido del olfato
200-300	Conjuntivitis aguda e irritación del sistema respiratorio
500-700	Pérdida de conciencia y muerte
100-2000	Pérdida de conciencia y muerte en pocos minutos

Amoníaco (NH_3)

El amoniaco es un gas incoloro, irritante y posee un olor desagradable. Es muy empleado en la actividad industrial.

A continuación presentamos una tabla donde se muestra la concentración de este gas y sus efectos en los seres humanos:

Concentración de NH3 (ppm)	Efectos sobre la población
0-25	Irritación leve ocular y del aparato respiratorio
25-50	Límite permisible de exposición
50-100	Conjuntivitis, vómitos e irritación moderada del aparato respiratorio
100-500	Irritación leve ocular y del aparato respiratorio e incluso la muerte.

La generación de malos olores es uno de los principales problemas de una EDAR. Su instalación provoca un fuerte rechazo social de la población que habita en las proximidades. Por ello se precisa contemplar en el estudio de impacto ambiental (EsIA) la velocidad y dirección de los vientos predominantes de la zona.

1.7.4. Vertidos anómalos y choques tóxicos

Las estaciones depuradoras pueden ver su composición afectada a lo largo del tiempo. Un ejemplo de ello es la presencia de vertidos anómalos como pueden ser:

- Vertidos con elevadas concentraciones de sólidos en suspensión.

- Vertidos con elevadas concentraciones de aceites y grasas.

- Vertidos con elevadas concentraciones de microorganismos patógenos (producen choques tóxicos por la presencia de altas concentraciones de toxinas)

Estos vertidos anómalos pueden ser debidos a:

- Cambios de hábito de los ciudadanos.

- Aumento del número de habitantes.

Existen técnicas de depuración de aguas residuales que soportan puntualmente la existencia de vertidos anómalos. Estas técnicas son conocidas como **técnicas blandas, naturales, de bajo coste o no convencionales**. Se realizan a aguas procedentes de pequeños núcleos de población. Se caracterizan por:

- Operar sin aporte extra de energía, produciéndose los distintos procesos en un único reactor-sistema.

- Combinar tratamientos convencionales (filtración, intercambio iónico, etc.) con tratamientos naturales (fotosíntesis, fuerza de gravedad, etc.)

Sus principales **ventajas** son:

- Precisa de actuaciones de escaso impacto ambiental

- Requieres menor gasto energético.

- La instalación y mantenimiento de los equipos es reducido.

- Pueden ser explotados por operarios no especializados.

- La cantidad de fangos producida es muy pequeña.

– No produce impacto visual.

Entre sus inconvenientes encontramos:

– Requieren de mayor espacio de terreno.

– Precisan de más tiempo para la depuración del agua.

– Si se sobrepasa su capacidad (aumento puntual de caudal) tarda en recuperarse sus condiciones iniciales.

Algunas técnicas no convencionales son:

– Infiltración rápida.

– Sistemas de lagunaje.

– Filtros de turba.

– Filtros de arena.

– Biodiscos.

1.8. Problemas en una EDAR debido a otros factores

Además de los problemas estudiados en el epígrafe anterior:

– Separación de fases;

– Formación de espumas;

– Anoxia y producción de olores;

– Vertidos anómalos y choques tóxicos;

Las estaciones depuradoras presentas otros problemas en su funcionamiento.

En el siguiente epígrafe vamos a estudiar dos factores que alteran el funcionamiento óptimo de la instalación. Estos factores son:

– Puntas y mínimos de caudal entrante.

– Temperatura ambiente.

Recuerda

Todos estos problemas deben ser resueltos por los técnicos especialistas presentes en la EDAR. Muchos de ellos son frecuentes y cuentan con un protocolo de actuación, de tal manera que cuando surge el problema, los pasos a seguir están bien definidos.

La rápida recuperación a las condiciones normales de funcionamiento dependerá de:

- El tipo de EDAR, la adecuación de sus instalaciones.

- La capacidad de sus operarios: conocimientos, actitud y aptitud.

Sabías que

Además de los problemas mencionados anteriormente que pueden surgir en un EDAR, se puede producir otro muy común: Bulking. El Bulking es la dificultad que presenta los fangos biológicos para su decantación una vez que salen del reactor. Esto se debe a la proliferación de microorganismos filamentos que reducen la velocidad de sedimentación de los flóculos, dificultando la diferenciación entre el líquido y los fangos biológicos.

1.8.1. Puntas y mínimos de caudal entrantes

Antes de la construcción de una estación de depuradora de aguas residuales, se procede a estimar el caudal de entrada de agua a la misma. Para ello se realizan cálculos donde se tienen en cuenta:

- **Población:**

    Se estima el número de habitantes que puede alcanzar la población en un umbral límite de años. Además se tienen en cuenta los incrementos puntuales de la población debido a fiestas, ferias, vacaciones, etc.

- **El consumo de agua por habitante/día:**

  La ratio de consumo de agua por habitante y día varía de unas regiones a otras, estando directamente relacionado con sus hábitos de vida.

- **Precipitación media anual:**

  Se procede a realizar un estudio hidrológico e hidráulico con el fin de estimar la precipitación media anual en un periodo de al menos 50 años. Además se debe conocer la media de las precipitaciones máximas anuales con el fin de detectar posibles puntajes de caudal. Una vez conocido estos datos (se obtienen de las estaciones meteorológicas más cercanas a la estación) se procede a dimensionar la EDAR: decantadores, tuberías, etc.

Pese a todas estas estimaciones, la estaciones depuradoras sufren puntas y mínimos de caudal entrante en la misma. Esto afecta a su funcionamiento. Así:

- Problemas derivados de la entrada de gran caudal:

  Los problemas derivados de la entrada de grandes volúmenes de agua son:

  - Menores tiempos de retención hidráulicos (TRH).

  - Mayor cantidad de arena que disminuye el contenido de sólidos totales.

  - Cambio brusco de temperatura en el reactor.

- Problemas derivados de la entrada de poco caudal:

  En períodos en los que entra poco caudal a la EDAR se pueden producir problemas en el mantenimiento de los lechos bacterianos. Para evitar esto se procede a incrementar la recirculación con el fin de evitar la ausencia de agua en la capa biológica.

1.8.2. Temperatura ambiente

El agua residual tiene una temperatura más elevada que el agua potable suministrada a los hogares debido a la incorporación de agua caliente de:

- Viviendas.

- Industrias.

La temperatura del agua residual está directamente influenciada por la temperatura ambiente, la cual depende del régimen climático de la zona y de factores como la latitud, altitud, orientación o estacionalidad. Se ha estimado que el agua residual urbana presenta valores comprendidos entre 10 y 20 °C.

La temperatura afecta a:

— Desarrollo de la vida acuática:

Hay determinadas especies de microorganismos que solo pueden vivir en estrechos rangos de temperatura mientras que otras pueden habitar en rangos muy amplios.

De forma general se establece lo siguiente:

Temperatura (°C)	Efectos
5 °C	Cesan su actividad las bacterias nitrificantes autótrofas
15 °C	Para su actividad las bacterias productoras de metano
25 - 35 °C	Desarrollo óptimo de la actividad bacteriana
50 °C	Se detiene los procesos de digestión aerobia y de nitrificación

— Velocidad de las reacciones químicas:

Las velocidad de las reacciones químicas incrementa con temperaturas elevadas.

— Concentración de oxígeno:

Disminuye la concentración de oxígeno disuelto (OD) en aguas calientes al ser menos soluble.

Todo estos efectos debe tenerse en cuenta durante la explotación de la estación depuradora.

En climas donde se alcanzan elevadas temperaturas y durante las estación estival, se debe vigilar el funcionamiento de la EDAR ya que la temperatura de las aguas residuales es más elevado.

UD1
Lo más importante

- Las aguas residuales son aquellas líquidos procedentes de las actividades desarrollados por el ser humano, caracterizadas por presentar una fracción de agua y un elevado porcentaje de residuos contaminantes.

- Las aguas residuales urbanas son aquellas derivadas de las actividades humanas desarrolladas en el ámbito doméstico, principalmente. Proceden de dos fuentes principalmente: excreciones y residuos domésticos.

- La composición de las aguas residuales industriales se caracteriza por su alto contenido en sustancias contaminantes tales: microbios patógenos, metales pesados (mercurio y plomo principalmente), materia orgánica persistente, pesticidas y fertilizantes, sedimento en suspensión.

- Las aguas residuales mixtas son aquellas que proceden de la mezcla de las aguas residuales urbanas e industriales, donde ésta última altera sensiblemente la composición y características de las residuales urbanas.

- Las aguas residuales pluviales son las aguas procedentes de la escorrentía de las precipitaciones. Su composición se caracteriza por la presencia de: hollín, polvo de ladrillo y cemento, esporas, polvo orgánico e inorgánico, restos animales y vegetales, partículas sólidas, hidrocarburos

- Las aguas residuales blancas son aquellas procedentes de la infiltración del agua de lluvia. Su grado de contaminación es escasa.

- Se consideran vertidos los que se realicen directa o indirectamente en las aguas continentales, así como en el resto del dominio público hidráulico, cualquiera que sea el procedimiento o técnica utilizada".

– La administración que interviene en los vertidos es el Organismos de Cuenca.

– Los límites de vertido se encuentran recogidos en el Anexo I del Real Decreto 509/1996, de 15 de marzo.

– Los indicadores químicos del agua son: materias inhibidoras, DQO, DBO, sólidos en suspensión, nutrientes, compuestos nitrogenados y compuestos de fósforo.

– Los indicadores físico-químicos del agua son: conductividad, pH y aceites y grasas.

– Los principales indicadores microbiológicos más importantes son: bacterias, protozoos, metazoos, coliformes fecales y totales y estreptotocos fecales.

– Entre los contaminantes específicos se encuentran: oxígeno disuelto, ácido sulfhídrico, dióxido de carbono y metano.

– Entre los microorganismos patógenos están: cianobacterias, camylobacter y yersina enterocolítica.

– Los principales problemas de una EDAR son: separación de fases, formación de espumas, anoxia y producción de olores y vertidos anómalos.

UD1
Autoevaluación

1. Las aguas residuales presentan en su composición:

    a. Un 90% de agua.

    b. Un 95% de agua.

    c. Un 99,9% de agua.

    d. Un 99% de agua.

2. Las aguas residuales industriales presenta:

    a. Microorganismos patógenos.

    b. Pesticidas y fertilizantes.

    c. Metales pesados.

    d. Todas las anteriores son correctas.

3. La DQO de una agua residual blanca es de:

    a. 65.

    b. 68.

    c. 70.

    d. 72.

4. La administración que interviene en los vertidos es:

   a. Ayuntamiento.

   b. Consejería de medio ambiente.

   c. Ministerio de medio ambiente.

   d. Organismo de cuenca.

5. Las materias inhibidoras alteran el resultado de los valores de:

   a. DQO.

   b. DBO.

   c. OD.

   d. pH.

6. La eutrofización es producida por una concentración elevada de:

   a. Fosfatos.

   b. Nitratos.

   c. Nitritos.

   d. Amoniaco.

7. La conductividad depende de:

   a. La concentración de oxígeno disuelto.

   b. La concentración de sales disueltas.

   c. El pH del agua.

   d. Ninguna de las anteriores es correcta.

8. Las bacterias:

   a. Son organismos pluricelulares.

   b. Son organismos unicelulares.

   c. Su tamaño varía entre 5 y 10 µm de longitud.

   d. Son todas móviles.

9. Los Estreptococcus fecales:

    a. Presentan movilidad.

    b. Son aerobios facultativos.

    c. Son bacterias gram positivas.

    d. Todas las anteriores son ciertas.

10. La formación de espumas:

    a. Se debe a la proliferación de nocardias.

    b. Se combate mediante la adición de oxígeno al medio.

    c. Se debe a la proliferación de virus.

    d. Se debe a la proliferación de metazoos.

UD2

Estaciones depuradores de aguas residuales

2.1. Objetivos de la depuración

Hemos visto en el tema 1 como las aguas residuales se caracterizan por tener una alta carga contaminante debido a que posee altas concentraciones de:

– Compuestos nitrogenados (nitritos, nitratos, amoniaco y nitrógeno orgánico).

– Fosfatos.

– Sólidos en suspensión.

– Grasas y aceites.

– BBO5.

– Cloruros.

– Entre otros.

Hasta no hace muchos años, este agua residual era vertida al medio (aguas continentales o marinas) sin tratamiento previo, ocasionando graves problemas ambientales y sociales.

Sabías que

Actualmente en España aún existen municipios que no depuran sus aguas residuales por carecer de plantas de tratamiento.

Los **objetivos** de la depuración se centran en:

– Conservación de los recursos hídricos.

– Protección de la fauna y flora acuática.

– Protección de la salud pública.

Vamos a desarrollar cada uno de ellos:

La conservación de los recursos hídricos

Los recursos hídricos (recurso ilimitado), tanto marinos como continentales, dada su elevada importancia son considerados bienes de dominio público, quedando amparado constitucionalmente por las características propias de estos bienes (art. 132 de la Constitución):

– Inalienabilidad:

No se puede enajenar, es decir, no se puede vender o traspasar.

– Imprescriptibilidad:

No se puede adquirir la propiedad de un bien por el paso del tiempo.

– Inembargabilidad:

No se puede embargar, retener o quitar la titularidad del bien a cambio de una prestación económica.

Esta declaración como bienes de dominio público no sólo van a condicionar su titularidad, sino también su afectación (usos del bien).

Respecto a los **mares y océanos**, éstos poseen un volumen de agua de aproximadamente **1.350·106 Km³**. Este volumen representa el **97,3 %** del agua total de la Tierra. Sin embargo esta agua no puede ser consumida directamente por la población debido a su alta concentración de sales (33-38 g de sal por cada 1000 g de agua), sino que requiere de técnicas para su desalación.

El agua del mar es empleada para usos:

– **Recreativos:**

El agua del mar no es sólo empleada para el baño. En los últimos años no han parado de incrementarse el número de deportes acuáticos así como sus seguidores.

– **Pesqueros:**

Son el hábitat de numerosas especies animales y vegetales que sirven de alimento al ser humano.

– **Transporte:**

Los océanos han sido desde la antigüedad ampliamente empleados para el transporte de mercancías y pasajeros.

– **Ecológicos:**

Dado el elevado calor específico del agua ((1 cal/g °C), los mares y océanos cumplen una función reguladora del clima terrestre.

Todas estas características hacen que el 50% de la población mundial viva en zona costera.

Las **aguas continentales** están formadas por:

– Las aguas subterráneas:

La cantidad de agua subterránea se estima en $33,9 \cdot 106$ Km^3, lo que supone un 2,4 % del agua total del planeta. Se almacena en acuíferos.

Definición

Los acuíferos son estructuras geológicas permeables (contienen agua en sus poros). El agua se puede mover debido a que:

· Los poros están conectados entre sí.

· La existencia de un gradiente hidráulico.

– Las agua superficiales:

Están constituidas por:

· Ríos: con un volumen de **$1,7 \cdot 103$ Km^3** lo que representa el **0,0001 %** del agua total del planeta.

- Lagos: con un volumen de **230 ·103 Km³** lo que representa el **0,017%** del agua total.

- Glaciares y casquetes polares: con un volumen de **26.000 ·103 Km³** lo que representa el **1,9%** del agua total del planeta.

- Atmósfera: con un volumen de **13 ·103 Km³** lo que representa el **0, 001%** del agua total.

De todas ellas, tan sólo las aguas subterráneas, los ríos y los lagos están disponibles o accesibles para la utilización por el ser humano. Se emplean para:

- **Consumo humano (abastecimiento):**

    El 7,3% del agua es consumida para el abastecimiento de la población.

    Según fuentes del Instituto Nacional de Estadística (INE), en el año 2009 el consumo medio fue de 149 l/hab día.

- **Actividades agrícolas:**

    La actividad agrícola consume un 65% de agua, siendo la actividad que más agua consume.

- **Actividades ganaderas:**

    El ganado necesita de agua para su crecimiento y limpieza.

- **Industria:**

    Las actividades industriales consumen agua en su actividad productiva. Se estima que un 23,6% del agua es consumida por las industrias.

- **Otros usos**

    Obtención de energía eléctrica, recreativos, ecológicos o transporte. A diferencia de los anteriores, implican un uso no consuntivo del recurso.

Pese a ser un recurso renovable, el agua es un bien limitado y escaso en muchas áreas del planeta debido su distribución irregular y a factores tales como:

- Crecimiento exponencial de la población.

- Derroche del recurso, malas infraestructuras existentes y usos nuevos e inadecuados.

- Contaminación.

- Inadecuada gestión del agua, siguiendo estrategias que la consideran un recurso ilimitado.

La competencia por este recurso se intensificará con su escasez, generándose conflictos nacionales e internacionales.

La solución a adoptar ante el problema de la escasez es la realización de una adecuada planificación hidrológica. En España esto se encuentra regulado por la **Ley 10/2001, de 5 de julio, del Plan Hidrológico Nacional (PHN) y** por los distintos **Planes Hidrológicos de Cuenca.**

Los **objetivos** del PHN (art. 2) son:

"Alcanzar el buen estado del dominio público hidráulico, y en particular de las masas de agua.

Gestionar la oferta y satisfacer las demandas de agua presentes y futuras a través de un aprovechamiento racional, sostenible y equilibrado del agua, que permita al mismo tiempo garantizar la suficiencia y calidad del recurso para cada uso y la protección a largo plazo de los recursos hídricos disponibles.

Lograr un equilibrio y armonización del desarrollo regional y sectorial, en aras a conseguir la vertebración del territorio nacional.

Reequilibrar las disponibilidades del recurso, protegiendo su calidad y economizando sus usos, en armonía con el medio ambiente y los demás recursos naturales".

La protección de la flora y fauna acuática

Los mares y océanos, así como los ríos y lagos constituyen una gran fuente de biodiversidad del planeta. Albergan multitud de especies animales y vegetales. Estas especies cumplen un papel:

- **Ecológico:**

  Entre ellas se establecen complejas relaciones intraespecíficas y interespecíficas alcanzándose un equilibrio ecológico de las poblaciones.

– Comercial:

Numerosas especies son fuente de alimento (boquerones, sardinas, salmonetes, pulpo, calamares, gambas, etc.) y otras, como las algas, son empleadas en la elaboración de productos estéticos y farmacéuticos.

El vertido de aguas residuales a estos medios provocará la contaminación del mismo y con ello los siguientes:

– Alteración de ciclos biológicos de reproducción y crecimiento:

Determinados contaminantes como la temperatura (incremento de ella) puede alterar los ciclos biológicos normales de reproducción y crecimiento de las especies, y con ello la disminución del número de individuos.

– Disminución de la capacidad fotosintética:

La turbidez, principalmente, disminuye la cantidad de luz que llega al agua. Esto provoca que las especies vegetales acuáticas no realicen la fotosíntesis adecuadamente.

– Desaparición de especies estenoicas:

Son especies estenoicas que viven en un estrecho rango de valor para una/s determinada/s variable/s. Poseen una valencia ecológica muy pequeña.

– Muerte por envenenamiento:

Es debido fundamentalmente por la elevada concentración de metales pesados.

– Dificultades respiratorias:

Esto se produce al disminuir la concentración de oxígeno disuelto en el agua.

– Alteraciones en las cadenas tróficas:

Como hemos comentado anteriormente, entre las distintas especies del ecosistema se establecen complejas relaciones intraespecíficas y interespecíficas. La muerte de determinadas especies altera el equilibrio ecológico del ecosistema.

Pez muerto debido a la contaminación de agua

La protección de la salud pública

Las aguas residuales poseen una lata concentración de microorganismo. Muchos de ellos son patógenos para el ser humano.

A continuación vamos a esquematizar en una tabla los distintos tipos de microorganismos patógenos relacionándolo con la enfermedad que producen y los principales síntomas. Algunos de ellos ya los vimos en el tema 1.

	Organismo	Enfermedad	Síntomas
Bacterias	*Escherichia coli*	Gastroenteritis	Diarrea
	Legionella pneumophila	Legionelosis	Enfermedades respiratorias agudas
	Leptospira	Leptospirosis	Fiebre
	Salmonella typhi	Fiebre tifoidea	Fiebre alta, diarrea, úlceras en el intestino delgado
	Salmonella sp	Salmonelosis	Envenenamiento de alimentos
	Shigella	Shigelosis	Disentería bacilar
	Vibrio Cholerae	Cólera	Diarreas muy fuertes y deshidratación
	Yersina enterolitica	Yersinosis	Diarreas

	Organismo	Enfermedad	Síntomas
Virus	*Adenovirus*	Enfermedades respiratorias	Fiebre y vómitos
	Enterovirus	Gastroenteritis, anomalías cardiacas, meningitis	
	Hepatitis A	Hepatitis infecciosas	
	Agente Norwalk	Gastroenteritis	
	Reovirus	Gastroenteritis	
	Rotavirus	Gastroenteritis	
Protozoos	*Balantidium coli*	Balantidiasis	Diarrea y disentería
	Crytosporidium	Criptosporidiosis	Diarrea
	Entamoeba histolytica	Disentería amébica	Diarrea prolongada con sangre, abscesos en el hígado e intestino delgado
	Giardia lamblia	Giardiasis	Diarrea, náuseas, indigestión
Helmintos	*Ascaris lumbricoides*	Ascariasis	Infestación de gusanos
	Enterobius vericularis	Enterobiasis	Infestación de gusanos
	Fasciola hepatica	Fascioliasis	Infestación de gusanos
	Hymenolepis nana	Hymenlepiasis	Tenia
	Taenia saginata	Teniasis	Tenia
	Taenia solium	Teniasis	Tenia
	Trichuris trchiura	Trichuriasis	Infestación de gusanos

Fuente: Metcal & Eddy (1995)

Debido a la elevada importancia que poseen las aguas marinas y continentales, se ha desarrollado normativa respecto al tratamiento de las aguas residuales:

- **A nivel europeo:**

  - Directiva 91/271/CEE del Consejo, de 21 de mayo de 1991, sobre el tratamiento de las aguas residuales urbanas.

  - Directiva 98/15/CE de la Comisión de 27 de febrero de 1998 por la que se modifica la Directiva 91/271/CEE del Consejo en relación con determinados requisitos establecidos en su anexo I Directiva 98/15/CE.

- **A nivel estatal:**

  Estas Directivas ha sido transpuesta a la normativa española mediante:

  · Real Decreto Ley 11/1995, de 28 de diciembre, por el que se establecen las normas aplicables al tratamiento de las aguas residuales urbanas.

  · Real Decreto 509/1996, de 15 de marzo, de desarrollo del Real Decreto-ley 11/1995, de 28 de diciembre, por el que se establecen las normas aplicables al tratamiento de las aguas residuales urbanas.

  · Real Decreto 2116/1998 que modifica el anterior el Real Decreto 509/1996, de 15 de marzo.

El objetivo del Real Decreto Ley 11/1995, de 28 de diciembre es:

"Proteger la calidad de las aguas continentales y marítimas de los efectos negativos de los vertidos de las aguas residuales urbanas"

Esta norma (art. 5) estable los plazos en que las distintas aglomeraciones urbanas deben tener **tratamiento secundario**. Estos plazos son los siguientes:

"a) Antes del 1 de enero del año 2001, aquellas que cuenten con más de 15.000 habitantes-equivalentes.

b) Antes del 1 de enero del año 2006, aquellas que cuenten entre 10.000 y 15.000 habitantes-equivalentes.

c) Antes del 1 de enero del año 2006, aquellas que cuenten entre 2.000 y 10.000 habitantes-equivalentes y viertan en aguas continentales o estuarios".

Además, el artículo 6 estable los plazos en que las distintas aglomeraciones urbanas deben tener **tratamiento adecuado**.

"a) Aquellas que cuenten con menos de 2.000 habitantes-equivalentes y viertan en aguas continentales y estuarios.

b) Aquellas que cuenten con menos de 10.000 habitantes-equivalentes y viertan en aguas marítimas".

En Internet puedes consultar el Real Decreto Ley 11/1995, de 28 de diciembre, por el que se establecen las normas aplicables al tratamiento de las aguas residuales urbanas.

Además de la normativa anteriormente citada, otro hito importante respecto a la gestión del agua (y por tanto para la depuración de la misma) fue la redacción de la Carta Europea del Agua en Estrasburgo (Francia) el 6 de mayo de 1968. A diferencia de la normativa anterior, no tiene carácter de obligado cumplimiento. Sin embargo, es una declaración de principios que ha marcado un punto de inflexión para el desarrolla normativo posterior.

La Carta Europea del Agua consta de 12 artículos. El artículo 5 hace mención directa a la depuración del agua residual:

"1. No hay vida sin agua. El agua es un tesoro indispensable para toda actividad humana.

2. El agua no es inagotable. Es necesario conservarla, controlarla y, si es posible, aumentar su cantidad.

3. Contaminar el agua es atentar contra la vida humana y la de todos los seres vivos que dependen del agua.

4. La calidad del agua debe mantenerse en condiciones suficientes para cualquier uso; sobre todo, debe satisfacer las exigencias de la salud pública.

5. Cuando el agua residual vuelve al cauce, debe estar de tal forma que no impida usos posteriores.

6. Mantener la cubierta vegetal, sobre todo los bosques, es necesario para conservar los recursos del agua.

7. Los recursos del agua deben ser inventariados.

8. La correcta utilización de los recursos de agua debe ser planificada por las autoridades competentes.

9. La conservación del agua debe potenciarse intensificando la investigación científica, formando especialistas y mediante una información pública adecuada.

10. El agua es un bien común, cuyo valor debe ser conocido por todos. Cada persona tiene el deber de ahorrarla y usarla con cuidado.

11. La administración del agua debe fundamentarse en las cuencas naturales más que en las fronteras políticas y administrativas.

12. El agua no tiene fronteras. Es un bien común que requiere la cooperación internacional".

Importante

La depuración de las aguas residuales implica un elevado coste económico derivado de la construcción, explotación y mantenimiento de las instalaciones, así como del personal que allí trabaja.

2.2. Procesos unitarios

En una estación depuradora de aguas residuales (EDAR) se llevan a cabo tres tipos de procesos:

– Físicos.

– Químicos.

– Biológicos.

Estos procesos se conocen con el nombre de unitarios y se realizan en los diferentes tratamientos realizados en las plantas depuradoras.

Vamos a representar en la siguiente página los distintos tipos de procesos llevados a cabo en la línea de agua y lodos de una EDAR.

	Etapa	Función	Proceso unitario	Operación
Línea de agua	Pretratamiento	Eliminación de sólidos de gran tamaño y densidad	Físico	Desbaste
				Dilaceración
				Desarenador
				Desengrasado
	Tratamiento primario	Eliminación de sólidos en suspensión de pequeño tamaño y densidad	Físico	Coagulación/ Floculación
			Químico	Sedimentación
	Tratamiento secundario	Disminución de la concentración de la materia orgánica soluble	Físico	Degradación materia orgánica
			Biológico	Sedimentación
	Tratamiento terciario	Eliminación de patógenos	Químico	Desinfección
				Precipitación química
		Reducción de nitrógeno y fósforo	Biológico	Degradación nutrientes
Línea de fango	Espesamiento	Separación fangos primarios y secundarios	Físico	Sedimentación
				Flotación
	Digestión	Mineralización materia orgánica	Biológico	Digestión aerobia y anaerobia
	Deshidratación	Eliminación de agua	Físico	Filtración
				Centrifugación

2.3. Tipos de procesos

Vamos a estudiar en este epígrafe los diferentes tipos de procesos: físicos, químicos y biológicos desarrollados en una EDAR.

Hemos decidido separar los procesos físicos de los químicos para una mayor comprensión del texto. Respecto a los procesos biológicos, se va desarrollar en el epígrafe 2.3.1 los distintos organismos que intervienen, explicándose en el epígrafe 2.4 cada uno de los procesos en detalle.

- Físicos:

  · Desbaste.

  · Dilaceración.

  · Medición de caudales.

  · Desarenador.

  · Homogeneización de caudales.

  · Mezclado.

  · Sedimentación.

  · Flotación.

  · Filtración.

  · Transferencia de gases.

  · Volatilización y arrastre de COV.

- Químicos:

  · Precipitación química.

  · Adsorción.

  · Desinfección.

- Biológicos:

  Organismos que intervienen:

- Bacterias.

- Hongos.

- Protozoos.

- Metazoos.

- Algas.

Vamos a detallar a continuación con las principales características de los distintos procesos físicos.

2.3.1. Fisicoquímicos

Como hemos mencionado anteriormente, vamos a dividirlos en dos:

- Físicos.

- Químicos.

Procesos físicos

Son todos aquellos tratamientos realizados en las aguas residuales donde se produce un cambio en sus características y propiedades debido a la aplicación fuerzas físicas.

Las procesos físicos más empleados son:

- **Desbaste:**

    Es el primer proceso que se realiza en una estación depuradora. Consiste en la retención y eliminación de los sólidos de gran tamaño existentes en las aguas residuales. Los dispositivos empleados en el desbaste son:

    - Rejas:

        Se emplean para proteger las válvulas, las bombas, etc. de posibles daños y/o obturaciones producidos por la existencia de objetos de gran tamaño. Las rejas más usadas son las de barras de acero inoxidable. Se localizan en el pretratamiento y pueden limpiarse manual o automáticamente.

· Tamices:

Existen una gran variedad de tamices en el mercado fruto de una intensa investigación y desarrollo llevada a acabo en los últimos años. Vamos a representar en una tabla los distintos tipos de tamices más empleados, el material con el que están fabricados y donde se utiliza en las EDAR.

Tipo de tamiz	Material de fabricación	Utilización
Inclinado fijo	Malla de cuña de acero inoxidable	Tratamiento primario
Inclinado giratorio	Placas de cobre pulido o bronce	Pretratamiento
Tambor giratorio	Malla de cuña de acero inoxidable	Pretratamiento

– Dilaceración:

Es un proceso alternativo a las rejas y tamices empleadas en el desbaste. Consiste en triturar los sólidos gruesos presentes en el agua con el fin de:

· Facilitar las operaciones que se producen posteriormente.

· Homogeneizar el tamaño de las partículas.

Su empleo reduce los problemas que los objetos de elevado tamaño pueden ocasionar a las bombas (obstrucción) de las estaciones depuradoras. Sin embargo, las existencia de sólidos, aunque de pequeño tamaño, tras la dilaceración ocasiona problemas a los tratamientos que se realizan posteriormente.

Existen en el mercado diversos tipos de dilacerados. Uno de los más empleados consiste en un tamiz rotatorio en forma de tambor, en posición vertical, con ranuras que van desde los 6 a los 10 mm.

– Medición de caudales:

Una medición correcta de caudales es esencial para un explotación eficaz de una planta de tratamiento de aguas residuales.

Un sistema de medición consta de dos herramientas:

· Sensor:

Detecta el flujo de entrada. Dependiendo del tipo de sensor que se utiliza podemos dividir los aparatos medidores de caudal en:

> › Flujo en lámina libre: el caudal se calcula midiendo la pérdida de carga producida por la introducción de un obstáculo en la conducción. Se utiliza en canales abiertos o conducciones parcialmente llenas. El más empleado es el aforador Pashall.

> › Conducción en carga: se emplean tres técnicas principalmente:

> Introducir de un obstáculo para generar un diferencial de presión o pérdida de carga.

> Medir los efectos que provoca el fluido de agua en movimiento.

> Medir el incremento de volumen de agua residual.

· Convertidor:

Traduce la señal del sensor en un dato numérico que se registra en el aparato.

Importante

Se debe realizar una correcta limpieza, mantenimiento y calibrado de los aparatos de medición para garantizar la fiabilidad de los resultados obtenidos.

– **Desarenador:**

La función del desarenador es la eliminación de arenas, gravas, cenizas y otros materiales (cáscaras de huevo, semillas o granos de café) cuya velocidad de sedimentación o pesos específico sean ligeramente superiores a los sólidos orgánicos.

Con la instalación de los desarenadores se consigue:

· Proteger de la abrasión a los distintos elementos de la instalación.

· Reducir la formación de depósitos en las conducciones.

· Disminuir la frecuencia de limpieza de los digestores.

Se localizan después del desbaste, sin embargo, en algunas instalaciones puede precederlo.

Se distinguen cuatro tipos de desarenadores:

- **De flujo horizontal:**

  El agua circula horizontalmente y su velocidad es controlada por la geometría del aparato.

- **De flujo vertical:**

  A diferencia del anterior, el agua circula verticalmente y su velocidad es controlada por la geometría del aparato.

- **Aireados:**

  Consiste en un tanque de aireación cuyo flujo es helicodal.

- **De vórtice:**

  Tanque cilíndrico donde se crea un flujo de vórtice (remolino). Las arenas se separan por fuerzas centrífugas y gravitatorias.

— **Homogeneización de caudales:**

Se lleva a cabo para que las plantas depuradoras no presenten problemas durante su explotación derivadas tanto de la variación del caudal de entrada como de su composición química y para optimizar la efectividad de los tratamientos que aquí se realizan.

Consiste en amortiguar por laminación las variaciones de caudal que tiene el efluente de entrada en la EDAR, manteniendo así un caudal aproximadamente constante.

Entre sus principales **ventajas** se encuentran:

- Mejora el tratamiento biológico.

- Mejora la calidad del efluente.

  Mejora el rendimiento de los tanques de sedimentación secundaria.

- Reduce la superficie necesaria para la filtración.

- Mejora el control de la dosificación de los reactivos del tratamientos terciario.

- Mezclado:

El proceso de mezclado es una operación muy importante en muchas fases del tratamiento del agua residual como por ejemplo la floculación, que veremos después.

Las operaciones de mezclado pueden clasificarse en:

- Mezcla rápida continua de productos químicos:

  Consiste en una mezcla completa de una sustancia con otra en un tiempo que varía de entre una fracción de segundo hasta 30 segundos. Se realiza con distintos tipos de aparatos. En la siguiente tabla vamos a representar cada uno de ellos así como la forma en la que se consigue el mezclado.

Tipos de aparato	Forma de mezclado
Resaltos hidráulicos en canales	Por las turbulencias creadas en el régimen de flujo
Dispositivos Venturi	
Conducciones	
Por bombeo	
Mezcladores estáticos	Por las turbulencias creadas como consecuencia de la disipación de energía
Mezcladores mecánicos	Por las turbulencias creadas gracias a la aportación de energía de impulsores giratorio (paletas, hélices y turbinas)

- Mezcla continua en reactores y tanques de retención:

  Consiste en mantener en un estado de mezcla total el contenido del reactor o del tanque de retención. Se realiza por medio de:

  › Mezcladores mecánicos.

  › Mecanismos neumáticos.

  › Mezcladores estáticos.

  › Bombeo.

− **Sedimentación:**

La sedimentación o decantación se basa en separar las partículas que se encuentran suspendidas en el agua residual y cuyo peso específico es mayor por la acción de la gravedad.

$$\text{Fuerza de la gravedad} = (\rho_s - \rho)gV$$

Donde:

ρ_s = densidad de la partícula

ρ = densidad del fluido

g = aceleración de la gravedad ($9{,}8\ m/s^2$)

V = volumen de la partícula

Podemos distinguir cuatro tipos de sedimentación:

· De partículas discretas:

El agua presenta muy baja concentración de partículas, las cuales sedimentan individualmente sin que exista interacción entre ellas.

Se produce en la eliminación de arenas.

· Floculenta:

Las partículas se agregan aumentando su tamaño y densidad. Se produce en aguas con bajas concentraciones de sólidos.

Se produce en los tanques de sedimentación primaria y secundaria.

· Retardada o zonal:

Las fuerzas entre las partículas dificultan la sedimentación de las partículas próximas. Se produce en aguas con concentraciones medias de sólidos.

Se produce en los tanques de sedimentación secundaria.

· Compresión:

Las partículas se concentran en una estructura y la sedimentación se produce como consecuencia de la compresión de ella.

Se produce en las capas inferiores de fangos.

Sabías que

Estos cuatro tipos de sedimentación se producen en fases distintas aunque es posible que se produzcan de forma simultánea.

Se realiza en los siguientes procesos:

- Eliminación de arena (desarenado).

- Tanques de decantación primaria.

- Eliminación de flóculos tras la floculación química.

- Eliminación de la materia en suspensión de los flóculos biológicos (proceso de fango activo).

  Concentración de sólidos en los espesadores de fango.

El resultado final de la sedimentación es la obtención de un fluido clarificado en la superficie y un fango o lodo depositado abajo.

- Flotación:

La flotación consiste en la separación de una fase líquida de partículas sólidas o líquidas mediante la introducción de burbujas de gas en el líquido. Las partículas se adhieren a las burbujas que suben hasta la superficie debido a la existencia de una fuerza ascendente.

Las burbujas de aire son introducidas en el agua residual mediante:

- Inyección de aire en el agua sometida a presión y posterior liberación de dicha presión.

- Aireación a presión atmosférica

- Saturación con aire a presión atmosférica y aplicación de vacío al agua.

Con la flotación conseguimos la ascensión de partículas:

- De mayor densidad que el agua (proceso contrario al de la sedimentación, visto anteriormente).

- De densidad menor.

Se emplea para:

- La sedimentación de materia suspendida.

- Concentración de los fangos biológicos.

Sabías que

La flotación elimina en menor tiempo y de forma más eficaz que la sedimentación las partículas pequeñas de baja densidad.

— **Filtración:**

Se realiza para lograr:

- Una mayor eliminación de los sólidos en suspensión de los efluentes producidos tras los tratamientos biológico y químico.

- Una eliminación de fósforo (P) precipitado por vía química.

La filtración es un proceso muy empleado durante años en el tratamiento de las aguas potables mientras que en las aguas residuales es de reciente utilización.

Se distinguen dos operaciones de filtración de partículas:

- Semicontinua:

Las fases de filtración y lavado de las partículas retenidas en el filtro se realizan de forma consecutiva, una detrás de la otra.

La filtración se realiza haciendo circular el agua residual a través de un lecho granular con o sin aditivos químicos mientras que el lavado se realiza con un flujo de agua a contracorriente. El lavado se mejora si se emplea una corriente de agua y aire.

· Continua:

Las fases de filtración y lavado de las partículas retenidas en el filtro se realizan simultáneamente.

— Transferencia de gases:

Consiste en trasladar los gases de una fase a otra, generalmente de una fase gaseosa a otra líquida. Se realiza en multitud de procesos en las estaciones depuradoras. Quizás, el más común, es la transferencia de oxígeno realizada en el tratamiento secundario. La cantidad de oxígeno que penetra en el agua a través de la interfase superficie del agua residual-aire es reducida debido a la baja solubilidad del oxígeno.

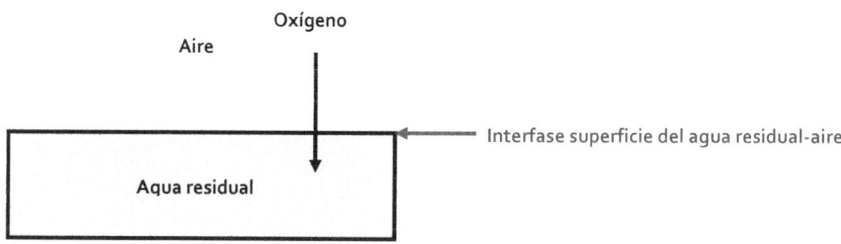

Esto provoca que no se obtenga todo el oxígeno necesario para la realización de los procesos biológicos aerobios. Para solucionar esto se crean interfases adicionales mediante la introducción en el agua de aire en forma de burbujas u oxígeno puro.

A continuación mostramos en una tabla los distintos sistemas de aireación:

Sumergidos	Función
Difusión de aire (poroso, no poroso y mezclador estático)	Procesos de fangos activos y lagunas de aireación
Turbina sumergida	Procesos de fangos activos
Torbera a chorro	Procesos de fangos activos

Superficiales	Función
Turbina de baja velocidad	Procesos de fangos activos y lagunas de aireación
Aireador de rotor horizontal	Lagunas de aireación
Aireador flotante de baja velocidad	Lagunas y canales de aireación y zanjas de oxidación
Cascada	Postaireación

Importante

La teoría más aceptada que explica el mecanismo de la transferencia de gases se denomina: Teoría de la doble capa (Lewis y Whitman, 1924). Se basa en un modelo físico donde se establece la existencia de dos capas: una líquida y otra gaseosa. Estas capas tienen una alta resistencia a la transferencia de gases de una a otra.

– **Volatilización y arrastre de compuestos orgánicos volátiles:**

En los últimos años se ha detectado el incremento de partículas orgánica volátiles (COV) en el agua residual.

La concentración de COV en la atmósfera es menor que la del agua residual, por lo que la volatilización se producirá del agua a la atmósfera hasta que se alcanza las concentraciones de equilibrio entre ambas fases.

La volatilización de COV en una EDAR se produce en los siguientes procesos:

Procesos	Mecanismos de volatilización
Desbaste (rejas de barra)	Turbulencias
Dilaceradores	Turbulencias
Aforador Parshall	Turbulencias
Desarenador	Turbulencias o aire

Procesos	Mecanismos de volatilización
Homogeneización de caudales (tanques)	Turbulencias localizadas o aire
Sedimentación primaria y secundaria (tanques)	Aire en superficie
Tratamiento secundario	Difusión de aire, aireadores superficiales o turbulencias
Gas digestor	Combustión o incineración incompleta del gas

Vamos a representar algunas de estas operaciones físicas en esquema que representa el paso de un efluente de agua residual en una EDAR:

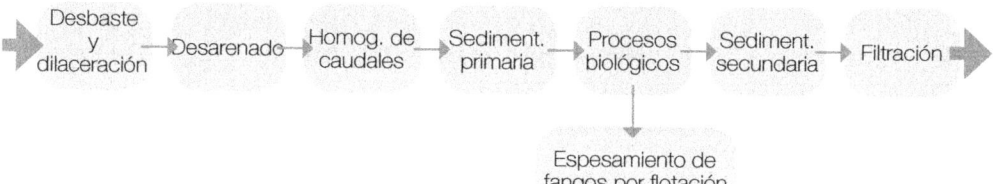

Se trata de un esquema sencillo don de no todas los procesos que se han explicado se ven representados, pero ayuda a obtener un visión global.

Vamos a proceder a continuación a el estudio de los procesos químicos.

Procesos químicos

Son todos aquellos tratamientos realizados en las aguas residuales donde se produce un cambio en sus características y propiedades mediante reacciones químicas.

Las procesos químicos más empleados son:

– **Precipitación química:**

   Consiste en la adición de sustancias químicas al agua residual con el fin de:

   · Alterar el estado físico de los sólidos (disueltos y en suspensión).

   · Facilitar su eliminación mediante sedimentación.

Mediante la precipitación química se pueden obtener aguas clarificadas pues se llegan a eliminar:

- 80-90% de la materia total suspendida.

- 40-70% de la DBO5.

- 30-60% de la DQO.

- 80-90% de las bacterias.

Entre los principales productos químicos que se añaden al agua se en cuentra:

- Sulfato de alúmina.

- Cloruro férrico.

- Sulfato férrico.

- Sulfato ferroso.

- Cal.

– Adsorción:

La adsorción se basa en la atracción de sustancias solubles presentes en la interfase de agua residual.

Con ella conseguimos una alto grado de depuración de las aguas mejorando sustancialmente la calidad del efluente de salida.

El mecanismos de adsorción más empleado es aquél en el que se emplea carbono activo o carbón activado. Se consigue eliminar una fracción de la materia orgánica disuelta.

El agua se introduce por la parte superior de una columna donde se encuentra el carbón activo. Éste está soportado por un sistema de drenaje que hace vaciar el agua por la parte inferior de la columna.

Para garantizar la eficacia del proceso se requiere de:

- Un sistema de lavado a contracorriente.

- Un sistema de lavado de la superficie.

Sabías que

El carbón activado granular se regenera de forma fácil mediante la oxidación y eliminación de la materia orgánica contenida en la superficie. Sin embargo, se destruye entre un 5-10 % del carbón siendo necesaria su regeneración con material nuevo. Este carbón nuevo presenta una capacidad de adsorción ligeramente inferior.

– **Desinfección:**

La desinfección consiste en la eliminación, de forma selectiva, de los microorganismo existentes en el agua (bacterias y virus principalmente) capaz de provocar enfermedades a la población.

Entre las principales enfermedades causadas por las bacterias se encuentran: el tifus, el cólera o la disentería, mientras que entre las enfermedades causadas por virus están: la poliomelitis o la hepatitis.

Importante

A diferencia de la esterilización, la desinfección no elimina totalmente todos los microorganismos presente en el agua.

Las **características** que debe tener un desinfectante son:

· Toxicidad para los microorganismos pero no para las formas de vida superiores.

· Solubilidad.

· Estabilidad.

· Homogeneidad.

· No interacción con materias extrañas.

- Toxicidad a temperatura ambiente.

- Capacidad de penetración a través de la superficie.

- No corrosivo.

- No colorante.

- Capacidad desodorante.

- Disponibilidad (bajo coste).

Existen distintos tipos de agentes desinfectantes. Los más empleados son:

- **Cloro:**

  Actualmente es el más empleado debido a sus características. Los compuestos de cloro más empleados son:

  › **Cloro gas (Cl_2):**

    Su adición al agua hace que se generen dos reacciones químicas:

    Hidrólisis:

    $$Cl2 + H2O \longrightarrow HOCl + H+ + Cl-$$

    Ionización:

    $$HOCl \longrightarrow H+ + OCl-$$

    El HOCl y el OCl- , denominado cloro libre disponible, reaccionan con el amoniaco dificultando las tareas de desinfección al variar sus concentraciones.

  › **Dióxido de cloro (ClO2):**

    Es un producto cuyo poder de desinfección es superior al cloro gas tanto para la destrucción de bacterias como de virus.

  › **Cloruro de Bromuro (ClBr):**

    Su poder desinfectante no se encuentra muy estudiado pero parece tener las misma efectividad que el cloro gas.

· Ozono:

Se considera como una alternativa viable a la desinfección con cloro pues presenta las siguientes características:

› Es un oxidante muy reactivo que destruye a las células mediante la rotura de su pared celular (lisis).

› Elimina a una gran cantidad de virus.

› No produce sólidos disueltos.

› No se ve afectado por la presencia de amonio ni por el pH del agua.

› No presenta efectos perjudiciales para el medio acuático debido a su baja estabilidad.

› Destruye el ácido húmico.

› Aumenta la concentración de oxígeno disuelto.

Las reacciones químicas que tienen lugar son las siguientes:

$$O_3 + H_2O \longrightarrow HO_3^+ + OH^-$$
$$HO_3^+ + OH^- \longrightarrow 2\ HO_2$$
$$O_3 + HO_2 \longrightarrow HO + 2\ O_2$$
$$HO + HO_2 \longrightarrow H_2O + O_2$$

Sabías que

La desinfección con ozono se empezó a utilizar en Francia.

· Rayos Ultravioletas:

Se ha empleado comúnmente en los procesos de potabilización de aguas siendo su aplicación en aguas residuales aún muy escasa.

Entre sus **características** se encuentra:

› **Alta eficacia en la destrucción de virus y bacterias:**

La radiación UV (cuya longitud de onda es de aproximadamente 254 nm) penetra en la pared celular y es absorbida por el ADN y el ARN produciendo:

La imposibilidad de la reproducción celular.

La muerte del organismo.

› **No forma compuestos tóxicos:**

Dado que es una gente físico y no químico, no genera compuestos tóxicos.

Entre sus principales **inconvenientes** se encuentra su baja efectividad para aguas que presenten:

Alta turbidez.

Altas concentraciones de sodio.

Puede alterar algunos compuestos químicos.

Sabías que

La generación de radiación UV para la desinfección del agua residual se produce mediante lámparas de arco de mercurio a baja presión.

2.3.2. Biológicos

Son todos aquellos tratamientos realizados en las aguas residuales donde se produce un cambio en sus características y propiedades mediante la acción de organismos.

Los **objetivos** del tratamiento biológico son:

– Coagulación y eliminación de los sólidos coloidales no sedimentables.

– Estabilización de la materia orgánica.

Para ello se emplean los siguientes grupos de organismos:

Bacterias

Como ya se comentó en el tema 1, las bacterias son microorganismos unicelulares procariotas.

Su tamaño es diverso según las especies, variando entre 0,5 y 5 µm de longitud. Respecto a su forma, pueden ser:

–   Esféricas (cocos).

–   Cilíndricas (bacilos).

–   Sacacorchos (vibrios).

–   Hélices (espirilos).

Tienen una pared celular compuesta por peptidoglicano (también conocido
como mureína). Algunas bacterias disponen de flagelos para desplazarse (son
móviles) mientras que otras son fijas.

Vamos a representar ahora la forma básica de una bacteria:

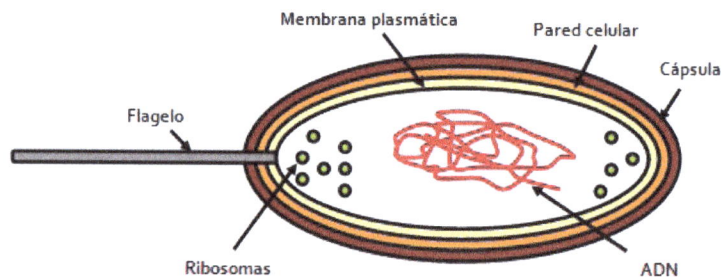

Se multiplican por división celular (fisión binaria). Su velocidad de reproducción
es muy alta. Una bacteria gram-negativa positiva puede dividirse cada 15–20
minutos y una gram cada 20–30 minutos. Sin embargo, esta velocidad puede
ser frenada por varios factores:

- La temperatura del medio.

- La disminución de nutrientes.

- La disminución de la concentración de oxígeno disuelto.

- Variaciones del pH.

- Aparición de relaciones de competencia.

Hongos

Los hongos empleados en el tratamiento de las aguas residuales, así como los usados en la mayoría de los procesos de ingeniería sanitaria, son:

- Protistas.

- Eucariotas.

- Heterótrofos.

- Pluricelulares.

Su pared celular está formado por dos compuestos:

- Quitina (proteína).

- Glucanos (polisacárido).

Atendiendo a su reproducción podemos dividirlos en dos grupos:

- **Sexual.**

- **Asexual:**

    · **Escisión.**

    · **Gemación.**

    · **Formación de esporas.**

La mayoría de los hongos:

- Son aerobios estrictos.

- Pueden vivir en ambientes con poca humedad.

- Su pH óptimo está s de 5,6, encontrándose sus intervalo de tolerancia entre 2 y 9.

- Tienen bajos requerimientos de nitrógeno (aproximadamente la mitad que las bacterias).

Sabías que

Los denominados "hongos verdaderos" producen hifas que en su conjunto reciben el nombre de micelio mientras que las levaduras (unicelulares) no lo hacen.

Protozoos

Los protozoos son microorganismos unicelulares eucariotas que habitan en medios húmedos o acuáticos (salados o dulces).

Respecto a su reproducción puede ser:

- Asexual:

  · Bipartición.

  · Fisión múltiple.

- Sexual:

  · Isogametos.

  · Conjugación.

Su tamaño está comprendido entre los 10-50 µm pudiendo alcanzar hasta 1 mm.

Atendiendo a su distinta **movilidad** se clasifican en cuatro grupos:

- **Rizópodos** *(Rhizopoda):*

  Se desplazan por medio de pseudópodos (apéndices temporales producidos por deformaciones del citoplasma y de la membrana plasmática).

- Ciliados *(Ciliophora)*

Como su nombre indica se mueven gracias cilios (filamentos de escasa longitud y muy numerosos). Un ejemplo de este grupo es el paramecio *(Paramecium)*.

- Flagelados *(Mastigophora):*

Se desplazan por medio de uno o más flagelos. Los flagelos presentan una longitud mayor que los cilios y su número es menor.

- **Esporozoos:**

No presentan movilidad. El esporozoo más conocido es el plasmodio *(Plasmodium sp)*, causante de la malaria.

Son organismos aerobios, aunque determinadas especies son anaerobias.

Son heterótrofos, alimentándose de materia orgánica y bacterias para obtener energía aprovechando el menor tamaño de éstas.

Importante

Los protozoos actúan como purificadores de los efluentes generados en los tratamientos secundarios debido a el hecho de que se alimentan de materia orgánica y bacterias.

Metazoos

Los metazoos son microorganismos pluricelulares, formados por células eucariotas.

Respecto a su alimentación son organismos heterótrofos, por lo que obtienen la energía a partir de la materia orgánica.

El metazoo más importante para el tratamiento de las aguas residuales es el **rotífero**.

Los rotíferos son organismos microscópicos de entre 0,1 y 0,5 mm de tamaño. Son un grupo muy amplio encontrándose unas 2000 especies distintas.

Son muy diversos, así algunos son rígidos mientras que otros son flexibles. Respecto a su movilidad, la mayoría son nadadores, no obstante se encuestan especies sésiles.

Se caracterizan por presentar un par de pestañas giratorias sobre su cabeza con la que atrapan el alimento y se desplazan.

Los rotíferos, al igual que los protozoos) desempeñan un papel muy importante en la eliminación de bacterias (dipersas y floculadas) y materia orgánica.

Algas

Son organismos:

– Protistas unicelulares o pluricelulares.

– Fotoatótrofos.

Poseen una función muy importante en los procesos biológicos llevados a cabo en la depuración de las aguas residuales por un motivo principalmente: la generación de oxígeno en las lagunas de estabilización.

En estas lagunas, la producción de oxígeno de las algas gracias al proceso fotosintético es importantísimo para el medio acuático. Así, en las lagunas de oxidación aerobia o facultativas, las algas proporcionan oxígeno a las bacterias aeróbicas.

Importante

La descomposición de los contaminantes presentes en las aguas residuales se puede acelerar si se controla el crecimiento de estos cuatro grupos de organismos.

2.4. Procesos secundarios

Gracias a los 4 grupos de organismos mencionados en el epígrafe anterior, se van a desarrollar en las estaciones depuradoras procesos biológicos.

Estos procesos quedan divididos en 4 grupos atendiendo a la presencia o ausencia de oxígeno en ellos:

- Aerobio:

  · Fangos activados.

  · Lagunas aerobias.

  · Digestión aerobia.

  · Filtros percoladores.

  · Filtros de desbaste.

  · Sistemas biológicos rotativos de contacto (biodiscos).

  · Reactores de lecho compacto.

  · Reactor discontinuo secuencial.

- Anaerobio:

  · Digestión anaerobia.

  · Proceso anaerobio de contacto.

  · Manto de fango anaerobio de flujo ascendente.

  · Filtro anaerobio.

  · Lecho expandido.

  · Lagunas anaerobias.

- Anoxia:

  · Desnitrificación con cultivo en suspensión.

  · Desnitrificación de película fina.

− Combinados:

  · Estanques facultativos.

Estos tratamientos se emplean para:

La eliminación de la DBO carbonosa.

− Nitrificación.

− Desnitrificación.

− Eliminación de fósforo.

− Estabilización de fangos.

En el siguiente epígrafe vamos a tratar con más profundidad cada uno de ellos, haciendo mención a sus principales características.

2.4.1. Aerobiosis, anaerobiosis y anoxia

Procesos aerobios

− **Fangos activos:**

  Consiste en la introducción de un residuo orgánico en un reactor que posee un cultivo de microorganismo aerobios en suspensión (licormezcla).

  Aquí se desarrollan dos reacciones:

  · Oxidación y síntesis de productos:

  COHNS + O2 + nutrientes $\longrightarrow$ CO2 + NH3 + C5H7NO2 + productos finales.

  Siendo COHNS: materia orgánica del agua residual.

  · Respiración:

  5H7NO2 + 5O2 $\longrightarrow$ 5 CO2 + 2H2O + NH3 + energía

Sabías que

Este proceso fue desarrollado por Ardern y Lockett en 1914 en Inglaterra.

Las condiciones de aerobiosis en el reactor se producen gracias al empleo de difusores o aireadores mecánicos.

Las células sedimentan en tanques. Con ellas se procede a:

· Su eliminación del sistema (purga).

· Su recirculación al reactor.

Importante

Se debe mantener una concentración de microorganismos estable para que el sistema funcione correctamente.

Los géneros de bacterias que intervienen en este proceso son:

· *Achromobacter.*

· *Bdellovibrio.*

· *Flavobacterium.*

· *Mycobacterium.*

· *Nitrobacter.*

· *Nitrosomonas.*

· *Nocardia.*

· *Pseudomonas.*

· *Zoogloea.*

El problema más común que se ocasiona en este tratamiento es el Bulking.

El Bulking es la dificultad que presenta los fangos biológicos para su decantación una vez que salen del reactor. Esto se debe a la proliferación de microorganismos filamentos que reducen la velocidad de sedimentación de los flóculos, dificultando la diferenciación entre el líquido y los fangos biológicos.

– **Lagunas aireadas:**

Las lagunas o estanques aireados se desarrollan a raíz de la instalación de aireadores superficiales en los estanques de estabilización facultativos para reducir el mal olor.

Consiste en la introducción de un residuo orgánico en un depósito, generalmente circular, excavado en el suelo que posee un cultivo de microorganismo aerobios en suspensión.

Al igual que ocurre en el proceso de fangos activos, el oxígeno se consiguen gracias al empleo de difusores o aireadores mecánicos.

Las bacterias empleadas son muy parecidas. Las pocas diferencias existentes se deben al hecho de que la superficie del agua de las lagunas puede sufrir choques térmicos más pronunciados debido a que se encuentran en la intemperie.

– **Digestión aerobia:**

Consiste en sistema alternativo de tratar los fangos producidos en los siguientes procesos:

· Fangos activados.

· Filtros percoladores.

· Mezcla de fangos activados y filtros percoladores.

· Exceso de fango biológicos en plantas sin sedimentación primaria.

Se inyecta al fango aire u oxígeno puro mediante aireadores superficiales o difusores convencionales en un tanque abierto durante un tiempo prolongado.

El proceso se puede llevar a cabo de dos formas:

· **Discontinua:**

Se realiza en plantas de pequeñas dimensiones. El fango se airea y mezcla completamente. Después sedimenta en el tanque.

· **Continua:**

La sedimentación del fango se realiza en otro tanque.

Sabías que

Una modificación de este proceso es la digestión aerobia termófila donde bacterias termófilas a temperaturas de 25-50ºC degradan hasta un 80% de la materia orgánica en 3 o 4 días.

Los microorganismos y las reacciones que se producen en este proceso son similares al de fangos activados.

− **Reactor discontinuo secuencial (RDS):**

Es una modificación del tratamiento de fangos activos. Se diferencia en dos aspectos:

· Se producen ciclos de llenado-vaciado.

· Todo el proceso se realiza en el mismo tanque.

Su funcionamiento consta de 5 fases:

· **Llenado**

Se procede al llenado del reactor con agua residual hasta el cien por cien de su capacidad.

Entrada de efluente

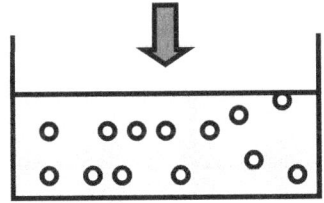

· Reacción:

Se desarrollan las reacciones químicas entre las bacterias y la materia orgánica presente en el agua.

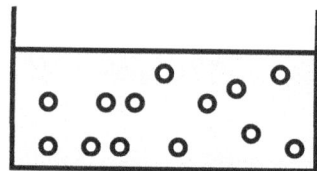

· Sedimentación:

Se produce la separación del sólido que sedimenta en la parte inferior del reactor del líquido clarificado.

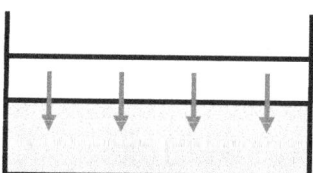

· Evacuación del efluente:

Consiste en extraer el líquido clarificado del reactor.

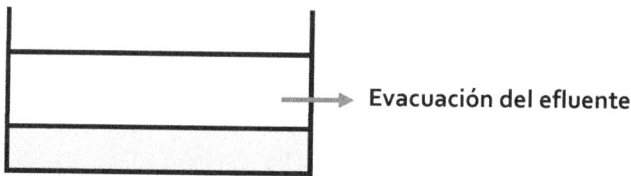

Evacuación del efluente

· Purga de fango:

Se eliminan los fangos depositados en el fondo del reactor.

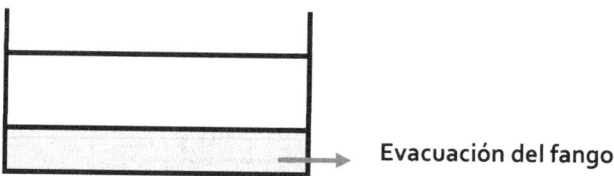

Evacuación del fango

– Filtros percoladores:

Son un lecho extremadamente permeable con microorganismos adheridos a través de cual percola el agua residual.

La materia orgánica es degradada por la acción de estos microorganismos. Los microorganismos presentes en los filtros son:

Bacterias	Hongos	Algas	Protozoos
Achromobacter Alcaligenes Flavobacterium Nitrosomonas Nitrobacter Pseudomonas	Fusazium Geotrichum Pencillium Sporatichum	Chlorella Phormidium Ulothrix	Epystelis Opercularia Vorticella

El líquido que percola es recogido en la parte inferior mediante un sistema de drenaje. Se conducen posteriormente a un tanque de sedimentación donde se produce la separación de los sólidos del agua residual.

Distinguimos dos tipos de materiales que pueden formar el lecho:

· **Piedras:**

Suelen ser filtros circulares formados por piedras cuyo diámetro oscila entre 2,5 y 10 cm. La profundidad del lecho varía entre 0,9 y 2,5 m.

· **Materiales plásticos:**

Poseen formas muy diversas (cuadradas, circulares, etc.) con profundidades que varían entre los 4 y 12 m.

– **Filtros de desbaste:**

Son filtros percoladores diseñados para soportar grandes caudales de efluentes. Con ellos se pretende:

· Reducir la carga orgánica.

· Realizar una nitrificación estacional.

Debido a que soportan altas cargas hidráulicas precisan de altas tasas de recirculación.

A diferencia de los anteriores, suelen estar constituidos por materiales sintéticos y su profundidad varía entre 3,7 y 12 m. Respecto a los microorganismos presentes, suelen ser bastantes parecidos. Las escasas diferencias se deben a que al soportar elevados caudales de entrada, se produce un arrastre más acusado.

— **Sistemas biológicos rotativos de contacto (biodiscos):**

Son un conjunto de discos de poliestireno o cloruro de polivinilo de forma circular. Se sitúan sobre un eje dejando escasa distancia entre ellos.

Los microorganismos se adhieren a la superficie de los discos que se sumergen parcialmente en el agua residual y se hacen girar lentamente (a modo de molino). Los microorganismos degradarán la materia orgánica presente.

Se emplean en:

- El tratamiento secundario.

- La nitrificación y desnitrificación.

— **Reactores de lecho compacto:**

Consiste básicamente en un reactor con microorganismos adheridos a un lecho. El agua residual junto con el aire u oxígeno se introducen por su parte inferior.

Proceosos anaerobios

— **Digestión anaerobia:**

Consiste en la descomposición de la materia orgánica e inorgánica presente en el agua residual en ausencia de oxígeno. Este tratamiento es fundamentalmente empleado para la estabilización de los fangos.

La reacción química que tiene lugar en un reactor totalmente cerrado es la siguiente:

$$\text{Materia orgánica} \longrightarrow CH_4 + CO_2$$

Existen dos **tipos** de digestores anaerobios:

	Baja carga	Alta carga
Proceso de digestión	No se calienta ni mezcla el contenido del digestor	Se calienta y mezcla completamente el contenido del digestor
Tiempos de detención	30-60 días	Menor o igual a 15 días

Entre las bacterias que aquí se encuentran destacamos, por orden alfabético, las siguientes:

- *Clostridium spp*

- *Peptococcus anaerobius*

- *Bifidobacterium spp*

- *Desulphovibrio spp*

- *Corynebacterium spp*

- *Lactobacillus*

- *Actinomyces*

- *Sataphylococcus*

- *Escherichia coli*

– **Proceso anaerobio de contacto**

Las aguas residuales junto con lodos procedentes de la recirculación y se introducen en un reactor cerrado para evitar la entrada de aire y conseguir así un ambiente anaerobio. Aquí se produce una mezcla total de ambos compuestos y la digestión de los mismos.

Se obtienen dos fases:

- **Un liquido clarificado:**

Se suele someter a un tratamiento posterior.

- **Un sólido (fango anaerobio) sedimentado:**

Se recircula para servir de sustrato a un nuevo efluente de agua residual. Debido a esta recirculación, el volumen de fango que se debe eliminar del sistema es mínimo.

Ambas fases se separan gracias a un clarificador o unidad de flotación al vacío.

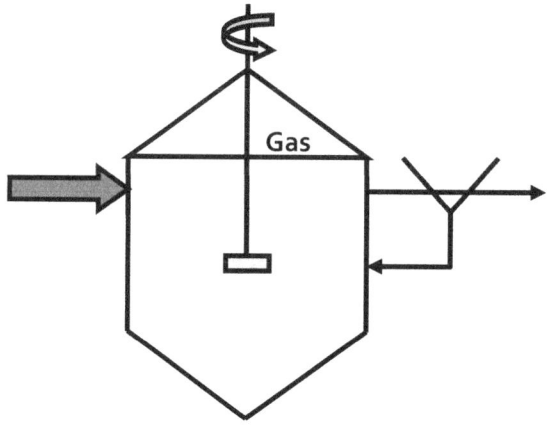

Importante

Este proceso es muy empleado en el tratamiento de aguas residuales industriales gracias que eliminan muy satisfactoriamente los compuestos orgánicos solubles.

– **Manto de fango anaerobio de flujo ascendente:**

El agua residual es introducida en el reactor por su parte inferior y va atravesando y va atravesando un manto de fango formado por partículas biológicas.

Al entrar en contacto el agua residual y las partículas se produce la degradación de la contaminación y con ello la producción de los gases típicos de la digestión anaerobio: metano y dióxido de carbono.

Estos gases permanecen de dos formas distintas:

· Libres.

· Adheridos a las partículas biológicas.

Ambos ascienden a la parte superior del reactor donde se produce su eliminación del sistema mediante la instalación de una bóveda de recogida.

Por su parte, el líquido se llevan a un tanque de sedimentación donde se produce la eliminación de los sólidos residuales que son recirculados al sistema.

La flecha roja indica la entrada de efluente.

— **Filtro anaerobio:**

Es una especie de columna que contiene distintos medios sólidos en su interior en los que se fijan y desarrollan las bacterias anaerobias. A través de él se hace pasar al agua residual en sentido ascendente.

Su principales ventajas son:

· Se pueden utilizar en el tratamiento de aguas residuales de baja carga contaminante a temperatura ambiente gracia que las bacterias no son arrastradas por el fuente.

· El volumen de fango producido es bajo.

— **Lecho expandido:**

Es una especie de columna que contiene en su interior un lecho formados por arena o carbón aglomerado expandido sobre el que se desarrollan los microorganismos.

Sabías que

Se pueden llegar a desarrollar altas concentraciones de microorganismos en estos lechos (15000-40000 mg/l).

El agua residual se introduce por su parte inferior a través de un sistema de bombeo.

Al igual que el anterior se caracteriza por producir bajo contenido en fangos.

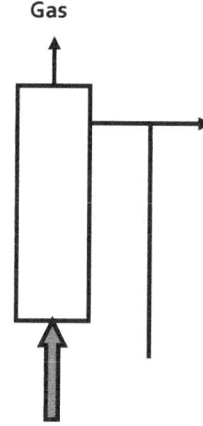

Gas

– Lagunas anaerobias:

Las lagunas anaerobios son tanques de gran profundidad excavados en el suelo, generalmente de forma circular, con sistemas de conducción de entrada y salida de efluente.

Se emplean para el tratamiento de agua residual con elevadas concentraciones de materia orgánica.

Se obtiene de este proceso:

· **Un líquido clarificado:**

Es llevado a otro proceso donde es tratado.

· **Un residuo sólido (fango):**

Sedimenta en el fondo del tanque.

Su principal ventaja es que consigue reducir los valores de DBO5 en un 70-80%.

Procesos anóxicos

– **Desnitrificación con cultivo en suspensión:**

Es un sistema muy parecido al de fangos activos realizado en condiciones aeróbicas.

En este proceso se produce la liberación de nitrógeno en forma de gas. Éste se adhiere a las partículas sólidas y precisa de ser eliminado.

Esto se puede realizar:

· Sometiendo a un sistema de aireación los canales existentes entre el reactor biológico y los decantadores.

· Sometiendo a aireación los sólidos en un tanque independiente durante 5-10 minutos.

Las variables que influyen en el proceso son:

· Concentración de nitrato.

· Concentración de carbono.

· pH.

· Temperatura.

El proceso se representa en el siguiente esquema:

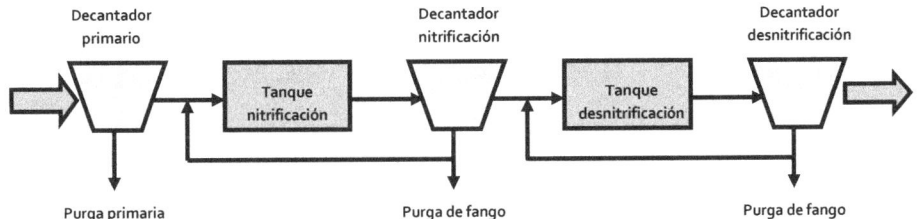

- Desnitrificación de película fina:

Se distinguen cuatro tipos:

  · Reactor de lecho compacto relleno de gas:

    El reactor está relleno de gas nitrógeno.

  · Reactor de lecho compacto relleno de líquido:

    El líquido puede ser de alta o baja porosidad. En ambos casos se requiere el lavado a contracorriente del medio para mantener estable la población de microorganismos.

  · Reactor de lecho fluidizado:

    Están rellenos de arena fina o carbón activado. El agua asciende por el lecho a una velocidad tal que puede suspender o fluidificar el medio aumentando su porosidad específica. Este aumento de la porosidad específica permite elevar las concentraciones de microorganismo presentes.

  · Biodiscos:

    Es parecido al de los sistemas aerobios con la diferencia que el lecho se sumerge totalmente para impedir la oxigenación del agua residual.

Procesos combinados

El proceso combinado más importante es la **laguna facultativa**.

Al igual que las lagunas aerobias y anaerobias, son tanques excavados en el suelo de forma circular. El efluente de entrada proviene bien del tratamiento de desbaste (pretratamiento) o del tratamiento primario.

Aquí se distinguen tres zonas:

- Zona superficial aerobia:

  Formada por bacterias aerobias y algas que viven en simbiosis. Aquí se produce la oxidación de la materia orgánica gracias la oxígeno producido por las algas en la fotosíntesis.

$$CO_2 + 2H_2O \longrightarrow (CH_2O) + O_2 + H_2O$$

El oxígeno es esta zona también puede ser suministrado por aireadores.

En esta zona también se produce la respiración de los microorganismos y algas, cuya reacción química es la siguiente:

$$(CH2O) + O2 \longrightarrow CO2 + H2O$$

Pese a que en este proceso se consume oxígeno, en el balance global de ambas reacciones se produce una ganancia de oxígeno.

– **Zona intermedia facultativa:**

Esta zona es parcialmente aerobia y parcialmente anaerobia.

– **Zona inferior anaerobia:**

Formado por bacterias anaerobias que descomponen los residuos sólidos (fangos) depositados por la acción de la gravedad.

En este proceso se producen:

· Compuestos orgánicos disueltos.

· Gases (CO2, H2S, NH3 y CH4).

Son oxidados por las bacterias aerobias o liberados a la atmósfera generando el mal olor característico de las depuradoras.

Residuos sólidos $\longrightarrow$ Ácidos orgánicos $\longrightarrow$ CO2 + H2S + NH3 + CH4

2.5. Esquema de la línea de agua de una estación depuradora de aguas residuales

La línea de aguas de una estación depuradora de aguas residuales está formada por los siguientes tratamientos o procesos:

– Pretratamiento.

– Tratamiento primario.

– Decantación primaria.

- Tratamiento secundario.

- Decantación secundaria.

- Tratamiento terciario.

Vamos a representar a continuación la línea de agua de un planta de tratamiento de aguas residuales. Se ha esquematizado en la parte inferior la línea
de fangos, de forma menos desarrollada, pues ambas están interconectadas.

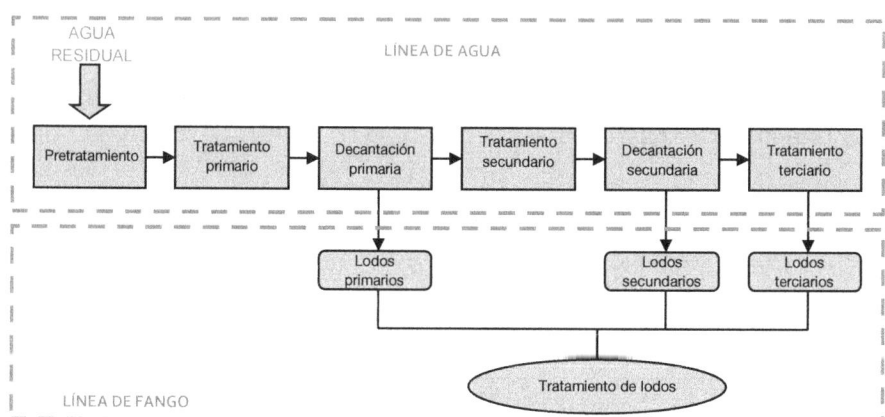

Recuerda

Además de la línea de agua y fangos, las estaciones depuradoras poseen una
línea de gas o aire como resultado de la digestión de los fangos. Estos gases
pueden ser empleadas para dar energía a la planta o bien son quemados en
antorchas.

Esta línea será estudiada en profundidad en el tema 8 de la presente unidad
formativa.

2.6. Secuencia lógica de tratamientos y función de cada uno de ellos

La secuencia lógica de depuración de un agua residual es la que se ha representado en el esquema anterior.

La secuencia está diseñada para la eliminación de lo más general (sólidos de gran tamaño) a lo más particular (eliminación de nitrógeno y fósforo).

El incorrecto funcionamiento de alguno de ellos entorpecerá e incluso puede estropear la maquinaria empleada en el siguiente tratamiento.

La función de cada uno de ellos está representado en el siguiente diagrama:

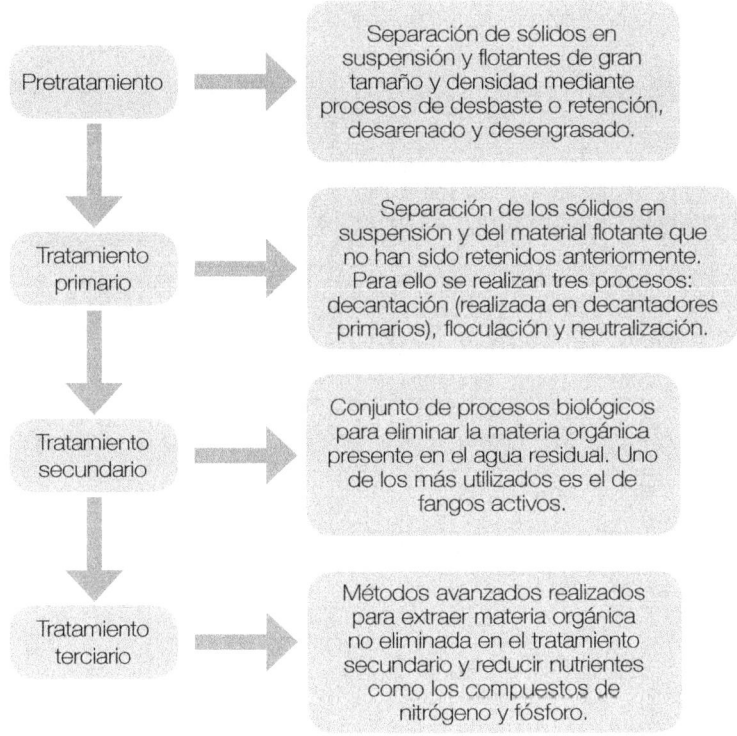

Recuerda

El tratamiento terciario es caro por lo que no se realizan en todas las estaciones depuradoras. Su realización permitiría la reutilización del agua depurada.

2.7. Rendimientos de depuración

El rendimiento de la depuración variará dependiendo de:

– El diseño de la planta depuradora.

– La carga contaminante del efluente de entrada.

De forma general vamos a presentar en la siguiente tabla el rendimiento de un EDAR tipo:

Proceso de depuración	DBO (%)	Sólidos en suspensión (%)	E. coli (%)
Cloración de agua bruta o sedimentada	15-30		90-95
Depuración primaria (sedimentación)	25-40	40-70	25-55
Depuración secundaria (precipitación química)	50-75	70-85	40-60
Depuración secundaria (lecho bacteriano de alta velocidad precedido y seguido de sedimentación)	65-85	65-90	80
Depuración secundaria (lecho bacteriano de baja velocidad precedido y seguido de sedimentación)	80-92	70-92	90

Proceso de depuración	DBO (%)	Sólidos en suspensión (%)	E. coli (%)
Depuración secundaria (fangos activos de alta carga precedidos y seguidos de sedimentación)	65-85	65-90	80
Depuración secundaria (método convencional de fangos activos, precedidos y seguidos de sedimentación)	75-92	85-92	90
Depuración terciaria	92-98	93-98	
Cloración del agua tratada biológicamente			98-99

Fuente: Hernández Muñoz, A (1996)

UD2
Lo más importante

- Los objetivos de la depuración de las aguas residuales se centran entre aspectos: conservación de los recursos hídricos, protección de la fauna y flora acuática y protección de la salud pública.

- Pera lograr estos objetivos se ha desarrollado normativa europea y estatal.

- Existen tres tipos de procesos unitarios: físicos, químicos y biológicos.

- Los procesos físicos son: desbaste, dilaceración, medición de caudales, desarenador, homogeneización de caudales, mezclado, sedimentación, flotación, filtración, transferencia de gases, volatilización y arrastre de COV.

- Los procesos químicos son: precipitación química, adsorción y desinfección.

- En los procesos biológicos intervienen organismos: bacterias, hongos, protozoos, metazoos y algas.

- Los procesos biológicos se clasifican en 4 tipos según su demanda de oxígeno: aerobios, anaerobios, anóxicos y combinados.

- Los procesos aerobios son: fangos activados, lagunas aerobias, digestión aerobia, filtros percoladores, filtros de desbaste, sistemas biológicos rotativos de contacto (biodiscos), reactores de lecho compacto y reactor discontinuo secuencial

- Los procesos anaerobios son: digestión anaerobia, proceso anaerobio de contacto, manto de fango anaerobio de flujo ascendente, filtro anaerobio, lecho expandido y lagunas anaerobias

- Los procesos anóxicos son: Desnitrificación con cultivo en suspensión y Desnitrificación de película fina

- El procesos combinado más empleado es la laguna facultativa

- La línea de aguas de una EDAR consta de los siguientes procesos: pretratamiento, tratamiento primario, decantación primaria, tratamiento secundario, decantación secundaria y tratamiento terciario.

- El rendimiento de la depuración variará dependiendo de: el diseño de la planta depuradora y la carga contaminante del efluente de entrada.

UD2
Autoevaluación

1. Los recursos hídricos:

    a. Son bienes de dominio público.

    b. Son bienes privados.

    c. Se pueden vender.

    d. Se pueden embargar.

2. La Escherichia coli produce:

    a. Salmonelosis.

    b. Fiebre tifoidea.

    c. Gastroenteritis.

    d. Legionelosis.

3. Según el Real Decreto Ley 11/1995, de 28 de diciembre, las aglome-raciones que cuenten entre 10.000 y 15.000 habitantes-equivalentes deberán antes del 1 de enero de 2006 con:

    a. Pretratamiento.

    b. Tratamiento primario.

    c. Tratamiento secundario.

    d. Tratamiento terciario.

4. La dilaceración consiste en:

   a. Sedimentar las arenas.

   b. Triturar los sólidos de grana tamaño presentes en el agua residual.

   c. Eliminar patógenos.

   d. Retener los sólidos de grana tamaño.

5. Con la precipitación química podemos eliminar hasta:

   a. 30-60% de la DBO5.

   b. 50-80% de la DBO5.

   c. 80-90% de la DBO5.

   d. 40-70% de la DBO5.

6. Los fangos activos:

   a. Es un proceso físico.

   b. Es un proceso anaerobio.

   c. Es un proceso aerobio.

   d. No se emplean bacterias.

7. El reactor discontinuo secuencial es un proceso:

   a. Aeróbico.

   b. Anaeróbico.

   c. Anóxico.

   d. Combinado.

8. El filtro anaerobio:

   a. El agua residual pasa en sentido descendente.

   b. No se puede emplear en el tratamiento de aguas residuales de baja carga contaminante.

   c. Produce una gran cantidad de fangos.

   d. Produce poca cantidad de fangos.

9. Señala la respuesta incorrecta sobre la desnitrificación con cultivo en suspensión:

    a. Es un sistema muy parecido al de fangos activos realizado en condiciones aeróbicas.

    b. Es un proceso aerobio.

    c. Se produce la liberación de nitrógeno en forma de gas.

    d. La temperatura influye en el proceso.

10. Con la depuración terciaria se consigue eliminar:

    a. 92-98 % de DBO.

    b. 92-98% de DQO.

    c. 80% BDO.

    d. 75% DBO.

Área: seguridad y medioambiente

UD3

Pretratamiento del agua residual

3.1. Desbaste

El desbaste es el primer proceso unitario al que se ve sometida el agua residual cuando entra en una estación de tratamiento de aguas residuales.

El **objetivo** del desbaste es el siguiente:

− Retención y eliminación de los sólidos voluminosos flotantes y en suspensión que contiene el agua residual.

Con el desbaste se consigue:

− Evitar obstrucciones en las conducciones (canales, tuberías, etc.).

− Eliminar residuos, que dadas sus características y elevadas dimensiones, pueden entorpecer el funcionamientos de procesos posteriores e incluso estropear la maquinaria.

− Evitar depósitos posteriores.

En este tema vamos a estudiar en profundidad dicho proceso, para ello nos vamos a centrar en los siguientes aspectos:

− Tipos:

   · Grueso.

   · Fino.

− Sistema de limpieza:

   · Manual.

   · Automático.

− Retirada del desbaste.

Cada uno de estos aspectos serán tratados de forma independiente en los ocho epígrafes siguientes.

Importante

Dado que los procesos a los que se somete el agua residual están encadenados, es muy importante que todos ellos funcionen correctamente. El mal funcionamiento de uno de ellos disminuirá sensiblemente al eficiencia del resto.

3.1.1. Tipos

Los dispositivos empleados en el proceso de desbaste pueden ser de dos tipos:

– Rejas.

– Tamices.

Vamos a ver cada una de ellas.

Rejas

Son barras paralelas dispuestas verticalmente o con una pendiente variable de entre 30 a 80º respecto a la horizontal.

Se emplean para proteger las válvulas, las bombas, las conducciones, etc. de posibles daños y/o obturaciones producidos por la existencia de objetos de gran tamaño.

Dependiendo de la separación entre las barras diferenciamos entre tres **tipos** de rejas:

Tipo	Separación (cm)
Fina	< 1,5
Media	1,5 - 5
Gruesa	5 -15

La reja gruesa es la que se suele instalar en el pretratamiento de las estaciones depuradoras. En los epígrafes siguientes haremos especial mención a las rejas finas y gruesas.

El **número de rejas** que posee el dispositivo dependerá de la separación entre ellas. Ello está directamente relacionado con el tamaño del material que se quiere retener.

El número de unidades que debe instalarse será como mínimo de dos, de tal forma que si una de ellas no funciona correctamente o está fuera de servicio por labores de mantenimiento, la planta no sufra problemas de eficiencia.

Respecto a las **labores de mantenimiento**:

− En caso de disponer de más de una unidad:

   Se recomienda que existan, antes y después de cada reja, compuertas que permitan aislar cada unidad en caso de:

   · Sustitución de cables o cadenas.

   · Cambio de dientes.

   · Eliminación de obstrucciones.

   · O cualquier otra labor.

− En caso de disponer de una única unidad:

   Se precisa de forma obligatoria de la instalación de un canal bypass con una reja de limpieza manual para su uso en caso de emergencia.

   La mayoría de las rejas empleadas en las EDAR utilizan cadenas para hacer mover los rastrillos. El **sistemas de control** de este dispositivo posee tres posiciones:

Posiciones	Observaciones
Manual	Los rastrillos funcionan de modo continuado
Automático	Se activa cuando se supera el nivel de carga por encima de un valor determinado o mediante un temporizar programado con antelación por un operador
Desconexión	Los rastrillos dejan de funcionar

El **diseño** del canal de las rejas se realizará de tal modo que se evite:

–   La sedimentación.

–   La acumulación de arenas y otras partículas pesadas.

En dicho diseño influyen dos parámetros:

–   Velocidad:

    La velocidad del agua residual está condicionada por:

    ·   La sedimentación de arenas y partículas de gran tamaño en la parte inferior.

    ·   El forzado de las barras debido al lavado y arrastre del material retenido.

    Se distingue dos tipos de velocidad:

    ·   Velocidad de aproximación en la cámara de rejillas (Vc).

    ·   Velocidad de paso entre las barras de la reja (Vr).

–   Pérdida de carga:

    La pérdida de carga variará dependiendo de la forma de la forma de la barra de separación y de la velocidad cinética del caudal de agua residual a través de ella.

    Viene dada por la siguiente expresión:

    $$h_L = \beta \ (w/b)^{4/3} \ h_v \ \text{sen} \theta$$

    Donde:

    h_L = pérdida de carga (m).

    β = factor de la forma de la barra.

    w = anchura máxima transversal de las barras (m).

    b = separación mínima entre barras (m).

    hv = altura cinética del flujo (m).

    θ = ángulo de la reja respecto a la horizontal.

Tamices

Existen una gran variedad de tamices en el mercado fruto de una intensa investigación y desarrollo llevada a acabo en los últimos años.

Sabías que

Los primeros tamices de tipo tambor fueron instalados en los años 20 del siglo pasado.

Vamos a representar en una tabla los distintos tipos de tamices más empleados en la actualidad:

Tipo	Tamaño del material que retiene	Material de fabricación	Utilización
Inclinado fijo	Medio	Malla de acero inoxidable	Tratamiento primario
Inclinado giratorio	Grueso	Placas de bronce o cobre pulido	Pretratamiento
	Medio	Malla de acero inoxidable	Tratamiento primario
Tambor giratorio	Grueso	Placas de bronce o cobre pulido	Pretratamiento
	Medio	Malla de acero inoxidable	Tratamiento primario
	Fino	Telas de poliéster y acero inoxidable	Tratamiento secundario
Deslizante	Grueso-Medio	Telas de poliéster y acero inoxidable	Tratamiento primario
Centrífugo	Medio-Fino	Telas de poliéster y acero inoxidable y diversos tipo de tela	Tratamiento primario y secundario

Fuente: Metcalf & Eddy, Inc (1979)

Importante

Los tamices retienen materiales más finos de que las rejas.

3.1.2. Grueso (cuchara bivalva)

Los dispositivos que retienen partículas de mayor tamaño son:

Las rejas

Como se ha comentado anteriormente son barras paralelas dispuestas verticalmente o con una pendiente variable de entre 30 a 80° respecto a la horizontal.

A continuación mostramos un dibujo de una reja de tipo vertical:

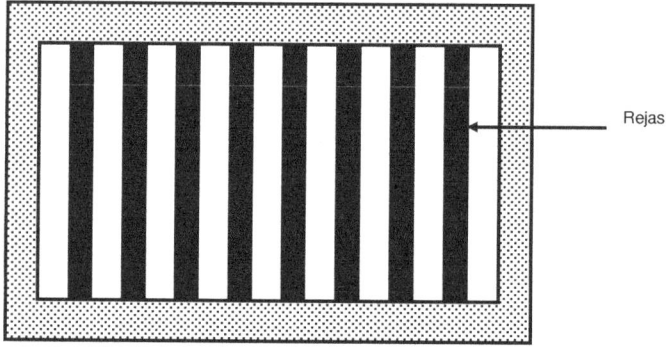

Rejas

En el siguiente dibujo representamos el corte transversal de un reja de tipo inclinado:

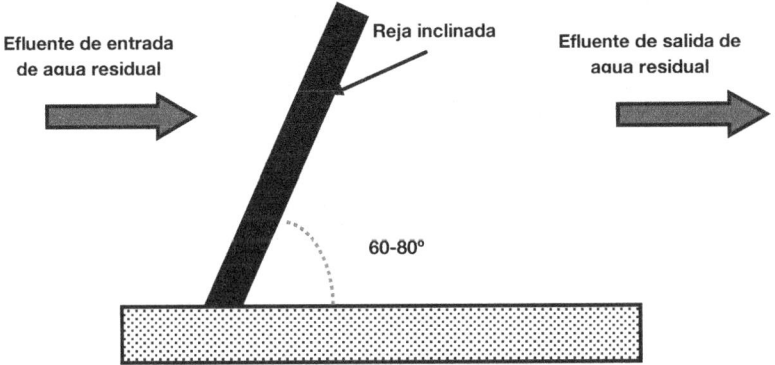

Efluente de entrada de agua residual

Reja inclinada

Efluente de salida de agua residual

60-80°

Recuerda

Las rejas separan materiales en un rango de entre 1, 5 y 15 cm de tamaño.

Los objetos de gran tamaño retenidos por las rejas son arrastrados por rastrillos deslizantes y extraídos para su eliminación.

Tamices de malla gruesa

Los tamices de malla gruesa más empleados son:

— **Inclinados giratorios:**

El tamiz está fabricado con placas de bronce o cobre pulido. El tamaño de las ranuras oscila entre 08-2,4 mm x 50 mm.

— **Tambor giratorio:**

Al igual que el anterior, el tamiz está fabricado con placas de bronce o cobre pulido y el tamaño de las ranuras oscila entre 08-2,4 mm x 50 mm.

El tambor, de un tamaño que varía de entre 1-1,5 m diámetro, gira a un velocidad aproximada de 4 rpm.

Se representa de forma esquemática en el siguiente esquema:

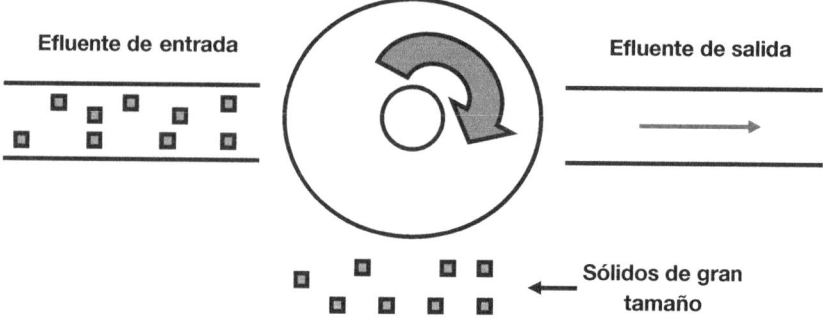

Los residuos retenidos en estos dispositivos son retirado mediante las denominadas **cucharas bivalvas**. Son una especie de brazo articulado formado por dos garras de acero. Están diseñados para un uso intensivo por lo que presentan gran robustez para incrementar su durabilidad.

Atendiendo al mecanismo con el que se produce la apertura y cierre de las garras distinguimos entre 3 sistemas distintos: electrohidráulico, hidráulico y mecánico

Los residuos recogidos por la cuchara son depositados en un contenedor metálico para su recogida. A continuación mostramos una figura de una cuchara bivalva.

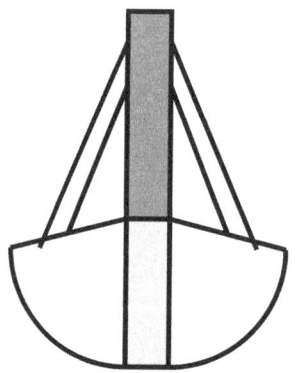

3.1.3. Fino (rejas finas, hidranet, roto pas)

Los dispositivos que retienen partículas de menor tamaño son:

Las rejas finas

Al igual que en el caso del desbaste grueso, las rejas son barras paralelas dispuestas verticalmente o con una pendiente variable de entre 30 a 80° respecto a la horizontal.

Recuerda

La distancia entre rejas para un desbaste fino es menor de 1,5 cm.

Hidranet

El hidranet es un tipo de tamiz curvo, estático y autolimpiable. El agua residual entra por la parte superior y sale por la inferior. Suele tener un ángulo de inclinación de 25° con la horizontal, aunque algunos tienen hasta 35°.

Los sólidos circulan sobre la superficie del tamiz debido a la energía cinética y potencial que poseen. Esta acción hará que los residuos se compacten y disminuyan su volumen. Finalmente caen en la parte inferior, sobre una cinta transportadora, que los dirigirá a un contenedor donde serán recogidos periódicamente.

El tamiz está formado por un conjunto de barras de acero inoxidable dispuestas transversalmente. Las aberturas oscilan entre 0,2 y 1,5 mm. Se caracterizan por presentar curvas sinusoidales en el sentido del flujo del caudal. Gracias a ello, los residuos no se atascan en el dispositivo y su grado de filtración es muy elevado.

A continuación mostramos un dibujo de un tamiz hidranet.

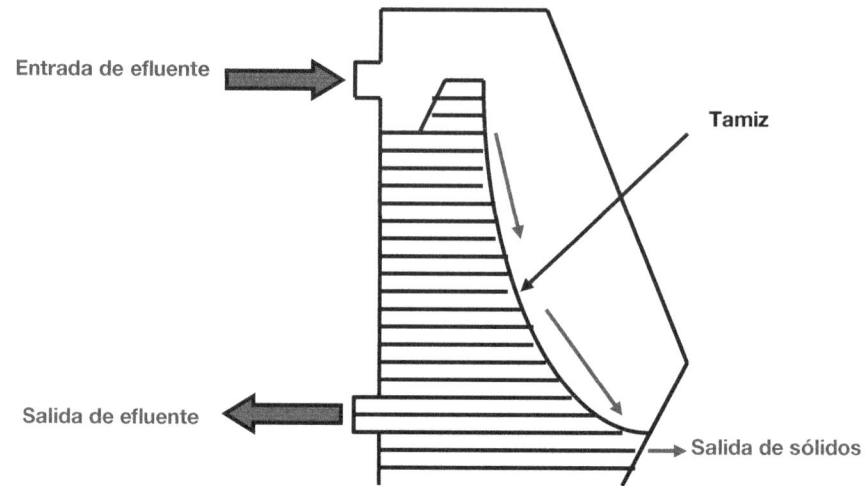

Sabías que

Si se requiere de tamices muy resistentes al desgaste y de alta durabilidad, se utilizan barras fabricadas de aleaciones inoxidables.

Roto pas

Son tamices rotativos capaces de separar sólidos de tamaño inferior a 1 mm. Están construidos en acero inoxidable de alta durabilidad.

Sus principales **ventajas** son:

– Alta eficacia en la separación de sólidos.

– Fácil manejo.

– Funcionamiento automático.

– Disminuyen significativamente los niveles de DBO, DQO y grasas.

Están formados por un tambor perforado giratorio con un tornillo interior que transporta los residuos separados al exterior del dispositivo. Los residuos son depositados en una tolva de descarga. El tambor se acciona gracia a un motor.

El efluente entra por la canalización y se distribuye uniformemente por toda su superficie, dirigiéndose hasta la parte inferior por donde sale.

La no obstrucción del tamiz se consigue gracias a unos cepillos giratorios y rociadores de agua. Por otra parte, la eliminación de gases y olores se realiza mediante un sistema de ventilación.

Si existe un exceso de caudal se activa automáticamente un sistema que desvía el caudal sobrante mediante un sistema bypass.

Este tipo de tamiz se emplea en la industria alimenticia debido a su capacidad de eliminación de grasas.

Tamiz con supeficies móviles

Este tipo de tamiz se caracteriza por presentar:

- Separaciones de barras de entre 2 a 10 mm.

- 15 m de profundidad del canal.

- Poder tamizar entre 2000 y 60.000 m³/h.

3.1.4. Sistemas de limpieza

La limpieza de las rejas y tamices resulta de gran importancia para:

- Mantener la eficacia de los dispositivos de desbaste.

- Evitar que se estropeen los dispositivos instalados posteriormente.

La limpieza se debe realizar periódicamente para evitar las obstrucciones en las conducciones.

La carga contaminante que presenta un agua residual varía a lo largo del tiempo, por lo que la limpieza no tendrá un periodicidad fija sino que estará sujeta a variaciones estacionales.

La limpieza de las rejas y tamices supone:

– Gasto energético.

– Gastos de materias primas (agua y productos de limpieza).

– Horas de trabajo de operarios (en los sistemas manuales).

En definitiva, la limpieza implica un gasto económico por lo que sólo se debe realizar si es estrictamente necesario.

Importante

Se debe realizar un control periódico del estado de las rejas y tamices para comprobar el posible grado de obstrucción que presentan. En función del estado se procederá o no a su limpieza.

Según la cantidad de materias retenidas y el tipo de estación se diferencian dos sistemas de limpieza:

– Manual.

– Automático.

En los dos epígrafes siguientes vamos a estudiar cada uno de los sistema de limpieza. Haremos mención a sus principales características así como a las principales diferencias que existen entre ambos.

3.1.5. Manual

La limpieza manual de las rejas de desbaste se realiza principalmente en dos lugares:

– Estaciones depuradoras de aguas residuales de pequeñas dimensiones.

– Estaciones pequeñas de bombeo de agua residual (se localizan antes de las bombas).

Para que la limpieza se realice de forma manual se deben de cumplir una serie de **requisitos**:

- La longitud de la reja no debe ser superior de lo que pueda rastrillarse cómodamente con las manos.

- Los barrotes tendrán unas dimensiones de 10 mm de anchura como mínimo por 50 mm de profundidad.

- Deben ir soldadas unas barras de separación en la cara posterior.

- Debe colocarse una placa perforada encima de la reja con el fin de que los sólidos sean depositados temporalmente hasta su drenaje al exterior.

- El canal donde se ubica la reja debe diseñarse de tal forma que se evite la acumulación de arenas y otros sólidos de gran tamaño.

- Se debe aplanar la unión con las paredes laterales.

- El canal debe ser recto y perpendicular a la reja.

- Debe diseñarse de tal forma que no se rompa en caso de que se obstruya completamente.

La velocidad de circulación del flujo de agua debe ser de aproximadamente unos 0,45 m/s con el fin de dar suficiente espacio de reja para la acumulación de sólidos entre las operaciones de limpieza.

Importante

La acumulación de sólidos irá obturando las rejas, sumergiéndose nuevas zonas por las que circulará el agua residual. Esta acumulación de residuos hará aumentar la pérdida de carga del sistema.

En los últimos años, la instalación de rejas de limpieza manual ha experimentado un descenso, cambiándose por la limpieza automática (que veremos en el siguiente epígrafe) o por dilaceradores.

Recuerda

La dilaceración es un proceso alternativo a las rejas y tamices empleadas en el desbaste. Consiste en triturar los sólidos gruesos presentes en el agua con el fin de:

– Facilitar las operaciones que se producen posteriormente.

– Homogeneizar el tamaño de las partículas.

Existen en el mercado diversos tipos de dilacerados. Uno de los más empleados consiste en un tamiz rotatorio en forma de tambor, en posición vertical, con ranuras que van desde los 6 a los 10 mm.

Las principales **desventajas** de este sistema de limpieza son:

– Se requiere de un operario para la limpieza.

– Se pueden producir desbordamientos por atascamientos en las rejas.

Vamos a mostrar a continuación un esquema muy simplificado de una reja de limpieza manual:

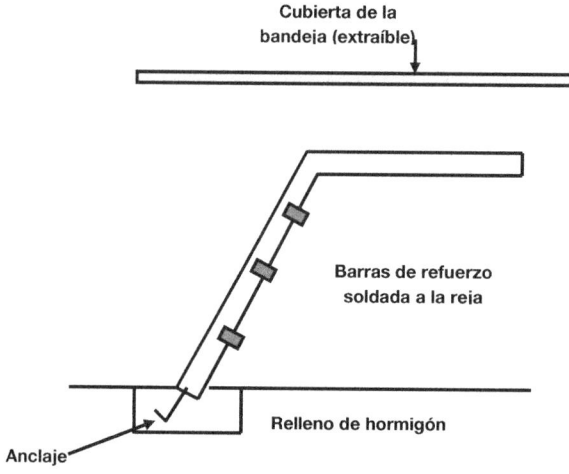

3.1.6. Automático

El sistema de limpieza automático es actualmente el más empleado en las estaciones de tratamiento de aguas residuales.

Existen dos sistema de limpieza automático en función del tiempo:

– Con intervalo de tiempo fijo:

  · Funcionamiento sencillo.

  · No requiere personal especializado para su mantenimiento.

  · Se puede graduar la duración de la limpieza según las características del agua residual.

– Con intervalo de tiempo modificado según la obstrucción de la rejilla:

  · El motor actúa en función de la diferencia de nivel existente entre la superficie del agua y la rejilla.

  · El sistema funciona solo cuando es necesario.

  · Ahorra energía.

  · Retiene más sólidos que el de intervalo fijo.

  · El desgaste de la maquinaria es menor.

Por su parte, según la localización de las rejas (cara anterior o posterior) podemos diferenciar también dos sistemas de limpieza automática:

– **Modelo de limpieza frontal:**

  Las barras están colocadas de forma fija en la base y sujetadas por su parte superior por los dientes del rastrillo (móvil). Ello permite la movilidad de la barra.

Importante

Si se emplean barras redondeadas, debido a su movilidad, pueden atravesar las rejas sólidos cuyo tamaño es el doble de la separación existente entre las barras.

- ## Modelo de limpieza posterior:

Se diseñaron para eliminar los atascos producidos por las obstrucciones en la parte inferior de las rejas. Aquí los rastrillos se desplazan por detrás de las rejas en la parte inferior. Pueden situarse:

- · Entre las barras, introduciéndose por la parte de atrás.

- · Por debajo de las rejas.

Si existen sólidos de elevadas dimensiones en la parte inferior de las rejas, los rastrillos entran por debajo de estos y lo elevan por encima de las rejas. De esta forma salen fuera del dispositivo y se evitan los atascamientos.

Vamos a representar un dibujo de unas rejas de barras de limpieza mecánica:

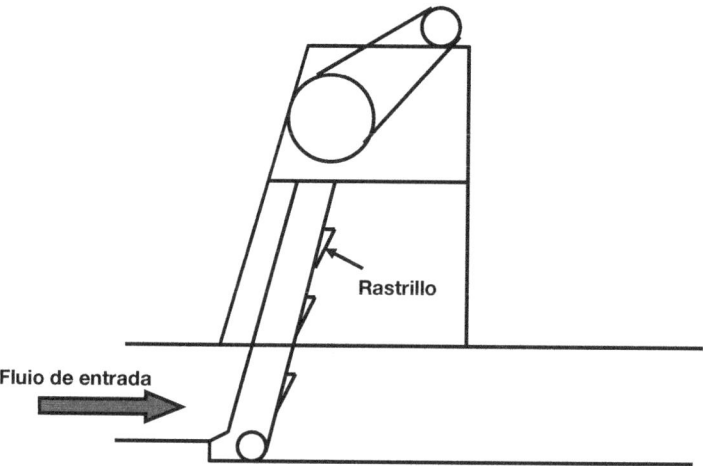

A modo de resumen, vamos a mostrar una tabla donde se recogen algunas de las características de las rejas, haciendo la separación entre limpieza manual y automática:

Característica	Limpieza manual	Limpieza automática
Anchura de la barra (mm)	5-15	5-15
Profundidad (mm)	25-75	25-75
Separación entre barras (mm)	25-50	15-75
Pendiente (grados)	30-45	0-30
Velocidad de aproximación (m/s)	0,6-0,6	0,6-1
Pérdida de carga permisible (mm)	150	150

Fuente: Metcalf & Eddy, Inc (1979)

3.1.7. Productos químicos

Hemos visto en el epígrafe anterior que existen dos tipo de rejas según su limpieza: manual y automática. Vamos a estudiar ahora los productos químicos empleados para dicha limpieza.

En la limpieza de las rejas y tamices de desbaste no se suelen emplear productos químicos puesto que reaccionarían con los contaminantes que contiene el agua residual produciendo, entre otros, los siguientes efectos negativos:

– Puede entorpecer los tratamientos que se realizan a continuación (primario, secundario y terciario).

– Podrían incrementar los microorganismos existentes o alterar su metabolismo.

– Pueden incrementar la cantidad de lodos.

Se podrían emplear algunos productos siempre y cuando se compruebe que los efectos positivos que producen son mayores que los negativos.

La limpieza de las rejas manuales suele realizarse de una manera física mediante dos mecanismos:

– Raspado.

– Agua a presión.

Vamos a describir cada uno de ellos:

- **Raspado:**

    Consiste en frotar mediante un cepillo las rejas del desbaste con el fin de eliminar las impurezas que allí han quedado retenidas.

- **Agua a presión:**

    Se inyecta agua limpia a presión. La fuerza que ejerce el agua sobre la reja permite retirar las partículas incrustadas en ellas.

La limpieza de las rejas y tamices supone un coste económico derivado de:

- Gasto energético.

- Gastos de materias primas (agua y productos de limpieza).

- Horas de trabajo de operarios (en los sistemas manuales).

Por ello, sólo debe realizarse cuando sea necesario.

3.1.8. Retirada del desbaste

Los sólidos depositados en la superficie de los tamices finos es retirada mediante chorros de agua pulverizados y son depositados en piletas.

En el caso de los sólidos de mayor tamaño separados por tamices o rejas, son recogidos por una cuchara bivalva y depositados en un contenedor metálico para su retirada de la estación de tratamiento.

Los sólidos del desbaste son considerados residuo según la **Lista Europea de Residuos** (LER). Pero ¿qué es un residuo?

Definición

Un **residuo** es "cualquier sustancia u objeto que su poseedor deseche o tenga la intención o la obligación de desechar" (Ley 22/2011, de 28 de julio, de residuos y suelos contaminados).

Los residuos que producen el la operación de desbaste de una estación depuradora de aguas residuales se encuentran recogidos bajo el código 19 08 01 de la mencionada lista europea:

- 19 08 Residuos de plantas de tratamiento de aguas residuales no especificados en otra categoría.

  · 19 08 01 Residuos de cribado.

En Internet puedes consultar la Orden MAM/304/2002, de 8 de febrero, por la que se publican las operaciones de valorización y eliminación de residuos y la lista europea de residuos.

Los residuos del desbaste son residuos voluminosos y muy heterogéneos derivado del vertido de sólidos a retretes y redes de alcantarillado.

Los principales residuos del desbaste son:

- Papel.

- Cartón.

- Vidrio.

- Colillas.

- Compresas.

- Tampones.

- Bastoncillos para los oídos.

- Algodón.

- Preservativos.

- Plásticos.

- Envases.

- Restos de comida.

Estos residuos se consideran residuos domésticos, según la Ley 22/2011, de 28 de julio, de residuos y suelos contaminados, por lo que serán trasladados un vertedero autorizado para su eliminación.

3.2. Desarenado

Objetivo

El objetivo principal del desarenado es el separar las arenas que contiene el agua residual

El término arena engloba a las arenas propiamente dichas, a las gravas, limos, arcillas, cenizas, granos de café, cáscaras de huevo, etc. En general, el término arena hace referencia a todas las partículas que presentan estas dos características:

- No son putrescibles.

- Tienen una velocidad de sedimentación ligeramente superior a los sólidos orgánicos putrescibles.

Finalidad

Con el desarenado conseguimos:

- Proteger de la abrasión a los distintos elementos de la instalación.

- Reducir la formación de depósitos en las conducciones.

- Disminuir la frecuencia de limpieza de los digestores.

- No aumentar la densidad del fango.

Localización

El desarenado puede situarse:

- Detrás del desbaste y la dilaceración (es lo más habitual).

- Detrás e cualquier proceso llevado a cabo en la EDAR que precise de una retirada de arena para su correcto funcionamiento.

- Delante del bombeo del agua residual. Resulta económicamente costoso pues se debe situar a gran profundidad.

Funcionamiento

La separación de la arena del agua residual se consigue disminuyendo la velocidad del agua hasta valores inferiores a los límites de sedimentación de las arenas y por encima de la sedimentación de la materia orgánica.

Si sedimentase la materia orgánica se generarían malos olores.

En los siguientes epígrafes vamos a estudiar con más detalle el procesos de desarenado. Para ello vamos a analizar en los siguientes tres epígrafes:

- Tipos.

- Lavado.

- Retirada de arenas.

Vamos a comenzar estudiando los principales tipos de desarenadores.

3.2.1. Tipos

Podemos distinguir cuatro tipos de desarenadores:

- De flujo horizontal.

- De flujo vertical.

- Aireados.

- De vórtice.

Vamos a describir cada uno de ellos:

Desarenador de flujo horizontal

El más común de los cuatro. La mayoría de las EDAR construidas años atrás disponen de este tipo de desarenador.

Se construyen para que la velocidad del flujo de agua se encuentre próxima a valores de entre 0,2 y 0,3 m/s, puesto que esta velocidad:

- Hace que sedimente la arena.

- Arrastra a la mayoría de materia orgánica fuera del tanque.

El diseño del mismo se realiza de forma tal que todas las partículas de arena sedimenten en el fondo del canal antes de que el flujo de agua que las contiene salga por el otro extremo. Para ello se tienen en cuenta en los cálculos las condiciones más adversas.

Los desarenadores de flujo horizontal se construyen para la eliminación de todas las partículas que posean un diámetro de 0,21 mm.

Sabías que

Los desarenadores de flujo horizontal más exigentes pueden eliminar partículas de 0,15 mm de diámetro.

La longitud del canal está determinada por la profundidad que precisa la velocidad de sedimentación. La sección transversal, por su parte, está determinada por el caudal.

Importante

En el diseño del desarenador se debe tener en cuenta la producción de turbulencias en la entrada y la salida del canal.

La **eficacia** del desarenador depende de:

- Superficie horizontal.

- Velocidad de sedimentación.

A continuación presentamos los datos más representativos para la construcción de un desarenador de flujo horizontal:

Característica	Valor típico
Tiempo de detención (s)	60
Velocidad horizontal (m/s)	0.3
Velocidad de sedimentación para partícula de 0,21 mm de diámetro	1.15
Velocidad de sedimentación para partícula de 0,15 mm de diámetro	0.75
Pérdida de carga en la sección de control como porcentaje de la profundidad del canal (%)	36

Desarenador de flujo vertical

El flujo de agua se dirige desde la parte inferior hacia la superior llenando completamente la sección del aparato.

Las partículas de arena van a sedimentar mientras que el agua continua su ascenso. Para ello:

Velocidad de ascenso del agua < velocidad de caída de las partículas de arena

Pueden ser de tres **formas** principalmente:

Circulares

Cuadrados

Rectangulares.

Sus principales **inconvenientes** respecto a los de flujo horizontal son:

– Son más caros.

– Su profundidad es mayor, por lo que no son viables su instalación en terrenos donde se presenten dificultades para la excavación.

Aireados

Se desarrollaron para solucionar el problema de la acumulación de arena en los tanques de aireación de flujo en espiral.

Características del diseño:

– Se proyectan para obtener tiempos de detención de aproximadamente 3 minutos a caudal máximo.

– Posee un canal de 0,9 m de profundidad con paredes laterales bastante inclinadas respecto a la horizontal.

– Tiene difusores de aire.

A continuación presentamos los datos más representativos para la construcción de un desarenador aireado:

Característica	Valor típico
Profundidad (m)	2-5
Longitud (m)	7.5-20
Anchura (m)	2.5-7
Relación anchura profundidad	2:1
Tiempo de detención a caudal punta (minutos)	3
Suministro de aire (m³/m*min)	0.3
Cantidad de arena	0.015

La velocidad de rotación transversal del aire determina el tamaño de la partícula que será eliminada. De tal forma que:

– Si la velocidad es muy elevada, la arena es llevada fuera del tanque.

– Si la velocidad es muy reducida, se depositará materia orgánica con la arena.

Por ello se requiere de un ajuste de la cantidad de aire. Con ello se consigue eliminar prácticamente la totalidad de la arena que contiene el agua residual.

A continuación vamos a representar esquemáticamente un desarenador aireado de flujo helicoidal:

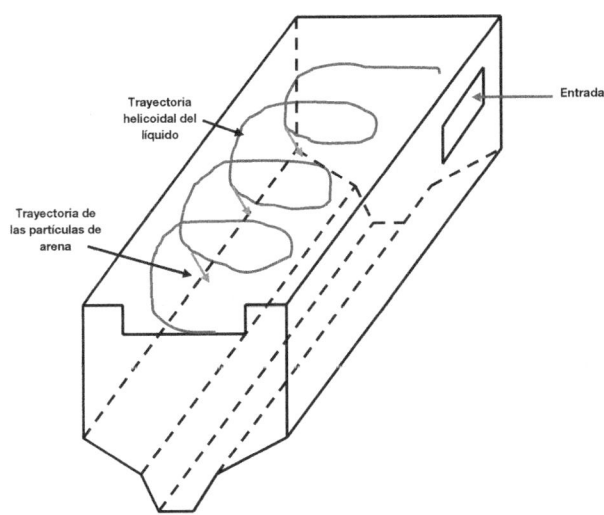

El agua residual se desplaza por el tanque en forma helicoidal, llegando a pasar entre dos y tres veces por el fondo del tanque (como muestra el dibujo superior) antes de su salida.

Tipo vórtice

La eliminación de la arena se consigue mediante la formación de forma inducida de un vórtice (remolino) en un tanque de forma cilíndrica.

Se distinguen dos **modelos** de desarenador tipo vórtice:

– Cámaras de fondo plano y abertura reducida para la recogida de arena.

– Cámaras de fondo inclinado y abertura grande que se dirige a una tolva.

Las arenas se separan por fuerzas centrífugas y gravitatorias.

3.2.2. Lavado

La arena precisa de lavarse antes de su eliminación final. Ello es debido a que la arena recogida de los desarenadores posee una alta cantidad de materia orgánica que puede atraer insectos y roedores, además de provocar malos olores tras su descomposición.

Sabías que

La arena extraída de los desarenadores puede contener hasta un 50% de materia orgánica.

El lavado de arena se realiza en equipos especializados: lavadores de arena. Existen varios modelos en el mercado.

Vamos a describir dos de ellos.

Modelo 1

Se trata de un tornillo inclinado que separa la arena de la materia orgánica. El tornillo desemboca en un tolva donde es recogida la arena lavada. Mostramos a continuación un dibujo de este modelo de lavado.

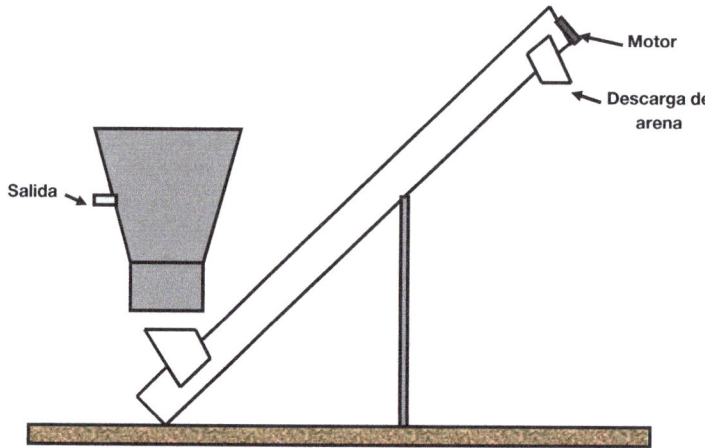

Modelo 2

Consiste en un criba que elimina la materia orgánica de la arena mediante un flujo de circula en ambas direcciones de forma alternativa (hacia arriba y hacia abajo del lecho).

Ambos modelos se caracterizan por presentan un alto rendimiento.

Recuerda

La descomposición de la materia orgánica produce gases como el metano o el ácido sulfhídrico, responsables del mal olor.

3.2.3. Retirada de arenas

La separación de arena de los desarenadores se realiza, de forma general, en grandes depósitos donde el agua disminuye su velocidad hasta acercarse a un valor próximo a cero debido a un aumento de la sección. Las partículas de arena en suspensión, debido a su peso, caen por la acción de la gravedad en el fondo del depósito.

Importante

Si la retirada de arena se hace en los tanques de sedimentación primarios o secundarios se mezclaría con los lodos dificultado su tratamiento.

Una vez que la arena ha sido retirada del agua residual mediante decantación y lavada para la eliminación de la materia orgánica, debe ser llevada fuera de la planta de tratamiento. Para ello se sigue un protocolo de actuación:

- **Acumulación de arena:**

  Se produce la acumulación de arena en lugares habilitados para ello.

- **Cargarla en camiones:**

  La carga de arena en los camiones de transporte se realiza mediante tolvas elevadas de grandes dimensiones. Están dotadas de compuertas automáticas en su base inferior que se abren para la salida de la arena.

  Para evitar que la arena quede atrapada en la tolva se introduce aire por la parte inferior de la arena o se emplean vibradores.

La carga también puede realizarse mediante cangliones de mordaza.

– **Transporte a vertedero autorizado:**

Los camiones una vez cargados son llevados a vertedero autorizado para su disposición final.

Los residuos que producen el la operación de desarenado de una estación depuradora de aguas residuales se encuentran recogidos bajo el código 19 08 02 de la Lista Europea de Residuos.

Son considerados residuos domésticos, según la Ley 22/2011, de 28 de julio, de residuos y suelos contaminados, por lo que no son presentan toxicidad para el medio ambiente o la salud de las personas.

Debido a ello pueden ser reutilizadas en labores de relleno de zanjas, princi-palmente.

En algunas plantas de tratamiento las arenas son incineradas.

3.3. Desengrasado

Objetivo

El objetivo de la operación de desengraso es la separación de grasas y sus-tancias ligeras que contiene el agua residual.

Las sustancias retiradas en el desengrasado incluyen:

– Aceites.

– Grasas.

– Jabón.

– Pequeños trozos de madera.

– Pequeños trozos de corcho.

– Residuos vegetales.

– Entre otros.

Estas sustancias proviene de distintas fuentes de **origen**:

- Hogares.

- Garajes.

- Actividades industriales.

- Actividades ganaderas.

- Red de alacantarillado debido a la escorrentía superficial.

- Lavaderos de coches.

Finalidad

Con la eliminación de las grasas del agua residual conseguimos eliminar problemas en otros procesos llevados a cabo en la planta de tratamiento.

Vamos a mostrar a continuación una tabla don de se reflejan los principales problemas causados por las grasas:

Proceso	Observaciones
Rejillas del desbaste	Obstrucciones
Decantadores primarios y secundarios	Forma una película superficial que entorpece la sedimentación pues atrae a la superficie partículas de materia orgánica.
Línea de fangos	Dificulta la aireación de los fangos activos. Provocan Bulking Entorpece la digestión de los lodos

Localización

El proceso de desengrasado se localiza tras el de desarenado.

Representamos a continuación a modo de resumen los tres procesos del pretratamiento estudiados:

Entrada de agua
residual

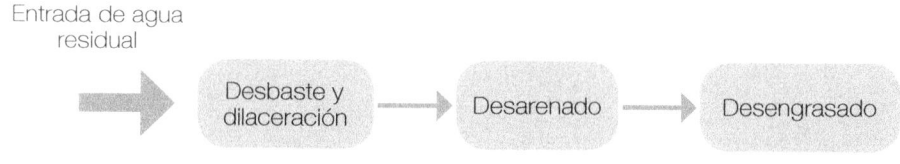

Desbaste y dilaceración → Desarenado → Desengrasado

Funcionamiento

La materia flotante asciende a la superficie del agua residual al ser almacenada en grandes depósito rectangular o circular (desengrasadores). Una vez aquí es retirada y eliminada.

El agua, por su parte, continua su camino hacia el siguiente tratamiento de depuración a través de una tubería localizada:

–   En la parte inferior del deposito;

–   A una cota más baja de la entrada y en el lado opuesto.

Los desengrasadores están diseñados para tiempos de detención de entre 1 y 15 minutos.

A continuación mostramos en una figura el funcionamiento:

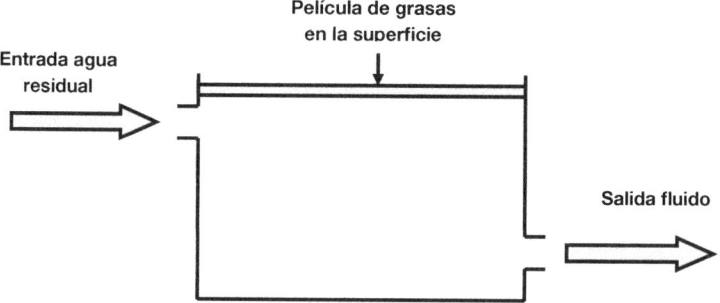

Importante

La cantidad de grasas que posee un agua residual es muy variable y depende de muchos factores tales como la actividad de la población, sus hábitos, la estacionalidad, etc. Sin embargo, se estima que las aguas urbanas tienen una media de 24 gramos de grasas por habitante y día, lo que representa un 28% del total de sólidos en suspensión.

La cantidad de grasas en las estaciones de tratamiento de aguas residuales podría reducirse considerablemente mediante la adopción de sencillas medidas. Una de ellas sería no verter aceites y grasas de las actividades doméstica por las cañerías. En los últimos años las ciudades han instalado puntos de recogida de aceites en las calles para facilitar su reciclado. Se precisa concienciar a la población para que adopte nuevos hábitos de reciclaje.

3.3.1. Tipos

Existen diversos tipo de desengrasadores. El empleo de uno u otro dependerá de dos factores:

– Tipo de grasa y material flotante que contenga el agua.

– Las concentraciones en las que se presente.

Todos se basan en la ascensión del aceite y las grasas y la superficie debido a que presentan una densidad menor que el agua. Para ello se reduce la velocidad del agua en una depósito de elevadas dimensiones.

A continuación vamos a estudiar los tipos de desengrasadores más utilizados:

Cámara de grasas kramer

Sus principales características son:

– Se instala entre el desarenado y la sedimentación primaria.

– Su planta puede ser cuadrada o circular.

- Consigue eliminar entre 60-70% de las grasas y material flotante.

- La capa de grasas eliminada posee un 80-85% de agua y un 20-15% de grasa.

Sabías que

Este tipo de desengrasador es muy empleado en Alemania.

Vamos a mostrar a continuación una figura en la que se representa este tipo de cámara:

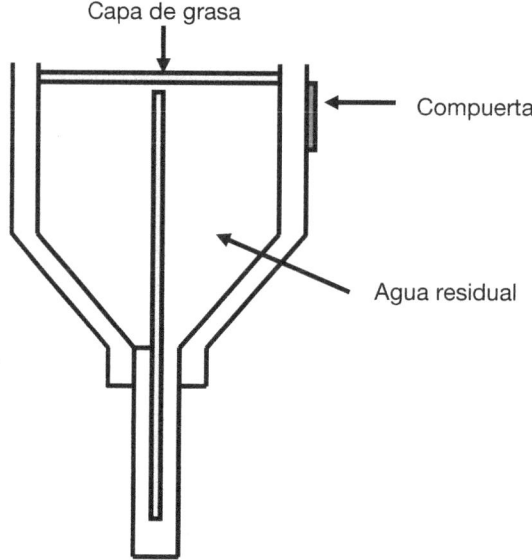

Cámara de grasas imhoff

Estas cámaras se caracterizan por la introducción de aire y burbujas en la cámara. Dicho aire tiene un efecto antiemulsivo sobre la capa de grasas.

Otras características que presentan dichas cámaras son:

- Planta de forma rectangular.

- La parte central está cubierta por placas porosas por la que se inyecta el aire a presión.

- Posee dos tabiques completamente sumergidos que dividen la cámara en tres espacio:

  · Espacio central, para la aireación.

  · Espacios laterales, para el desemulsionado.

Importante

Se calcula que la velocidad con la que ascienden las burbujas de grasa es de 3-4 mm/s.

Vamos a mostrar a continuación una figura en la que se representa este tipo de cámara:

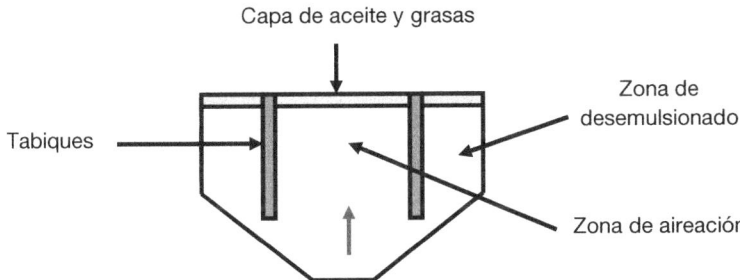

Pese a que los desengrasadores existentes en el mercado presentan una alta eficacia, la solución al problema de la grasas en las estaciones de tratamiento podría solventarse mediante:

- La disminución del vertido de grasas y aceites a las redes de alcantarillado. Esto pasa por una mayor concienciación de la población, como hemos señalado anteriormente.

- La instalación de cámaras de desengrasado en aquellos lugares donde se generen

A continuación mostramos una cámara de desengrasado:

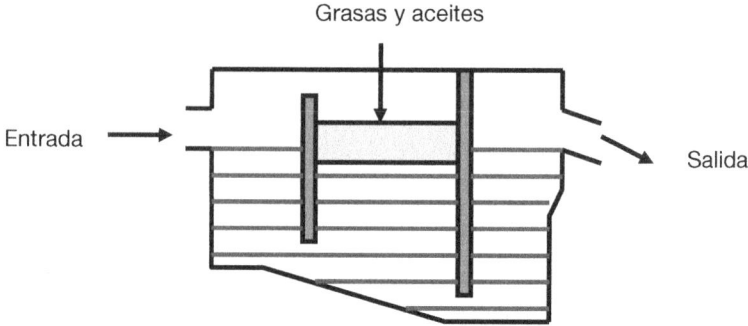

En algunas estaciones de tratamiento de agua residual se ha optado por la instalación conjunta de **sistemas de desarenado-desengrasado**.

Algunas consideraciones generales en a instalación de este tipo de sistemas son las siguientes:

– Debido a la diferente densidad que presentan las arenas y las grasas (densidad de la arena > densidad de las grasas) las velocidad de flotación de las grasas y de sedimentación de las arenas no experimentan variaciones significativas.

– La arena depositada en el fondo del depósito es más limpia debido a que el aire comprimido, inyectado para la desemulsión de las grasas, impide la sedimentación de las partículas de fango en le fondo.

– Se aumenta el rendimiento de la flotación de las grasas debido a que las partículas de arena, en su sedimentación, reducen la velocidad de ascenso de las partículas de grasa. Ello aumenta el contacto entre ellas en su recorrido hasta la superficie.

De lo mencionado anteriormente se concluye que los sistemas conjuntos de desarenado-desengrasado presentan importantes **ventajas**:

– Se aumenta el rendimiento de ambos procesos.

– Se reduce el espacio necesario para llevar a cabo ambos procesos.

Importante

El caudal de aire comprimido inyectado en el depósito así como el volumen del mismo deben ser los adecuados para conseguir la desemulsión de las grasas y alcanzar buenos rendimientos.

Actualmente los métodos más empleados en la eliminación de las grasas son:

– Su emulsión en el desarenador mediante aireación para permitir su ascenso la superficie.

– Su separación y retira en las balsas de decantación.

Recuerda

La retirada de las grasas es importantísimo para el correcto funcionamiento de los procesos llevados a cabo en el tratamiento primario y secundario de las EDAR.

3.3.2. Soplantes

Hemos estudiado como algunas cámaras de grasas emplean aire inyectado para provocar la desemulsión de las grasas y su ascenso a la superficie. Este aire es suministrado por dos aparatos principalmente:

– Soplante.

– Aeroflot.

En este epígrafe y en el siguiente vamos a mencionar algunas de las principales características de ambos aparatos.

Entre los **soplantes** más empleados se encuentran los de émbolos rotativos. Entre sus **características** principales se encuentran:

- Están compuestos por dos émbolos simétricos que giran a velocidad uniforme pero en sentidos contrarios.

- Presentan un rendimiento volumétrico constante.

- Evita consumos elevados de energía.

- El aire es inyectado limpio, sin aceites o lubricantes.

Para garantizar un alto rendimiento del soplante se precisa un montaje preciso y un mantenimiento periódico. Es muy importante seguir las indicaciones del fabricante en cuanto a la instalación y mantenimiento.

En cuanto a su **instalación**, debe situarse siguiendo las siguientes recomendaciones:

- Sobre una superficie de hierro u hormigón para evitar vibraciones.

- En un lugar protegido de las inclemencias del tiempo (polvo, frío, lluvia, etc.).

- Donde se pueda disipar el calor producido por el motor.

Entre sus **accesorios** se encuentran:

- Prefiltro.

- Válvula anti-retorno.

- Válvula de seguridad.

- Manómetro.

- Tubería de polietileno y PVC.

Los soplantes no sólo son empleados en las estaciones depuradoras de aguas residuales sino que posee numerosas aplicaciones en labores ambientales.

3.3.3. Aeroflot

Vamos a ver el otro sistema de suministro de aire.

El **aeroflot** es una turbina eléctrica que suministra aire en forma de burbuja. Entre sus principales **características** se encuentran:

Característica	Valor
Potencia de motor	0,65 - 4 KW
Velocidad	1450 rpm
Peso	40 - 75 Kg
Tamaño de la burbuja	< 200 µ

A diferencia de los soplantes, se emplea fundamentalmente en el proceso de desengrasado de las aguas residuales urbanas e industriales.

Entre sus **componentes** se encuentran:

— Motor de arrastre.

— Cámara de viento.

— Plato difusor.

— Tubuladora de toma de aire.

— Turbina de doble etapa:

·   La primera etapa: agita el agua.

·   La segunda etapa: difunde el aire.

Su **funcionamiento** es el siguiente:

La turbina toma el aire y la inyecta dentro del agua residual en forma de pequeñas burbujas. El plato difusor se encarga de repartir de forma uniforme las burbujas en el fluido. Las burbujas se unen a las partículas de grasas y la arrastran hasta la superficie.

Entre sus **ventajas** se encuentran:

- Silencioso.

- Mantenimiento sencillo.

- Resistente.

Recuerda

El suministro de aire no solo se produce en el proceso de desengrasado sino que también se realiza en otros dos procesos:

- Desarenado.

- Tratamiento secundario (reactor biológico).

3.3.4. Reactores eliminación

La eliminación de las grasas de los desengrasadores puede realizarse a través de varios sistemas. Vamos a ver a hora algunos de ellos así como sus características principales:

- Compuerta fija: se abre periódicamente para que la grasa sea eliminada.

- Placa deflectora: se caracteriza por ser orientable y de cierre rápido.

- Tubo pivotante: realiza movimientos verticales de ascenso y descenso por medio de guías.

- Rasquetas de superficie: funcionan automáticamente y tienen capacidad de giro.

- Bandas desengrasadoras: funcionan automáticamente y realizan un movimiento horizontal.

- Tambores desengrasadores: de forma cilíndrica, separan la grasa por la acción de la fuerza centrífuga.

- Sistema VORTEX: una bomba retira las grasas de la superficie.

- Flotación: la grasa se retira por su ascenso a la superficie del agua residual.

La elección de un sistema u otro dependerá de:

- La cantidad de grasas que contenga el agua residual.

- Las características de la EDAR.

Definición

Se entiende por rasqueta una plancha fabricada de hierro con cantos afilados.

Se entiende por deflactora la capacidad que posee un dispositivo para cambiar la dirección o la trayectoria de un fluido.

3.3.5. Residuos de desengrasado

Tal y como mencionamos en el epígrafe 3.3, los residuos del desengrasado incluye, entre otras sustancias, las siguientes:

- Aceites.

- Grasas.

- Jabón.

- Pequeños trozos de madera.

- Pequeños trozos de corcho.

- Residuos vegetales.

- Entre otros.

La mayor proporción está constituida por aceites y grasas. Atendiendo a su origen se clasifican en tres grupos:

- Animal.

- Vegetal (aceites de oliva, girasol, almendra, etc.)

- Hidrocarburos (combustibles fósiles).

Los residuos que producen el la operación de desarenado de una estación depuradora de aguas residuales se encuentran recogidos bajo el código 19 08 09 y 19 08 10* de la Lista Europea de Residuos.

- **19 08 Residuos de plantas de tratamiento de aguas residuales no especificados en otra categoría:**

    · 19 08 09 Mezclas de grasas y aceites procedentes de la separación de agua/sustancias aceitosas que contienen sólo aceites y grasa.

    · 19 08 10* Mezclas de grasas y aceites procedentes de la separación de agua/sustancias aceitosas distintas de las especificadas en el código 19 08 09.

El segundo residuo, marcado con asterisco (*), implica que posee un carácter peligroso. Este carácter implica medidas específicas en su gestión.

Recuerda

Estas sustancias provienen de distintas fuentes de **origen**:

- Hogares.

- Garajes.

- Actividades industriales.

- Actividades ganaderas.

- Red de alacantarillado debido a la escorrentía superficial.

- Lavaderos de coches.

3.3.6. Correcta disposición final

Como se ha comentado anteriormente, los residuos del desengrasado pueden ser de dos tipos:

−   No tóxicos, son considerados residuos domésticos.

Aceites vegetales (considerados residuos domésticos)

−   Tener carácter tóxico, siendo considerados como residuos peligrosos.

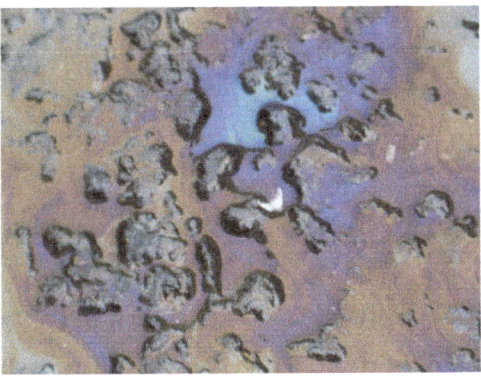

Aceite de hidrocarburo (considerado residuo peligrosos)

Definición

Residuo peligroso: residuo que presenta una o varias de las características peligrosas enumeradas en el anexo III, y aquél que pueda aprobar el Gobierno de conformidad con lo establecido en la normativa europea o en los convenios internacionales de los que España sea parte, así como los recipientes y envases que los hayan contenido (Ley 22/2011, de 28 de julio, de residuos y suelos contaminados).

Tanto los considerados peligrosos como los considerados residuos domésticos deben ser gestionados adecuadamente hasta su deposición final.

La **gestión de los residuos** implica:

"La recogida, el transporte y tratamiento de los residuos, incluida la vigilancia de estas operaciones, así como el mantenimiento posterior al cierre de los vertederos, incluidas las actuaciones realizadas en calidad de negociante o agente" (art. 3 de la Ley 22/2011).

Respecto a los considerados peligrosos, su gestión implica:

Etiquetado

La **etiqueta** en la que figurarán los siguientes elementos:

- El nombre, la dirección y el número de teléfono del proveedor o proveedores.

- La cantidad nominal de la sustancia o mezcla contenida en el envase a disposición del público en general, salvo que esta cantidad ya esté especificada en otro lugar del envase.

- Los identificadores del producto.

Además, deberá llevar cuando así proceda:

- Los pictogramas de peligro.

- Las palabras de advertencia.

- Las indicaciones de peligro.

- Los consejos de prudencia apropiados.

- Una sección de información suplementaria.

Almacenamiento

El productor o poseedor inicial de producto está obligado a mantener los residuos almacenados en condiciones adecuadas de higiene y seguridad mientras se encuentren en su poder. La duración máxima será de seis meses.

En el casos de los grasas y aceites de las depuradoras, se almacenan en depósitos para obtener una lata concentración de las mismas.

Transporte

El transporte de este tipo de residuos requiere del estricto cumplimiento de la legislación vigente.

- Conductores:

    Deben poseer una autorización especial, estar informados siempre sobre los riesgos del transporte de este tipo de residuos, las instrucciones a seguir en caso de accidente, etc.

- Empresas:

    Tienen en su plantilla un consejero de seguridad cuyas funciones son hacer cumplir la normativa para evitar los riesgos de posibles accidentes.

- Vehículos.

    Los vehículos deben someterse a:

    · Inspecciones técnicas (ITV).

    · Controles de las entidades colaboradoras de la administración (ECA).

Además, cada cargamento debe llevar obligatoriamente estos documentos:

- Carta de porte.

- Documento de control y seguimiento.

–   Instrucciones escritas para el conductor.

–   Certificado de aprobación para cada unidad de transporte.

–   Certificado de formación del conductor.

–   Certificado de arrumazón del contenedor o certificado de limpieza de la cisterna.

–   Autorización para efectuar el transporte en el caso de residuos radiactivos o explosivos

–   Copia de cualquier acuerdo que suponga exención al cumplimiento del convenio internacional ADR.

Además de la documentación refleja arriba, han de tomarse medidas de seguridad tales como llevar extintores, herramientas o equipos de protección personal, comprobar la ausencia de fugas y derrames, etc.

Por otro lado, se debe:

–   Suscribir a un seguro de responsabilidad civil.

–   Prestar una fianza por cuantía como mínimo del 5% del valor del transporte.

Con estas dos medidas se pretende cubrir los posibles daños que puedan causarse a terceros y al medio ambiente.

Con el fin de identificar el residuo peligroso transportado existe una serie de códigos identificativos atendiendo a:

–   El material transportado.

–   El tipo de residuo.

–   Los riesgos que conlleva.

–   El tipo de envase.

Deposición en vertedero autorizado

Los residuos peligrosos deben ser depositados en vertederos específicos bajo estrictos controles de seguridad.

3.4. Caracterización del residuo

Como hemos comentado en epígrafes anteriores, los productos de desecho obtenidos tras el pretratamiento de las aguas residuales son considerados residuos. Estos residuos se encuentran recogidos bajo el código **19 08** de la **Lista Europea de Residuos**.

- **19 08 Residuos de plantas de tratamiento de aguas residuales no especificados en otra categoría:**

  - 19 08 01 Residuos de cribado.

  - 19 08 02 Residuos de desarenado.

  - 19 08 09 Mezclas de grasas y aceites procedentes de la separación de agua/sustancias aceitosas que contienen sólo aceites y grasa.

  - 19 08 10* Mezclas de grasas y aceites procedentes de la separación de agua/sustancias aceitosas distintas de las especificadas en el código 19 08 09.

Los residuos del pretratamiento pueden ser eliminados mediante distintas técnicas:

Sistema de eliminación	Características
Enterramiento	Requiere de mucho espacio
Incineración	Es caro
Relleno de tierras	Precisa de entre 24 y 48 horas de drenaje previo a su utilización
Incorporación al sistema de gestión de residuos urbanos	Es uno de los más comunes. Comparte el sistema de recogida y transporte con los residuos urbanos
Transporte a vertedero	Es el más utilizado

Los residuos del pretratamiento, principalmente los del desbaste, deben ser prensados antes de su eliminación final con el fin de reducir la humedad y con ello:

- Disminuir el volumen (se facilita el traslado).

- Retrasar el proceso de fermentación (causante de los malos olores).

UD3
Lo más importante

- El objetivo del desbaste es la retención y eliminación de los sólidos volu-minosos flotantes y en suspensión que contiene el agua residual.

- Los dispositivos empleados en el proceso de desbaste son las rejas y los tamices.

- Las rejas son barras paralelas dispuestas verticalmente o con una pen-diente variable de entre 30 a 80° respecto a la horizontal. Atendiendo a su separación se dividen en finas, medianas y gruesas.

- Existen una gran variedad de tamices en el mercado fruto de una intensa investigación y desarrollo llevada a acabo en los últimos años: inclinado fijo, inclinado giratorio, tambor giratorio, deslizante y centrífugo.

- Los residuos retenidos en las rejas y tamices son retirado mediante las denominadas cucharas bivalvas. Son una especie de brazo articulado formado por dos garras de acero. Están diseñados para un uso intensivo por lo que presentan gran robustez para incrementar su durabilidad.

- El hidranet es un tipo de tamiz curvo, estático y autolimpiable. El agua resi-dual entra por la parte superior y sale por la inferior. Suele tener un ángulo de inclinación de 25° con la horizontal, aunque algunos tienen hasta 35°.

- El roto pas son tamices rotativos capaces de separar sólidos de tamaño inferior a 1 mm. Están construidos en acero inoxidable de alta durabilidad.

- Las rejas pueden ser limpiadas mediante sistema manual o automático.

- El objetivo del desarenado es separar las arenas que contiene el agua residual.

- Existen cuatro tipos de desarenadores: de flujo horizontal, de flujo vertical, aireados y de vórtice.

- La arena precisa de lavarse antes de su eliminación final debido a que posee una alta cantidad de materia orgánica que puede atraer insectos y roedores, además de provocar malos olores tras su descomposición.

- El objetivo del desengrasado es la separación de grasas y sustancias más ligeras que contiene el agua residual.

- Existen varios tipos de desengrasadores, entre ellos están: cámara Kramer, cámara Imhoff y sistemas de desengrasado-desarenado.

- La inyección de aire en los sistemas de desegrasado se realiza mediante soplantes y aeroflot.

- Los productos de desecho obtenidos tras el pretratamiento de las aguas residuales son considerados residuos, encontrándose recogidos bajo el código 19 08 "residuos de plantas de tratamiento de aguas residuales no especificadas en otra categoría" de la Lista Europea de Residuos.

UD3
Autoevaluación

1. Las rejas:

   a. Son barras dispuestas horizontalmente.

   b. Se emplean en el desarenado.

   c. Se diferencian dos tipos atendiendo a la separación ente las barras.

   d. Se emplean en el desbaste.

2. El tamiz inclinado fijo:

   a. Se emplea en el pretratamiento.

   b. Se emplea en el tratamiento primario.

   c. Es de telas de poliéster.

   d. Es de acero.

3. La hidranet:

   a. Es un tamiz de malla gruesa.

   b. Es un tipo de rejas de desbaste.

   c. Es un tipo de tamiz curvo, estático y autolimpiable.

   d. Es una turbina de aireación.

4. Entre los requisitos que se debe cumplir para que se produzca la limpie-
    za manual no se encuentra:

    a. Los barrotes tendrán unas dimensiones de 20 mm de anchura como
        mínimo por 60 mm de profundidad.

    b. Se debe aplanar la unión con las paredes laterales.

    c. El canal debe ser recto y perpendicular a la reja.

    d. El canal donde se ubica la reja debe diseñarse de tal forma que se
        evite la acumulación de arenas y otros sólidos de gran tamaño.

5. El sistema automático de limpieza con intervalo de tiempo fijo:

    a. Posee un funcionamiento complicado.

    b. Requiere personal especializado para su mantenimiento.

    c. Puede graduar la duración de la limpieza según las características
        del agua residual.

    d. El sistema funciona sólo cuando es necesario.

6. El desarenado

    a. Proteger de la abrasión a los distintos elementos de la instalación.

    b. Aumenta la densidad del fango.

    c. Suele situarse detrás del desengrasado.

    d. Separa partículas putrescibles.

7. El desarenador de flujo horizontal

    a. Su instalación en las EDAR no es muy común.

    b. La velocidad del flujo de agua se encuentra próxima a valores de
        entre 2 y 3 m/s.

    c. Eliminan partículas que posean un diámetro de 0,21 mm.

    d. Su eficacia depende de la superficie vertical.

8. La cámara de grasas Imhoff se caracteriza por:

   a. Su planta es de forma circular.

   b. Introducir aire en la cámara.

   c. Posee un tabique completamente sumergido.

   d. Posee dos tabique parcialmente sumergidos.

9. El soplante:

   a. Inyecta aire con aceite a la cámara del desengrasado.

   b. Están compuestos por tres émbolos.

   c. Su consumo de energía es elevado.

   d. Se instalan sobre una superficie de hierro u hormigón para evitar vibraciones.

10. El Aeroflot:

   a. Es una turbina eléctrica que suministra aire en forma de burbuja.

   b. El tamaño de las burbujas es > 200 µ.

   c. Es muy ruidoso.

   d. Su mantenimiento es costoso.

Área: seguridad y medioambiente

UD4

Tratamiento primario de aguas residuales

4.1. Precipitación química

La precipitación química es un proceso químico unitario, tal y como estudiamos en el tema 2 de la presente unidad formativa.

Recuerda

Los procesos químicos unitarios son todos aquellos tratamientos realizados en las aguas residuales donde se produce un cambio en sus características y propiedades mediante reacciones químicas.

La **precipitación química** en el tratamiento de las aguas residuales consiste en:

La adición de sustancias químicas al agua residual con el fin de:

— Alterar el estado físico de los sólidos (disueltos y en suspensión).

— Facilitar su eliminación mediante sedimentación.

En algunos casos la alteración producida en los sólidos no es muy grande. Cuando ocurre esta circunstancia, la eliminación se produce porque quedan atrapados dentro de un precipitado voluminoso formado fundamentalmente por el propio coagulante.

Sin embargo, la adición de sustancias químicas al agua va a producir también efectos **negativos**. El más importante es el aumento de la concentración de los compuestos disueltos en el agua residual.

La precipitación química se empezó a emplear en el tratamiento de las aguas residuales con el objeto de eliminar más eficazmente los sólidos suspendidos en el fluido así como reducir los valores de DBO en tres casos distintos:

–   Existen variaciones estacionales en la concentración de contaminantes en el agua residual.

–   Se precisa un grado intermedio en el tratamiento.

–   Facilita el proceso de sedimentación.

Sin embargo, el interés por la precipitación y su uso de forma más extendida no se produce hasta los años 70 del siglo pasado. Ello es debido a que se requiere eliminar más cantidad de compuestos orgánicos y nutrientes (fósforo y nitrógeno). La concentración de contaminantes en las aguas residuales ha incrementa exponencialmente en estos años.

Los procesos químicos pueden actuar individualmente o en combinación con procesos físicos unitarios, como puede ser el desarrollado para la eliminación de nutrientes en el tratamiento secundario.

Los productos químicos empleados en la precipitación química son muy variados. Vamos a enumerar ahora los más usados:

Producto químico	Fórmula
Sulfato de alúmina	Al2(SO)4 * 18H2O
Sulfato de hierro	FeSO4 * 7 H2O
Cal	Ca(OH)2
Cloruro férrico	FeCl3
Sulfato férrico	Fe2(SO4)3

Gracias a la precipitación química se obtiene un efluente clarificado, más o menos limpio, debido a que se elimina:

–   80-90% de los sólidos suspendidos y disueltos.

–   50-70% de la DBO5.

–   40-60% de la DQO.

–   85-90% de las bacterias.

En los siguientes epígrafes vamos a hacer especial mención a los procesos de precipitación que se producen derivados de la coagulación y floculación de partículas coloidales. Vamos a describir cada uno de los dos procesos detalladamente destacando los principales productos empleados como coagulantes y floculantes.

4.1.1. Coagulación

Antes de describir el proceso de coagulación, vamos a empezar definiendo qué es un **coloide**.

Un coloide es una partícula de pequeña tamaño, del orden de milimicras a decenas de micras que se encuentran en suspensión en el agua residual. Poseen cargas eléctricas de igual signo produciéndose repulsión eléctrica. Esta repulsión hace que:

– Sean estables en el fluido.

– Impidan su agregación en partículas de tamaño mayor (flóculos) decantables.

La carga eléctrica del coloide se debe al producto de 3 **etapas** distintas:

– **Adsorción** en la superficie del coloide de iones de igual carga.

– **Retención**, en pequeña proporción, de iones de signo contrario con menor número de cargas eléctricas que los primeros.

   Estos iones son retenidos fuertemente por la carga central del coloide formando una película rígida y fluida que se desplaza con la partícula.

   Esta capa tiene una carga eléctrica (la carga del coloide) que es la responsable de su estabilidad.

– **Envoltura de iones de signo contrario al núcleo totalmente móviles**.

   Su concentración es mayor en las proximidades de la partícula y disminuye progresivamente.

A continuación puedes ver una figura donde se muestran estas tres etapas:

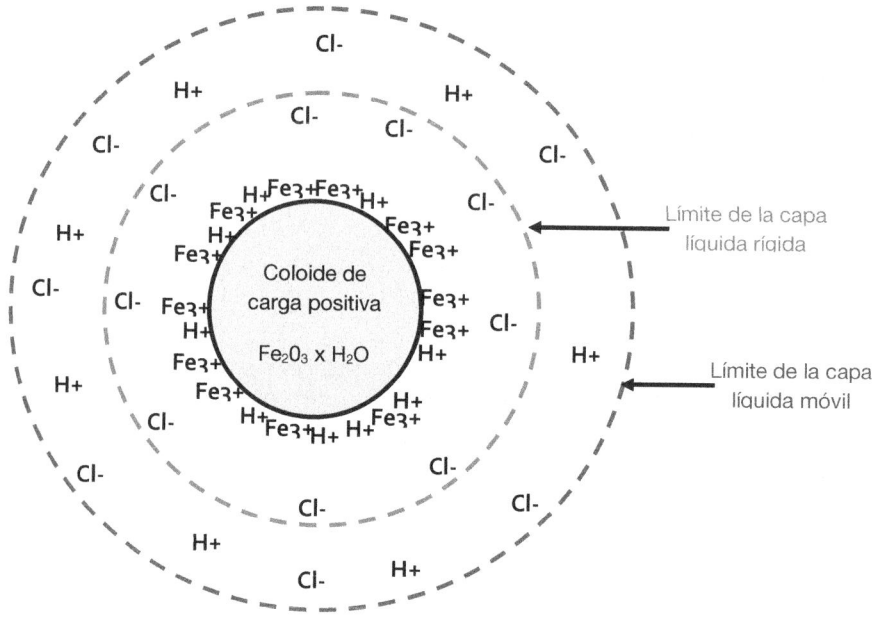

Estructura de capas de un coloide.

Los coloides son los responsables del color del agua y su turbidez.

Ejemplos de coloides son:

— Arcilla.

— Partículas orgánicas.

— Sílice.

Las partículas coloidales pueden ser:

— **Hidrofílicas** (tienen afinidad por el agua):

· Se dispersan libremente dentro del agua residual. Se rodean de moléculas de agua que impiden el contacto entre ellas, estabilizándolas dentro del fluido.

· Suelen estar formadas por partículas orgánicas.

- **Hidrófobas** (es decir que rechazan al agua):

  · No se dispersan libremente dentro del agua residual por lo que precisan la ayuda de medios físicos y químicos.

  · Tampoco se rodean de moléculas de agua.

  · Suelen estar formadas por partículas orgánicas.

La coagulación consiste en neutralizar las cargas eléctricas de una dispersión coloidal para que se anulen las fuerzas de repulsión y se puedan agregar los coloidales por acción de masas.

La coagulación se consigue añadiendo al agua residual iones del signo contrario al del coloide. Este proceso se refleja en la siguiente figura donde las cargas eléctricas negativas del sólido son neutralizadas por cationes coagulantes.

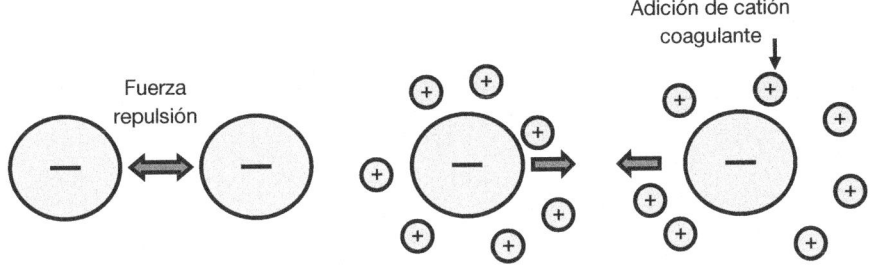

Para que se produzca el efecto neutralizador se requiere que el ión coagulante sea adsorbido por el coloide hasta anular su potencial Z.

Definición

El potencial Z es el valor de la diferencia de potencial existente entre el límite de la solución pegada a la partícula y la masa del líquido.

La actividad coaguladora aumenta con la valencia del ión coagulante.

Para que el proceso de coagulación se produzca con una eficacia mayor se puede introducir en el agua residual partículas ya preformadas (de mayor tamaño). Esto aumenta la probabilidad de que se encuentre el coloide con otra partícula. La introducción de estas partículas provoca dos efectos:

– Aumenta la atracción entre las partículas, debido a que el tamaño de la partícula preformada es grande.

– Rápido crecimiento del coloide para formar flóculos (molécula insoluble formada por la agregación de flóculos).

Para conseguir este efecto, en las estaciones de tratamiento de aguas residuales se realizan dos sistemas:

– **Recirculación de fangos:**

Las partículas ya formadas se vuelven a introducir en la cámara de floculación.

– **Lecho de fango:**

El agua coagulada se pasa por una capa de fango espeso.

Existen dos **tipos** de coagulación: por adsorción y por barrido. Vamos a ver a continuación las principales características de cada una de ellas.

Coagulación por adsorción

Se produce cuando el agua residual posee elevadas concentraciones de partículas en suspensión (agua de elevada turbidez). Al adicionar el coagulante sus productos solubles son absorbidos por los coloides. La formación de flóculos se produce inmediatamente.

Vamos a mostrar en la siguiente figura este tipo de coagulación:

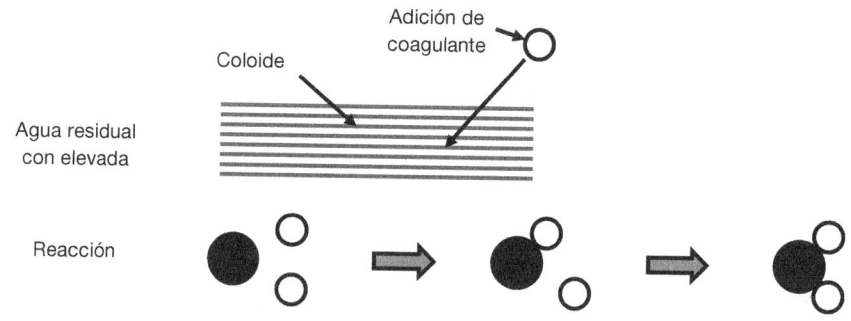

Coagulación por barrido

Se produce cuando el agua residual posee elevadas concentraciones de partículas en suspensión (agua de elevada turbidez). En este tipo de coagulación las partículas son atrapadas al producirse una sobresaturación de precipitado de coagulante.

Vamos a mostrar en la siguiente figura este tipo de coagulación:

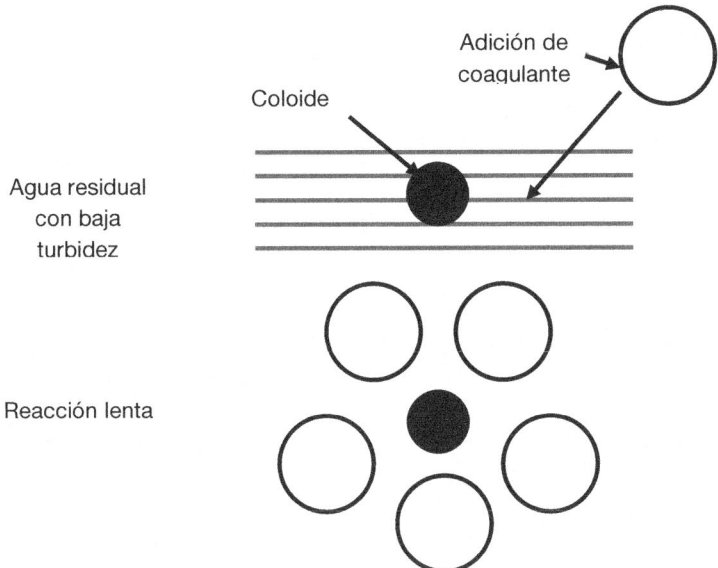

A continuación vamos a señalar los principales **factores** que influyen en el proceso de coagulación:

– **Tipo de coagulante.**

– **Cantidad de coagulante**. La cantidad de coagulante (dosis) que se requiere para llevar a cabo el proceso de forma óptima se obtiene a través de la experimentación. La cantidad del coagulante influye directamente sobre la eficacia del proceso:

 · Poca cantidad del coagulante: no neutraliza la carga eléctrica de la partícula totalmente. Esto provoca que los flóculos formados sean muy pocos y con ello que la turbidez del agua sea alta.

- Mucha cantidad de coagulante: provoca la inversión de la carga eléctrica de la partícula. Esto provoca la formación de un gran número de flóculos de pequeño tamaño (ello implica bajas velocidades de sedimentación). La turbidez en este caso también es alta.

- **pH del agua residual**. Para cada tipo de coagulante existe una zona óptima donde la floculación se produce en un breve espacio de tiempo y con una dosis de coagulante pequeña.

- **Tamaño de las materias suspendidas**. Las partículas finas son más complicadas para coagular que las de mayor tamaño. Requieren mayor cantidad de coagulante.

- **Tiempo de coagulación** (tiempo de mezcla + tiempo de coagulación). Representa el tiempo que transcurre entre que se añade el coagulante al agua residual y el final de la agitación del agua a una velocidad tal que imposibilite la decantación de los flóculos. Se estima entre 10 y 30 minutos.

- **Temperatura del agua**. Está directamente relacionada con el tiempo que se precisa para la formación de flóculos. A menores temperaturas mayor tiempo para la creación de flóculos.

- **Grado de agitación**. Una buena agitación de la masa de agua residual durante la adición del coagulante garantizará que el proceso se realice completamente. Con una velocidad del fluido de entre 30-40 cm/s en los tanques de coagulación se genera una agitación óptima. Además, la agitación debe ser uniforme. Turbulencias desiguales en la masa del fluido provocan que parte posee mayor concentración de coagulante mientras que otra tiene déficit.

- **Turbidez del agua**. El agua residual que presente pocos sólidos en suspensión (actúan como núcleos para la formación de flóculos) precisa mayor dosis de coagulante pues la coagulación es más difícil.

- **Cantidad de sales disueltas**. Modificación: el rango de pH óptimo, el tiempo requerido para la coagulación, la cantidad de coagulantes necesarios, entre otros.

4.1.2. Principales coagulantes y ayudantes de coagulación

Coagulantes

Antes de analizar los principales coagulantes empleados así como los ayudante de coagulación, vamos a enumerar las **características** que deben tener:

- Poseen carga eléctrica opuesta al coloide. Con ello se persigue neutralizar las fuerzas electrostáticas y alcanza un potencial Z nulo.

- Deben tener una valencia elevada para conseguir una rotura rápida de la estabilidad coloidal.

- Deben ser de bajo precio para que el proceso sea rentable económicamente.

- Deben tener un peso elevado para conseguir que los flóculos formados precipiten.

Distinguimos dos grandes grupos de coagulantes:

- Inorgánicos.

- Orgánicos:

    · Naturales.

    · Sintéticos.

Vamos a describir cada uno de ellos:

Coagulantes inorgánicos

Entre los coagulantes inorgánicos encontramos:

- **Sulfato de alúmina:**

    Se producen las siguientes reacciones químicas:

    · Con alcalinidad natural:

$$Al_2(SO_4)_3 \times 14H_2O + 3Ca(HCO_3)_2 = 2Al(OH)_3 \text{ (precipita)} + 3CaSO_4 + 6CO_2 + 14H_2O$$

- Con cal:

$$Al2(SO4)3 \times 14H2O + 3Ca(OH)2 = 2Al(OH)3 \text{ (precipita)} + 3CaSO4 + 14H2O$$

- Con carbonato sódico:

$$Al2(SO4)3 \times 14H2O + 3Na2CO3 = 2Al(OH)3 \text{ (precipita)} + 3Na2SO4 + 3 CO2 + 11 H2O$$

- Sulfato ferroso:

Se producen las siguientes reacciones químicas:

- Con alcalinidad natural:

$$Fe_2SO_4 \times 7H_2O + Ca(HCO_3)_2 = Fe(HCO_3)_2 + CaSO_4 + 7H_2O$$

- Con cal:

$$Fe(HCO_3)_2 + Ca(OH)_2 = Ca(HCO_3)_2 + Fe(OH)_2$$

$$Fe(OH)_2 + O_2 + H_2O = Fe(OH)_3$$

- Con cloro:

$$3FeSO_4 \times 7H_2O + 1.5\ Cl_2 = Fe_2(SO_4)_3 + FeCl_3 + 7H_2O$$

- Sulfato férrico:

Se producen las siguientes reacciones químicas:

- Con alcalinidad natural:

$$Fe_2(SO_4)_3 + 3Ca(HCO_3)_2 = 2Fe(OH)_3 + 3CaSO_4 + 6CO_2$$

- Con cal:

$$Fe_2(SO_4)_3 + 3Ca(OH)_2 = 2Fe(OH)_3 + 3CaSO_4$$

- Cloruro férrico:

Se producen las siguientes reacciones químicas:

- Con alcalinidad natural:

$$2FeCl_3 + 3Ca(HCO_3)_2 = 3CaCl_2 + 2Fe(OH)_3 \text{ (precipita)} + 6CO_2$$

- Con cal:

$$2FeCl_3 + 3Ca(OH)_2 = 2Fe(OH)_3 \text{ (precipita)} + 3CaCl_2$$

- Con aluminato sódico:

$$3NaAlO_2 + FeCl_3 \times 6H_2O = 3Al(OH)_3 + Fe(OH)_3 \text{ (precipita)} + 3NaCl$$

— **Aluminato sódico:**

Se produce la siguiente reacción química:

- Con alcalinidad natural:

$$NaAlO_2 + Ca(HCO_3)_2 + H_2O = Al(OH)_3 + CaCO_3 + NaHCO_3$$

$$2NaAlO_2 + 2CO_2 + 4H_2O = 2NAHCO_3 + 2Al(OH)_3$$

— **Sulfato cúprico:**

Se produce la siguiente reacción química:

$$CuSO4 + Ca(HCO3)2 = Cu(OH)2 + CaSO4 + 2CO2$$

— **Cloruro de aluminio:**

Se produce la siguiente reacción química:

$$2AlCl_3 + 3\,Ca(HCO_3)_2 = 2Al(OH)_3 + 3CaCl_2 + 6CO_2$$

Su empleo no es muy común.

Coagulantes orgánicos naturales

En este grupo se incluyen polímeros de origen biológico y derivados de:

— El almidón.

— La celulosa.

— Alginatos.

Importante

Funcionan principalmente como ayudantes de coagulación (participan en la formación de flóculos) más que como coagulantes.

Coagulantes orgánicos sintéticos

Dentro de este grupo se encuentran los polímeros orgánicos sintéticos. Los polímeros sintéticos pueden estar formados por un único tipo de monómero o por dos o incluso tres tipos distintos.

Definición

Un polímoro co una cadena formada por unidades denominadas monómeros.

Los polímeros orgánicos sintéticos se caracterizan por:

– Tener un número de monómeros variable, ello implica que cambia el peso molecular.

– Tener cadenas lineales o ramificadas.

Dependiendo de si el polímero presenta una unidad monomérica con grupo ionizable o no, distinguimos entre:

– **Polímeros no iónicos:**

No contienen grupos ionizables. Entre ellos destacamos dos:

· Óxido de polietileno.

· Poliacrilamida.

Es el grupo más importante.

– **Polielectrolitos:**

Contienen grupos ionizables. Según el tipo de grupo ionizable distinguimos entre:

· Catiónicos:

Posee en sus cadenas una carga eléctrica positiva a causa de la presencia de grupos aminos. Algunos de los más empleados son los polidialildimetilamonio.

· Aniónicos:

Se caracterizan por la coexistencia de dos grupos:

› Los que permiten la adsorción.

› Los ionizados negativamente.

En este grupo encontramos:

— Ácido poliacrílico.

— Poliacrilamida hidrolizada.

La capacidad de un polímero para funcionar como floculante dependerá de su afinidad para unirse a la superficie de los coloides.

· Anfolítico

Contiene grupos positivos y negativos. Un ejemplo son las proteínas.

Hemos visto los principales coagulantes que se emplean actualmente así como las principales reacción químicas que tienen lugar tras su adición al agua residual.

Vamos ahora a mostrar una tabla en la que se muestra tanto el rango de pH en el que su acción es más eficaz así como el valor de pH óptimo para su acción.

Recuerda

Para cada tipo de coagulante existe una zona óptima donde la floculación se produce en un breve espacio de tiempo y con una dosis de coagulante pequeña.

Coagulante	pH	
	Rango	Óptimo
Sulfato de alúmina	5.5-8	6-8.5
Sulfato ferroso	8.5-11	9
Sulfato férrico	5-11	8-8.5
Cloruro férrico	5-11	5.5
Aluminato sódico	--	--
Sulfato cúprico	--	--
Cloruro de aluminio	5.8<<9	--

Recuerda

El pH indica la acidez o alcalinidad de un medio. Se expresa como:

$$pH = - \log [H+]$$

Sus valores están comprendidos del 1 al 14. Siendo 7 el pH neutro.

Ayudantes de coagulación

Los ayudantes de coagulación o coadyuvantes tienen como **objetivo** facilitar la desestabilización de la estructura coloidal (modificando el pH del agua, actuando sobre el potencial Z o transformando los coloides hidrófilos en hidrófobos) y servir de material de soporte para la agregación de los coloides desestabilizados en la formación de flóculos precipitables.

Según su naturaleza se pueden clasificar en inorgánicos y orgánicos. Vamos a describir ambos grupos.

Ayudantes de coagulación inorgánicos

Los coadyuvantes inorgánicos realizan las siguientes funciones:

– Modifican el pH del agua:

   De esta forma facilita la acción de coagulante al encontrarse en un medio que pose un rango de pH óptimo para su actuación. Algunos ejemplos son:

   · Cal apagada.

   · Cal viva.

   · Sosa cáustica.

   · Carbonato de sosa.

– Transforman los coloide hidrófilos en hidrófobos:

   Gracias a ello la cantidad de coagulante a emplear es menor. Ello permite ahorrar costes. Un ejemplo de coadyuvante que realiza esta función es el cloro.

– Neutralizan las cargas eléctricas de los coloides:

   Un ejemplo sería el sulfato de magnesio.

– Sirven de material de soporte:

   Son un apoyo para la formación de flóculos. Entre ellos destacamos:

   · Arcillas.

   · Carbón activo.

   · Sílice activa.

Ayudantes de coagulación orgánicos

Se distinguen aquí dos grupos:

– **Naturales:**

   Se fabrican a partir de:

   · Extractos de algas (alginatos).

   · Extractos de granos vegetales (almidones).

– **Sintéticos:**

Ejemplos de ayudantes de coagulación orgánicos sintéticos son los polie-lectrolitos aniónicos y no aniónicos explicados anteriormente.

4.1.3. Floculación

La floculación consiste en la desestabilización de partículas coloidales por la adsorción de polímeros orgánicos y formación de enlaces partícula-polímero-partícula.

En otras palabras, la floculación, proceso siguiente a la coagulación, consiste en la formación de flóculos de gran tamaño y peso por aglomeración a partir de los coloides desestabilizados. Estos flóculos debido a su peso son capaces de precipitar.

La floculación se ve favorecida por:

– Agitación lenta.

– Empleo de floculante, tienden puentes sobre los coloides (serán estudiados en el epígrafe siguiente).

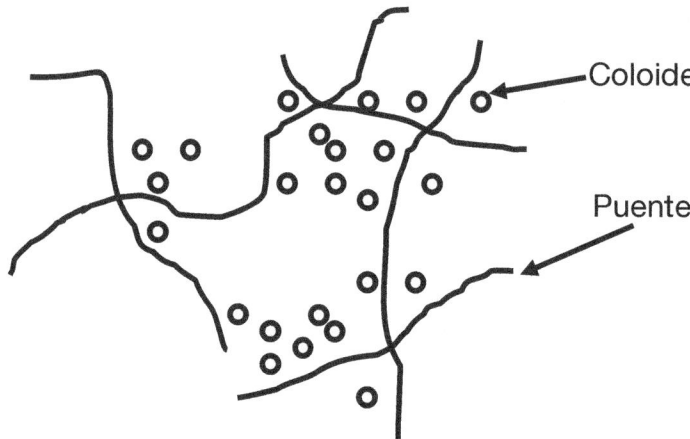

Podemos distinguir dos **tipos** de floculación:

Floculación pericinética

Se produce cuando las partículas coliodales se mueven al azar y de forma rápida, chocando unas con otras para dar lugar a la formación del flóculo.

Viene definida por la siguiente expresión:

$$J_{pk} = (-4\eta kT/3\mu) \, (N°)^2$$

Donde:

Jpk = velocidad de cambio en la concentración total de las partículas respecto al tiempo debido a la floculación pericinética.

N° = concentración total de partículas en suspensión en un el tiempo t.

η = factor de eficacia de colisión.

k = constante de Boltzman.

T = temperatura absoluta.

μ = viscosidad del fluido.

Floculación ortocinética

El choque entre las partículas es debido al movimiento del fluido. Se ha detectado que la agitación del fluido acelera la agregación de los coloides.

La velocidad del fluido debido a la agitación vería:

- Espacialmente.

- Temporalmente.

Por tanto, la velocidad de las partículas que siguen el movimiento del fluido también variará.

La floculación ortocinética viene definida por la siguiente expresión:

$$J_{ok} = [-2\eta Gd^3 \, (N°)^2]/3$$

Donde:

Jok = velocidad de cambio en la concentración total de las partículas respecto al tiempo debido a la floculación ortocinética.

N° = concentración total de partículas en suspensión en un el tiempo t.

η = factor de eficacia de colisión.

d = diámetro de las partículas coloidales.

G = gradiente de velocidad.

El gradiente de velocidad (G) viene dada por la siguiente expresión:

$$G = (P/V\,\mu)^{1/2}$$

Donde:

P = potencia suministrada al fluido.

V = volumen del reactor (tanques de floculación).

μ = viscosidad del fluido.

Sabías que

Los dos tipos de floculación fueron desarrollados por Overbeek en 1952.

Los **parámetros** que caracterizan a la floculación son:

- Floculación ortocinética, debido al grado de agitación que proporciona a la masa de agua.

- Gradiente de Velocidad.

- Número de colisiones.

- Tiempo de retención (tiempo que permanece el agua en el floculador).

- Densidad y tamaño del flóculo.

- Volumen de lodos.

La floculación es un proceso que no suele realizarse en algunas EDAR. Sin embargo se ha demostrado su eficacia puesto que:

– Aumenta la cantidad de sólidos en suspensión eliminados.

– Reduce los valores de DBO.

– Mejora la eficacia de los decantadores secundarios.

La floculación tiene lugar en los tanques de floculación. Estos tanques se diseñan para que el contacto entre las partículas sea elevado. Estos contactos o choques se realizan principalmente por floculación ortocinética. Por tanto, el diseño del tanque implica:

– Seleccionar un gradiente de velocidad.

– Configurar el reactor.

– Calcular el tiempo mínimo que deben de permanecer el agua residual para formar flóculos que puedan ser eliminados posteriormente.

Los tanques de floculación pueden llevar para conseguir agitación y mezcla de la masa de agua residual:

– Sistema de aireación.

– Paletas.

Vamos a mostrar a continuación una figura donde se muestra un floculador con paletas:

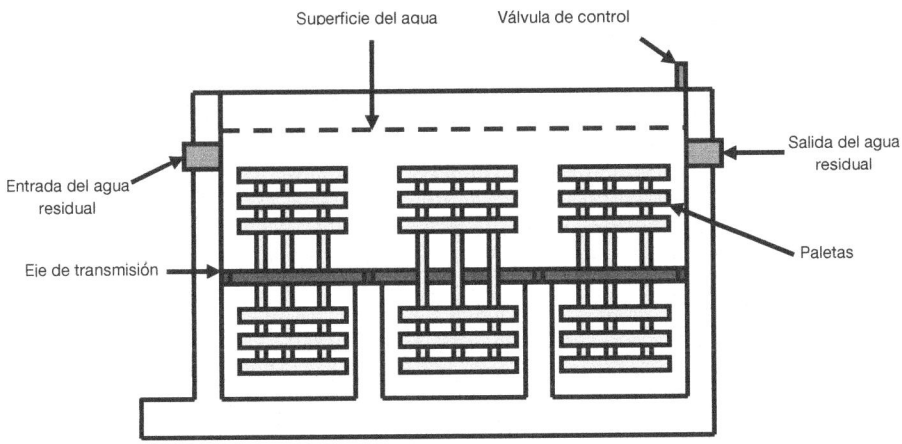

Importante

Un floculador de grandes dimensiones y perfectamente agitado posee menor rendimiento que el conjunto de varios floculadores de menor tamaño que sumen un volumen igual al primero. Debido a esto, en las estaciones de tratamiento de aguas residuales es muy común la instalación en serie de dos o tres tanques de floculación.

Existen una gran variedad de floculantes empleados. Algunos de ellos son usados también como coagulantes.

Distinguimos tres tipos de floculantes:

- Minerales.

- Orgánicos naturales.

Orgánicos sintéticos.

Floculantes minerales

El floculante mineral más empleado es la **sílice activada**. La sílice se encuentra en la mayoría de las aguas naturales en forma de H4SiO4. Esta forma se caracteriza por ser:

- Soluble.

- Sin carga.

En este estado es capaz de reaccionar con los iones metálicos empleados en el proceso de coagulación alterando su comportamiento químico.

La sílice debe ser preparada antes de su uso. La preparación requiere de extremo cuidado pues existe riego de gelatinización.

Floculantes orgánicos naturales

Son polímeros naturales extraídos de vegetales o animales. Uno de los más empleados es el **alginato** (fabricado a partir de extractos de algas).

El **alginato** es un polisacárido formado por ácidos manuránicos y ácidos glucónicos. Se encuentran en las paredes celulares de las algas pardas marinas.

Floculantes sintéticos

Los floculantes sintéticos más empleados son los polielectrolitos. Tal y como explicamos en el epígrafe 4.1.2 los polielectrolitos son polímeros que contienen monómeros con grupos ionizables. Según el tipo de grupo ionizable distinguimos entre:

– Catiónicos:

   Posee en sus cadenas una carga eléctrica positiva a causa de la presencia de grupos aminos. Algunos de los más empleados son los polidialildimetilamonio.

   Pueden actuar como agentes desestabilizantes, sin requerir un peso molecular elevado, debido a la formación de:

   · Enlaces de puentes de hidrógeno.

   · Neutralización de cargas.

– Aniónicos:

   Se caracterizan por la coexistencia de dos grupos:

   · Los que permiten la adsorción.

   · Los ionizados negativamente.

   En este grupo encontramos:

   › Ácido poliacrílico.

   › Poliacrilamida hidrolizada.

   Se precisa un tamaño mínimo para que el floculante pueda superar la barrera energética existente entre dos coloides cargados negativamente.

– Anfolíticos:

Contiene grupos positivos y negativos. Un ejemplo son las proteínas.

La **capacidad** de un polímero para funcionar como floculante dependerá de su afinidad para unirse a la superficie de los coloides. Entre ellos se establecen enlaces entre los grupos funcionales del polímero y lugares concretos del coloide.

Existen floculantes muy específicos para cada tipo de coloide. Pero además, la **eficacia** de un determinado floculante va a depender de una serie de factores:

· El pH del fluido.

· La concentración de cationes bivalentes como el calcio o el magnesio.

· La concentración de iones metálicos bivalentes.

A continuación mostramos una tabla resumen del tipo de coagulante empleada para una lista de coloides así como el tipo de floculación que se produce:

Coloide	Coagulante	Tipo de floculación
Esferas de látex de poliestireno	NaCl	Ortocinético
Esferas de látex de poliestireno	Polietilenimina	Ortocinético
Sílice	Al (III)	Pericinético
Sílice	Al (III)	Ortocinético
Aceite	Ca(NO3)2	Pericinético
Esferas de látex de poliestireno	NaCl	Pericinético
Esferas de látex de poliestireno	NaCl	Ortocinético

Fuente: Walter J. Weber, JR (1979)

4.2. Decantación física

El **objetivo** de la decantación física en el tratamiento primario es separar las sustancias que se encuentran en suspensión y disolución en las aguas residuales que no pueden ser eliminadas en el pretratamiento ni mediante flotación ya que poseen un mayor peso que el agua.

Recuerda

Además, con la decantación se consigue reducir los valores de DBO debido a que las partículas arrastran en su sedimentación bacterias.

Con la decantación primaria se consigue eliminar hasta un 60% de las partículas en suspensión del agua residual.

La decantación primaria se consigue disminuyendo la velocidad de la masa de agua en unos dispositivos denominados **decantadores primarios**. Pero antes de describir los decantadores vamos a ver los distintos tipos de sedimentación.

La sedimentación de las partículas en suspensión y disolución en las aguas residuales puede realizarse según cuatro **modelos** distintos atendiendo a la concentración y características de las partículas. Estos modelos son:

– De partículas discretas:

El agua presenta muy baja concentración de partículas, las cuales sedimentan individualmente sin que exista interacción entre ellas.

Se produce en la eliminación de arenas.

– Floculenta:

Las partículas se agregan aumentando su tamaño y densidad. Se produce en aguas con bajas concentraciones de sólidos.

Se produce principalmente los tanques de sedimentación primaria.

– Retardada o zonal:

Las fuerzas entre las partículas dificultan la sedimentación de las partículas próximas. Se produce en aguas con concentraciones medias y altas de sólidos.

Se produce en los tanques de sedimentación secundaria.

- Compresión:

  Las partículas se concentran en una estructura (están en contacto físico unas con otras) y la sedimentación se produce como consecuencia de la compresión de ella.

  Se produce en las capas inferiores de fangos. Este tipo de decantación se presenta en los decantadores secundarios y en los decantadores primarios con recirculación de fangos.

En el proceso de decantación influyen una serie de **factores**:

Factor	Observaciones
Tamaño de la partícula	A mayor tamaño de partículas mayor velocidad de sedimentación
Peso específico de las partículas	A mayor peso de partículas mayor velocidad de sedimentación
Concentración de sólidos en suspensión	A mayor concentración de sólidos en suspensión en el agua residual, mayor eficacia en su eliminación por codimontoción
Temperatura	A temperaturas elevadas la densidad del fluido disminuye y por tanto la sedimentación aumenta. Si la masa de fluido es elevada, se crearán gradientes de temperatura que producen corrientes térmicas. Estas corrientes disminuyen la decantación de partículas
Tiempo de retención	Cuanto mayor sea el tiempo que la masa de agua esté en el decantador, la eficacia del proceso será mayor
Velocidad ascensional	A mayor velocidad ascensional menor velocidad de sedimentación
Velocidad del flujo	Si la velocidad es flujo es elevada puede levantar los fangos sedimentados
Acción del viento sobre la superficie del fluido	El viento provoca turbulencias en el fluido y esto disminuye la sedimentación de partículas
Fuerzas biológicas y eléctricas	Las fuerzas biológicas y eléctricas favorecen la formación de partículas de mayor tamaño y con ello su sedimentación

Los principales sólidos a sedimentar así como sus principales características son:

artícula	Diámetro (mm)	Velocidad de sedimentación (mm/s)	Tiempo necesario para decantar 1 m
ravilla	10	1000	1 s
ena gruesa	1	100	10 s
ena fina	0.1	8	2 min
eno	0.01	0.147	2 h
amaño de bacteria	0.001	0.00154	7.5 días
cilla	0.0001	0.0000154	2 años
amaño de coloides	0.00001	0.000000154	206 años

Fuente: Hernández Muñoz, A (1996)

La decantación primaria se sitúa tras el pretratamiento. Con ello se pretende reducir las partículas en suspensión (carga contaminante) del agua residual y permitir que los tratamiento biológicos que se desarrollan a continuación (tratamiento secundario) tengan un rendimiento óptimo.

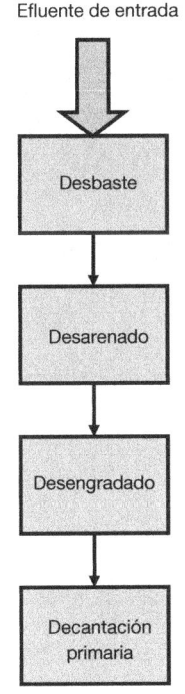

Como se ha mencionado anteriormente, la decantación se realiza en los **decantadores primarios**. Los decantadores primarios son grandes depósitos atravesados por un flujo de agua residual a una velocidad los suficientemente lenta para que se pueda producir la sedimentación de las partículas.

Los decantadores deben diseñarse de tal forma que se cumplan los siguientes **requisitos**:

Requisitos	Observaciones
Entrada del efluente	Debe realizarse de tal forma que el agua se distribuya homogéneamente sobre todo el tanque
Deflectores	Deben situarse: A la entrada de caudal, para repartir homogéneamente el flujo de entrada A la salida del caudal, para la retención de grasas, espumas y masas flotantes
Vertedero de salida	Se debe tener en cuenta 2 factores: Su nivelación, para que la clarificación funcione correctamente La relación entre el caudal de entrada y la longitud total de vertido, para evitar levantar los fangos depositados en fondo
Características geométricas	La relación entre los distintos valores debe permitir la decantación de las partículas

El diseño de los tanques se encuentra actualmente normalizado y la mayoría de las estaciones de tratamiento de aguas residuales poseen dichos tipos de tanques que tienen sistemas incorporados para la recogida mecánica del fango.

En cuanto a su forma geométrica se distinguen dos **tipos** de decantadores primarios:

– Rectangular.

– Circular.

Vamos a estudiar las principales características de cada uno de ello.

Decantadores primarios rectangulares

Poseen dos cadenas transportadoras sobre los que se sujetan tablones de madera, extendidos por toda la superficie del decantador, a intervalos de espacio regulares. Los fangos sedimentados se depositan en el fondo del tanque y son extraídos por un mecanismo que se desplaza:

– Por la superficie (tipo puente):

   Aquí se fijan rasquetas. Estas raquetas son abatibles para impedir el arrastre de fango en su recorrido de vuelta. También pueden tener sistemas para la succión o bombas para la retirada del fango.

– Por el fondo (sobre raíles):

   Los raíles permiten el movimiento de la estructura.

   La entrada de agua y la salida deben situarse transversalmente al tanque mientras que las estaciones de bombeo deben colocarse en los extremos del decantador.

   Las espumas se recogen por medio de:

   · Rascadores localizados en la zona de salida.

   · Rociado de agua a presión.

   · Tubería horizontal ranurada con capacidad de giro.

   · Barredor helicoidal transversal.

   · Colector tipo cadenas con rascadores.

   · Rascadores especiales.

Entre sus **ventajas** se encuentran:

– Se puede instalar un conjunto de tanques. Requiere de menos espacio que uno circular, por lo que supone una ventaja económica cuando el precio del terreno es caro.

– Pueden acoplarse a los tanques de preaireación y aireación del proceso de fangos activos

– Permiten la instalación de techos o cubiertas para cubrir la superficie.

Decantadores primarios circulares

El agua a tratar se introduce por:

- El centro:

  El agua se transporta al centro del tanque por una tubería suspendida del puente o situada dentro del hormigón debajo de la solera. El agua es distribuida homogéneamente por una campana circular.

  Los puentes están equipados de:

  - Rascadores sumergidos, para la extracción del fango.

  - Rascadores superficiales, para la eliminación de espumas.

  El fango, al igual que los decantadores rectangulares, puede ser eliminado mediante sistemas de bombeo y succión.

- La periferia:

  Un deflactor circular localizado a escasa distancia del muro del tanque forma un espacio anular en el que se produce la salida del agua residual de forma tangencial. Ello la obliga a circular alrededor del tanque en forma de espiral y por debajo del deflactor. El agua clarificada se recoge en unos vertederos situados a ambos lados del canal mientras que la grasa y la espuma quedan retenidas en la superficie.

Sabías que

Con estos dos modelos de decantadores circulares se consigue un modelo de flujo radial.

Vamos a recoger ahora algunas de las principales características de ambos tipos de decantadores en una tabla.

Característica	Valor medio
Decantador primario rectangular	
Profundidad (m)	3.6
Longitud (m)	25-40
Anchura (m)	6-10
Velocidad de los rascadores (m/min)	1
Decantador primario circular	
Profundidad (m)	3.6
Longitud (m)	25-40
Anchura (m)	6-10
Velocidad de los rascadores (m/min)	1

Fuente: Metcalf-Eddy (1994)

La elección del tipo de tanque dependerá de:

– El tamaño de la instalación.

– De las exigencias legales sobre la eficacia de la decantación, en particular, y de la depuración, en general.

– Costes.

La elección será tomada por técnicos especialistas y su estudio quedará plasmado en el proyecto constructivo de la EDAR.

La decantación física es un proceso obligatorio si posteriormente:

– Se vierten las aguas en terrenos agrícolas

– Se emplea un sistema biológicos de lechos bacterianos en el tratamiento secundario

No obstante, este proceso puede suprimirse. Vamos a ver las ventajas y desventajas de dicha supresión:

Ventajas

Las principales ventajas son:

– Funcionamiento más simple de la planta de tratamiento.

- Fango de calidad homogénea.

- Remoción del fango en un único lugar.

- Eliminación de malos olores debido a que el agua residual pasa directamente al tanque de aireación.

- Mejora la sedimentación del fango activo.

- Incremento de la absorción puesto que existe un mayor volumen de fangos en el tanque de activación.

- Puede suprimir el tratamiento de lodos.

- Mejora los sistemas que tienen periodos de aireación prolongados, fundamentalmente con digestión aerobia en climas cálidos y templados.

- Eliminación de parte de los olores producidos por los fangos.

- Ahorro económico en la inversión inicial y en la fase de explotación.

Desventajas

Las principales desventajas son:

- Mayor consumo energético en el proceso de fangos activos.

- Disminuye la generación de gas en la planta de tratamiento.

- Posibilidad de formación de depósitos en el sistema de aireación.

- Posibilidad de formación de fangos flotantes en el decantador secundario.

- Se suprime un elemento que regula la carga hidráulica.

- Se puede disminuir la capacidad de espesamiento de los lodos.

Importante

Todas estas ventajas y desventajas son estudiadas por los técnicos durante el diseño de la planta.

4.2.1. Equipos mecánicos asociados (rasquetas, puentes, agitadores)

En este epígrafe vamos a describir los principales equipos mecánicos asociados a los decantadores.

– Rasquetas:

Las rasquetas o rascadores son dispositivos planos en forma rectangular fabricados en plásticos ligeros y acero inoxidable. Ambos materiales son duraderos y resistentes a la erosión. Son abatibles para impedir el arrastre de fango en su recorrido de vuelta. Entre sus principales ventajas se encuentran:

· Larga vida útil.

· Escaso mantenimiento.

Existen 4 **modelos** de rascadores:

· **Modelo 1:** sistema de cadenas. Realiza una arrastre en el fondo del decantador para el barrido de los fondos y un arrastre en superficie para la eliminación del material flotante en suspensión.

· **Modelo 2:** sistema formado por tres poleas.

· **Modelo 3:** sistema de cadenas que se desplazan por el fondo gracias a dos conjuntos de poleas.

· **Modelo 4:** sistema de arrastre en superficie para la eliminación del material flotante en suspensión.

– Puentes:

Se sitúan sobre el decantador a escasos metros de este. Están formados por una pasarela con barandilla. Se desplazan por el decantador. Sobre dicha estructura se fijan las rasquetas.

– Agitadores:

Los agitadores permiten la mezcla de agua en el decantador con el objeto de que esta se distribuya uniformemente en su superficie y evitar los procesos de anaerobiosis.

– **Deflectores:**

Dispositivo mecánico fabrica con material resistente encargado de cambiar la dirección del flujo de la masa de agua que entra en el decantador. Se sitúan en el perímetro del decantador.

A continuación mostramos una figura de un decantador donde aparecen sus principales dispositivos:

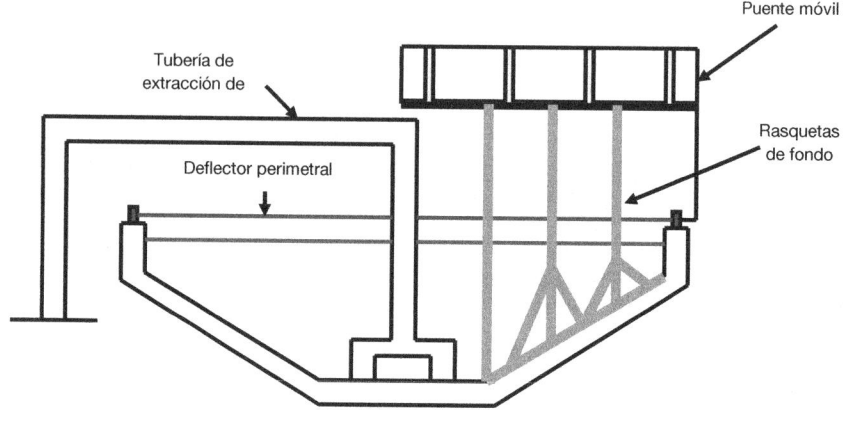

4.3. Principales coagulantes y ayudantes de coagulación

Vamos a resumir en una tabla los principales coagulantes y ayudantes de coagulación explicados en el epígrafe 4.1.2.

Coagulantes		
Inorgánicos	**Orgánicos naturales**	**Orgánicos sintéticos**
Sulfato de alúmina		Polímeros no iónicos: óxido de polietileno y poliacrilamida
Sulfato ferroso		
Sulfato férrico	Derivados del almidón	Polielectrolitos catiónicos: polidialildimetilamonio
Cloruro férrico	Derivados de la celulosa	Polielectrolitos aniónicos: ácido poliacrílico y poliacrilamida hidrolizada
Aluminato sódico	Alginatos	
Sulfato cúprico		
Cloruro de aluminio		Polielectrolitos anfolíticos: proteínas

Ayudantes de coagulación		
Inorgánicos	Orgánicos naturales	Orgánicos sintéticos
Cal apagada Cal viva Sosa cáustica Carbonato de sosa Cloro Sulfato de magnesio Arcillas Carbón activo Sílice activa	Alginatos Almidones	Polímeros no iónicos: óxido de polietileno y poliacrilamida Polielectrolitos catiónicos: polidialildimetilamonio Polielectrolitos aniónicos: ácido poliacrílico y poliacrilamida hidrolizada Polielectrolitos anfolíticos: proteínas

Los coagulantes deben tener las siguientes características:

–   Poseen carga eléctrica opuesta al coloide. Con ello se persigue neutralizar las fuerzas electrostáticas y alcanza un potencial Z nulo.

–   Deben tener una valencia elevada para conseguir una rotura rápida de la estabilidad coloidal.

–   Deben ser de bajo precio para que el proceso sea rentable económicamente.

–   Deben tener un peso elevado para conseguir que los flóculos formados precipiten.

En el epígrafe siguiente vamos a centrarnos en las condiciones de empleo de los coagulantes para asegurar su correcta eficiencia en el proceso de coagulación.

4.3.1. Condiciones de empleo

Si se quiere elegir correctamente un coagulante y su dosificación se debe primero probar su eficacia experimentalmente en el agua residual. Ello es debido a que las teorías de desestabilización coloidal aún no están muy desarrolladas y su exactitud no es muy precisa.

Se sabe que la **eficacia** de determinados coagulantes, como la cal o el aluminio o hierro trivalentes, está determinada por factores como:

- El pH.

- La concentración de coloides.

- La alcalinidad del agua.

Los coagulantes químicos puede actuar de dos maneras diferentes:

- Atendiendo a la estequiometría y posible sobredosificación

- La dosis de coagulante suministrada al agua residual se reduce al aumentar la turbidez. Además no se produce sobredosificación.

Vamos describir ahora las principales **condiciones de empleo** de cada tipo de coagulante:

Polímeros aniónicos:

Se emplean normalmente para desestabilizar coloides negativos. Se precisa de:

- La presencia de iones metálicos bivalentes con un peso molecular mínimo para superar la barrera energética entre los coloides.

- Puede producirse sobredosificación.

- Puede producirse sobreagitación.

Sabías que

La efectividad de las desestabilización con polímeros aniónicos es mayor que la desestabilización con sales metálicas. Esto es debido a los polímeros aniónicos se adsorben en lugares específicos a diferencia de las sales.

Vamos a ver sus ventajas e inconvenientes:

- Ventajas:

    · Son eficaces.

    · Su coste económico es bajo.

- Inconvenientes:

    · Resulta complicado fijar las condiciones específicas de pH, grado de hidrólisis, peso molecular, fuerza iónica, concentración de Ca2+, etc. en las que pueden actuar correctamente como coagulantes.

Son muy empleados en la coagulación de fangos antes de la filtración al vacío dada su eficacia.

Polímeros catiónicos

Se utilizan principalmente para la desestabilización de coloides negativos. La desestabilización se realiza por:

- Neutralización de cargas.

- Establecimiento de puentes de hidrógeno.

- Combinación de los dos anteriores.

Estos métodos se caracteriza por:

- Una correlación estequiométrica entre la concentración de coloides en el agua residual y la dosis de coagulante.

- Predecir la reestabilización por sobredosificación.

Importante

Los polímeros catiónicos de bajo peso molecular funcionan eficazmente como coagulantes para coloides de carga negativa presentes en el agua residual ya que al producirse la neutralización no se precisa sobrepasar la barrera energética entre los coloides.

Polímeros orgánicos sintéticos aniónicos, catiónicos y anfolíticos

Se caracterizan por su escasa eficacia en aguas residuales que presentan baja concentración de coloides. Se puede adicionar sustancias que ayuden a la coagulación para aumentar la eficacia de estos polímeros.

Vamos a resumir ahora en una tabla algunas recomendaciones de uso para una serie de coagulantes:

Coagulante	Recomendación para su uso
Cloruro férrico	Oxidar el SH2 a un pH elevado
	Acondicionamiento de fangos activos
Sulfato ferroso clorado	Acondicionamiento de fangos activos
Sulfato ferroso	Impedir sobredosis de coagulantes
Sulfato férrico	Dosificación en seco o en solución
Sulfato de alumina	Dosificación en seco
Arcilla y arena	Empleo de ayudantes de coagulación
Cal	Dosificación en seco
Dihidróxido de calcio	Ajusta el pH
Carbonato de sodio	Dosificación en seco
Cloro	Empleo de dosificadores especiales

4.4. Preparación y dosificación de reactivos

La preparación del coagulante debe realizarse con extremo cuidado, pues de ellos dependerá la efectividad del proceso.

La preparación del coagulante debe ser llevada a cabo por un técnico especialista.

Una vez preparado hay que conocer la dosis (cantidad) de coagulante que se debe verter al agua residual.

La dosis que se requiere para llevar a cavo el proceso de forma óptima se obtiene a través de la experimentación. La cantidad del coagulante influye directamente sobre la eficacia del proceso:

– Poca cantidad del coagulante: no neutraliza la carga eléctrica de la partícula totalmente. Esto provoca que los flóculos formados sean muy pocos y con ello que la turbidez el agua sea alta.

– Mucha cantidad de coagulante: provoca la inversión de la carga eléctrica de la partícula. Esto provoca la formación de un gran número de flóculos de pequeño tamaño (ello implica bajas velocidades de sedimentación). La turbidez en este caso también es alta.

Vamos a mostrar ahora una tabla donde se recoge la dosis para una serie de coagulantes. Algunos de ellos fueron estudiados anteriormente:

Coagulante	Dosis (g/l)
Cloruro férrico	0.06 (pH = 2)
Sulfato ferroso clorado	0.06 - 0.16
Sulfato ferroso	0.06 - 0.13
Sulfato férrico	0.06
Sulfato de alúmina	0.13 - 0.16
Cloruro de aluminio	0.13 (pH = 9) 0.6 (pH = 2.5)

Fuente: Hernández Muñoz, A. (1996)

Además de una correcta preparación y dosificación, para que el coagulante actúa correctamente debe cumplir con una serie de requisitos respecto a la forma de adicionarse al agua residual. La dosis debe añadirse:

– De manera constante y uniforme.

– En la unidad de mezcla rápida para que sea totalmente dispersado.

Para cumplir con el primer requisito se emplean **dosificadores**. Los dosificadores son dispositivos que permiten regular el caudal de salida del coagulante de forma que éste sea constante.

Vamos a mostrar ahora una figura en la que se muestra dos formas distintas de adicionar le coagulante en el agua residual.

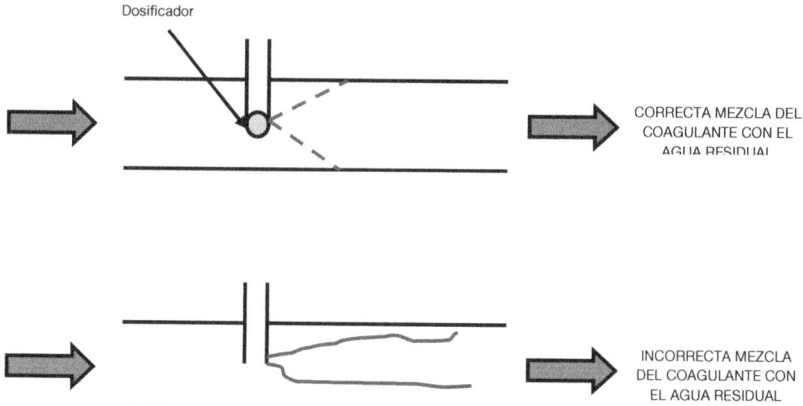

Se observa que la mezcla completa del coagulante con el agua residual se produce cuando se emplean dosificadores.

Importante

Los dosificadores deben estar perfectamente calibrados, por lo que se procederá a su revisión periódica. La calibración debe realizarse por organismos autorizados siguiendo las recomendaciones de las normas internacionales estandarizadas.

4.5. Características de los lodos primarios

Los lodos primarios se caracterizan por:

–   Tener consistencia limosa.

–   Su color que varía de marrón a gris.

–   Volverse sépticos.

–   Generar mal olor fácilmente.

Vamos a mostrar ahora las principales características de los lodos primarios:

Característica	Valor
Sólidos en suspensión - SS- (g/hab x día)	30 - 36
Contenido en agua (%)	92 - 96
Grasas (% SS)	12 - 16
Proteínas (% SS)	4 - 14
Carbohidratos (% SS)	8 - 10
pH	5.5 - 6.5
Fósforo (% SS)	0.5 - 1.5
Nitrógeno (% SS)	2 - 5
Bacterias patógenas (n° por 100 ml)	$10^3 - 10^5$
Organismos parásitos (n° por 100 ml)	8 - 12
Metales pesados (% SS)	0.2 - 2

4.6. Sistemas de purga de lodos

El **objetivo** de la purga de lodos es la eliminación del material sedimentado en los decantadores primarios.

Existen varios sistemas de purga de lodos en función del tipo de decantador:

Decantadores rectangulares

Los lodos sedimentados son extraídos por un mecanismo que se desplaza:

– Por la superficie (tipo puente):

Aquí se fijan las rasquetas o rascadores de fango. Estas raquetas son abatibles para impedir el arrastre de fango en su recorrido de vuelta.

– Por el fondo (sobre raíles):

Los raíles permiten el movimiento de la estructura.

A continuación se muestra una figura donde se observa, en planta, un decantador rectangular con rasquetas:

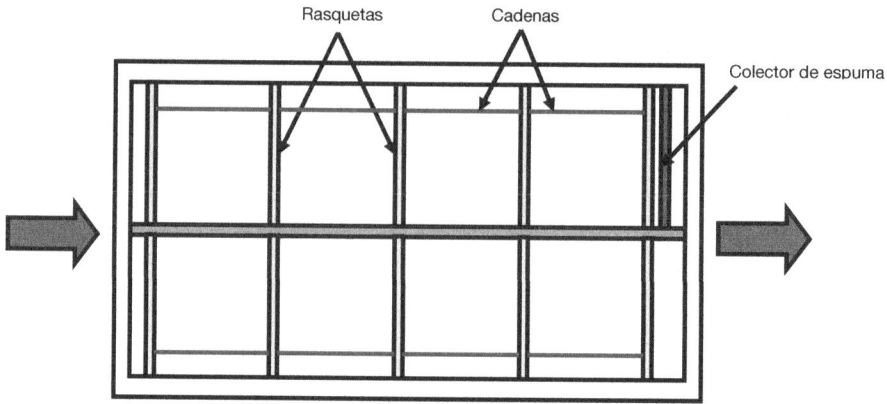

Decantadores circulares

Se emplean rasquetas sumergidos para la purga del fango (véase figura del epígrafe 4.2.1).

Ambos tipos de decantadores pueden tener, en lugar de rasquetas, sistemas para la succión o bombas para la retirada del fango. Normalmente se componen de una tubería que sale de la parte central del decantador hasta un extremos del mismo, tal y como se muestra en la figura representada en el epígrafe 4.2.1.

Esta tubería llevará los fangos extraídos hasta la línea de fangos para su tratamiento antes de su eliminación final.

4.7. Tratamiento de sobrenadantes

Los principales materiales sobrenadantes del tratamiento primario son:

Partículas en suspensión

En el pretratamiento ya se eliminaron los grandes sólidos presentes en el agua residual. Sin embargo, ésta aun posee pequeñas partículas en suspensión cuya decantación dará lugar a la formación de lodos. Los lodos del tratamiento primario son considerados residuos. Estos residuos se encuentran en la **Lista Europea de Residuos**.

- **19 08 Residuos de plantas de tratamiento de aguas residuales no especificados en otra categoría:**

  · 19 08 05 Lodos del tratamiento de aguas residuales urbanas.

  · 19 08 13* Lodos que contienen sustancias peligrosas procedentes de otros tratamientos de aguas residuales industriales.

  · 19 08 14 Lodos procedentes de otros tratamientos de aguas residuales industriales, distintos de los especificados en el código 19 08 13.

Algunos de estos lodos son considerados residuos peligrosos pues presentan en su composición elevadas concentraciones de metales pesados como:

- El zinc.

- El cobre.

- El cromo.

- El cadmio.

- El níquel.

Principalmente son lodos procedentes del tratamiento de aguas residuales industriales.

Debido a su toxicidad, la gestión de los mismo deberá cumplir con lo especificado para este tipo de residuos según la normativa vigente.

Importante

Los lodos de la decantación primaria, secundaria y del tratamiento terciario serán llevados a la línea de fangos donde serán tratados antes de su eliminación final.

Espumas

Las espumas, al igual que los lodos del tratamiento primario, son considerados residuos. Estos residuos se encuentran recogidos bajo el código **19 08
99** de la **Lista Europea de Residuos**.

- **19 08 Residuos de plantas de tratamiento de aguas residuales no
  especificados en otra categoría:**

    · 19 08 99 Residuos no especificados en otra categoría.

Las espumas, a diferencia de los lodos, son consideras residuos urbanos al
no presentar toxicidad.

El agua, una vez que se ha eliminado ambos materiales, pasa al tratamiento
secundario para continuar con su depuración. Dicho tratamiento se estudia en
el siguiente tema.

UD4
Lo más importante

- La precipitación química en el tratamiento de las aguas residuales consiste en La adición de sustancias químicas al agua residual con el fin de alterar el estado físico de los sólidos (disueltos y en suspensión)y facilitar su eliminación mediante sedimentación.

- Algunos de los productos químicos empleados en la precipitación química son: sulfato de alúmina, sulfato de hierro, cal, cloruro férrico y sulfato férrico.

- Un coloide es una partícula de pequeña tamaño, del orden de milimicras a decenas de micras que se encuentran en suspensión en el agua residual. Poseen cargas eléctricas de igual signo produciéndose repulsión eléctrica. Esta repulsión hace que sean estables en el fluido e impidan su agregación en partículas de tamaño mayor (flóculos) decantables.

- La coagulación consiste en neutralizar las cargas eléctricas de una dispersión coloidal para que se anulen las fuerzas de repulsión y se puedan agregar los coloidales por acción de masas.

- Existen dos tipos de coagulación: por adsorción y por barrido.

- Distinguimos dos grandes grupos de coagulantes: inorgánicos y orgánicos (naturales + sintéticos).

- Los ayudantes de coagulación o coadyuvantes tienen como objetivo facilitar la desestabilización de la estructura coloidal (modificando el pH del agua, actuando sobre el potencial Z o transformando los coloides hidrófilos en hidrófobos) y servir de material de soporte para la agregación de los coloides desestabilizados en la formación de flóculos precipitables. Pueden ser orgánicos o inorgánicos.

- La floculación consiste en la desestabilización de partículas coloidales por la adsorción de polímeros orgánicos y formación de enlaces partícula-polímero-partícula.

- Existen dos tipos de floculación: pericinética y ortocinética.

- Se diferencian tres tipos de floculantes: minerales, orgánicos naturales y orgánicos sintéticos.

- El objetivo de la decantación física es separar las sustancias que se encuentran en suspensión y disolución en las aguas residuales que no pueden ser eliminadas en el pretratamiento ni mediante flotación ya que poseen un mayor peso que el agua.

- Los decantadores primarios son grandes depósitos atravesados por un flujo de agua residual a una velocidad los suficientemente lenta para que se pueda producir la sedimentación de las partículas. Hau dos tipos: rectangulares y circulares.

- Algunos equipos mecánicos asociados a los decantadores son: rasquetas, puentes, agitadores y deflectores.

- La dosis que se requiere para llevar a cavo el proceso de forma óptima se obtiene a través de la experimentación.

- La preparación del coagulante debe realizarse con extremo cuidado, pues de ellos dependerá la efectividad del proceso.

- Los lodos primarios se caracterizan por: tener consistencia limosa, su color varía de marrón a gris, se vuelven sépticos y generan mal olor fácilmente.

- El objetivo de la purga de lodos es la eliminación del material sedimentado en los decantadores primarios.

UD4
Autoevaluación

1. La precipitación química:

    a. Altera el estado físico de los sólidos presentes en el agua.

    b. Se empezó a utilizar para reducir los valores de DQO.

    c. Su empleo no se extendió hasta los años 90 del siglo pasado.

    d. Disminuye la concentración de los compuestos disueltos en el agua residual.

2. La coagulación:

    a. Se consigue añadiendo al agua residual iones de igual signo al del coloide.

    b. Neutralizar las cargas eléctricas de una dispersión coloidal.

    c. La actividad coaguladora disminuye con la valencia del ión coagulante.

    d. Ninguna de las anteriores es correcta.

3. Los coagulantes deben:

    a. Tener misma carga que el coloide.

    b. Poseer valencia baja.

    c. Ser económicos.

    d. Tener bajo peso.

4. Los ayudantes de coagulación:

    a. Facilitan la desestabilización de la estructura coloidal.

    b. Sirven de material de soporte para la agregación de los coloides desestabilizados en la formación de flóculos precipitables.

    c. Pueden ser inorgánicos u orgánicos.

    d. Todas las anteriores son correctas.

5. La floculación:

    a. Consiste en la formación de flóculos de gran tamaño y peso por aglomeración a partir de los coloides desestabilizados.

    b. Se ve favorece por una agitación rápida.

    c. Existen tres tipos de floculación.

    d. Existen cuatro tipos de floculación.

6. La sílice activada:

    a. Es un floculante orgánico natural.

    b. Es soluble.

    c. Posee carga.

    d. Es un floculante sintético.

7. La eficacia de un determinado floculante va a depender de:

    a. El pH del fluido.

    b. La concentración de aniones bivalentes.

    c. La concentración de iones metálicos monovalentes.

    d. La concentración de oxígeno en el agua.

8. La decantación física:

   a. Separar las partículas que se encuentran en suspensión y disolución mediante precipitación.

   b. La decantación primaria se consigue eliminar hasta un 30% de las partículas en suspensión del agua residual.

   c. Aumenta los valores de DBO.

   d. Existen dos modelos de decantación de partículas.

9. La decantación física se ve favorecida por:

   a. Bajas temperaturas.

   b. Fuertes vientos.

   c. Un elevado tamaño de la partícula.

   d. Menor tiempo de retención.

10. Las rasquetas:

   a. Son dispositivos curvos en forma rectangular.

   b. Están fabricadas en plásticos ligeros y acero inoxidable.

   c. Poseen vida útil muy corta.

   d. Precisan de mucho mantenimiento.

Área: seguridad y medioambiente

UD5

Tratamiento biológico de aguas residuales

5.1. Fundamento de los procesos de fangos activos y lechos bacterianos

En este epígrafe vamos a estudiar dos de los procesos más importantes realizados en el tratamiento secundario de las aguas residuales: Fangos activos y lecho bacteriano.

A. Fangos Activos

Consiste en hacer pasar el agua residual por un reactor aireado que contiene un residuo orgánico (fango preformado en una proporción del 15-25%) y un cultivo de microorganismo aerobios en suspensión (licormezcla).

Definición

El licormezcla, también denominado licor de mezcla o cultivo biológico, es un conjunto de microorganismos agrupado en flóculos junto con sustancias minerales y materia orgánica.

Los **objetivos** de este proceso son:

–   La coagulación rápida de partículas en suspensión.

–   La sedimentación de las partículas coaguladas.

–   La eliminación de un 90-98% de bacterias.

–   La estabilización de la materia orgánica.

– La oxidación de la materia carbónica.

Aquí se desarrollan dos reacciones:

– Oxidación y síntesis de productos:

COHNS + O_2 + nutrientes ----> CO_2 + NH_3 + C_5H7NO_2 + productos finales

Siendo COHNS: materia orgánica del agua residual.

– Respiración:

$5H7NO_2$ + $5O_2$ ----> 5 CO_2 + $2H_2O$ + NH_3 + energía

Sabías qué

Este proceso fue desarrollado por Ardern y Lockett en 1914 en Inglaterra.

Las bacterias poseen en este proceso un papel fundamental pues son las encargadas de la descomposición de la materia orgánica. Para mantener una concentración estable de microorganismos parte de los fangos sedimentados son recirculados al reactor mientras que otra es eliminada del proceso pasando a su tratamiento en la línea de fangos o va a los decantadores primarios para una nueva sedimentación.

Importante

Se debe mantener una concentración de microorganismos estable para que el sistema funcione correctamente. La ecuación que rige dicha concentración es la siguiente:

Velocidad de acumulación de microorganismos =

| Masa de microorganismos que entra | **-** | Masa de microorganismos que sale | **+** | Crecimiento neto de microorganismos |

Como se ha comentado anteriormente, las bacterias poseen en este proceso un papel fundamental. Entre los géneros de bacterias se encuentran:

BACTERIAS DEL PROCESO DE FANGOS ACTIVOS		
GRAM NEGATIVAS	**NITRIFICANTES**	**FILAMENTOSAS**
Achromobacter	*Nitrobacter*	*Sphaerotilus*
Bdellovibrio	*Nitrosomonas*	*Begiatoa*
Flavobacterium		*Thiothrix*
Mycobacterium		*Lecicothrix*
Nocardia		*Geotrichum*
Pseudomonas		
Zoogloea		

Además de las bacterias, existen otros microorganismos cuya actividad también es importante en este proceso pues depuran el agua residual. Estos microorganismos son:

- Protozoos.

- Rotíferos.

Para mantener las masas de microorganismos en el medio se precisa de:

- Materia orgánica carbonácea.

- DBO.

- Nutrientes (nitrógeno y fósforo).

- Oligoelementos (manganeso, magnesio, calcio, sodio, potasio, hierro, cobalto, etc.).

Sin embargo, si existe un exceso de estas sustancias en el medio, el proceso puede inhibirse e incluso quedar totalmente anulado. Estos es debido a lo siguiente:

- Los compuestos orgánicos, si bien son biodegradables a concentración bajas, son tóxicos a elevadas cantidades.

– Los metales pesados (cromo, cobre o zinc) son elementos muy tóxicos.

– Las sales, a altas concentraciones, inhiben el proceso.

Existen distintas variantes del proceso de fangos activos. Vamos a ver cada una de ellas:

A.   Proceso convencional

Parte de los fangos decantados son recirculados hasta la entrada de agua residual en el reactor produciéndose su mezcla con ella. Se caracteriza por una alta tasa de crecimiento inicial de los microorganismos.

Dicho proceso se resume en la en la siguiente figura:

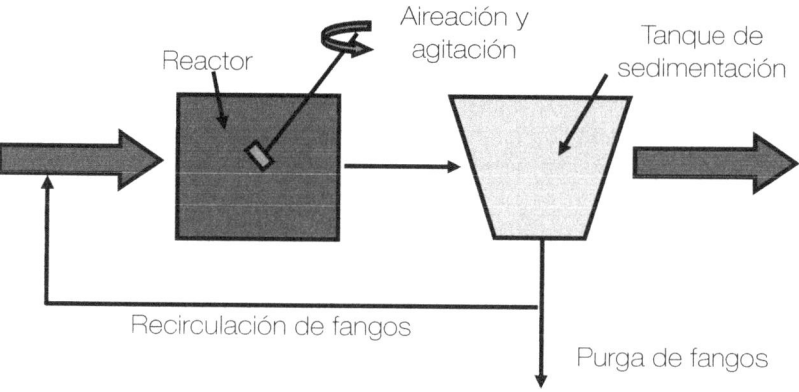

B.   Proceso de mezcla completa

Parte de los fangos decantados son recirculados hasta el reactor donde se produce una mezcla completa con el agua residual que ha entrado al sistema. La estabilización de la materia orgánica se produce únicamente en el reactor.

Dicho proceso se resume en la en la siguiente figura:

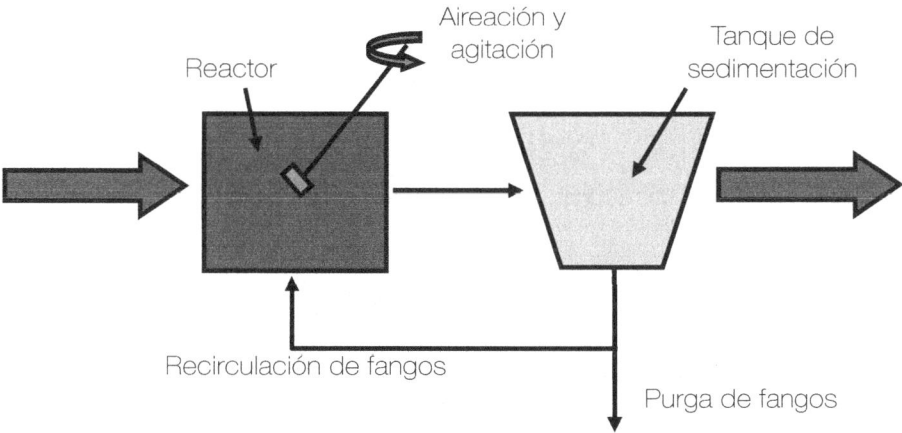

C. Alimentación escalonada

Se caracteriza por regular la entrada de agua en el reactor para igualar la carga másica en todo su volumen.

La aireación del sistema puede hacerse también de forma regulada.

Dicho proceso se resume en la en la siguiente figura:

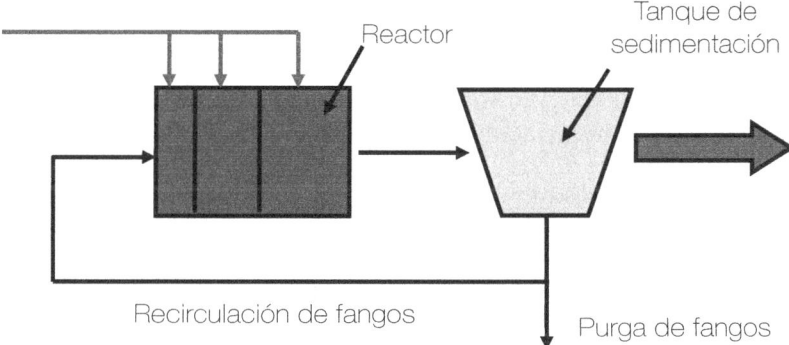

D. Contacto-estabilización

El reactor queda dividido en dos:

· Parte 1: aquí se realiza la mezcla entre el agua residual y los fangos. Actúa como tanque de floculación.

- Parte 2: se recibe el fango que proviene del decantador y se airea hasta que se agota la materia orgánica existente. Cuando este fango regresa a al tanque de floculación precisa de materia orgánica por lo que se acelera el proceso. Este tanque se denomina tanque de estabilización o activación.

Dicho proceso se resume en la en la siguiente figura:

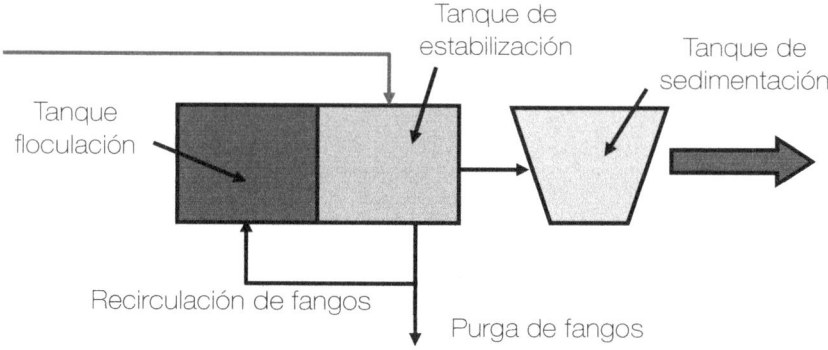

E.   Aireación prolongada

Precisa de tiempos de retención celular e hidráulica bastante elevados y valores de carga másica bajos.

El fango se estabiliza aeróbicamente debido a que permanece un largo tiempo en el reactor y existe un desequilibrio entre la cantidad de materia orgánica que entra al sistema y la cantidad de fango que hay en el tanque.

F.   Aireación graduada

En un proceso convencional de fangos activos, se regula la cantidad de aire que se introduce. Permite graduar la cantidad de aire existente en cada parte del reactor. Ello posibilita que se disminuya la cantidad en su parte final donde su demanda es menor.

Dicho proceso se resume en la en la siguiente figura:

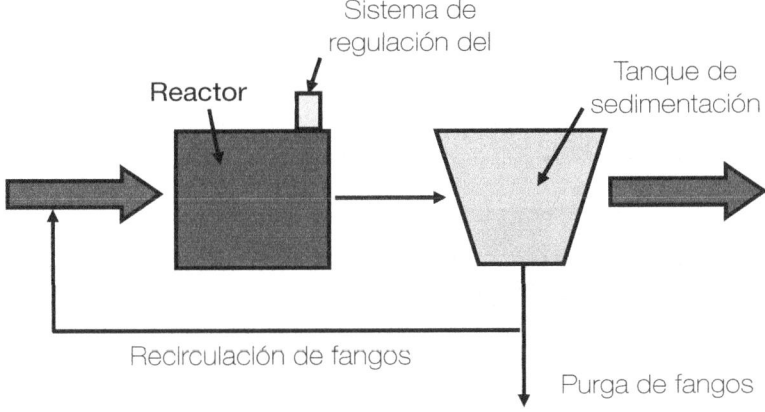

G. Doble etapa

Se realiza cuando el agua presenta una alta concentración de DBO5. Consiste en la realización de dos procesos de fangos activos. Ambos están colocados en serie. Entre sus ventajas se encuentran:

· Alto rendimiento.

· Menor consumo energético lo que lleva a ahorrar costes.

Dicho proceso se resume en la en la siguiente figura:

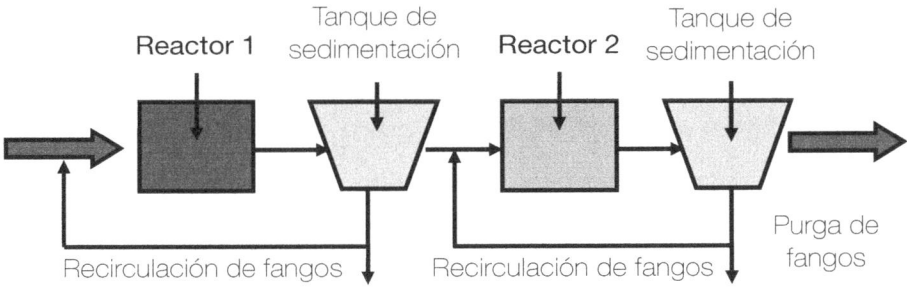

H. Proceos de kraus

El fango, estabilizado aeróbicamente, sufre un proceso de nitrificación. Posteriormente se recircula al reactor.

Se emplea cuando existe una baja concentración de nutrientes en el agua.

Dicho proceso se resume en la en la siguiente figura:

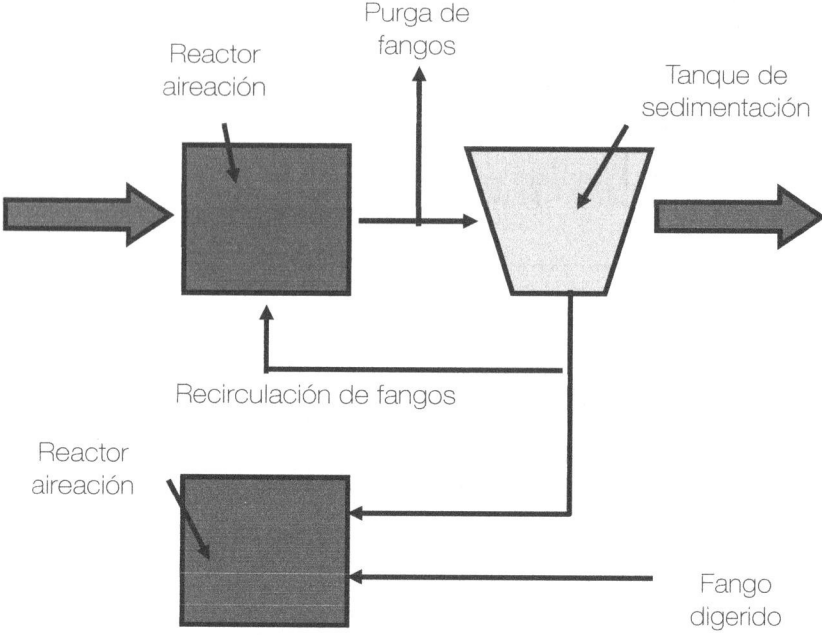

I. Empleo de oxígeno puro

Se introduce oxígeno puro en el reactor en lugar de aire. El oxígeno es recirculado. Presenta las siguientes ventajas:

·   Se reduce el volumen de los reactores, precisando menos espacio.

·   Disminuye la cantidad de fango que se produce.

·   Alto rendimiento.

·   Alta eficacia para aguas con grandes variaciones temporales en su carga orgánica.

·   Alta eficacia con aguas muy contaminadas (industriales).

A diferencia de los anteriores, aquí los reactores están cubiertos.

Puede precisar la regulación del pH del agua según la cantidad de CO_2 eliminado del sistema (recordamos que la actividad de los microorganismos genera dicho gas durante la respiración) y la capacidad tampón que tenga el fluido.

Importante

De todos los procesos descritos, los más empleados son el modelo convencional y el de mezcla completa.

A continuación vamos a mostrar una tabla donde se recogen algunas de las características de los modelos explicados:

PROCESO	ELIMINACIÓN DE DBO5 (%)	EMPLEO
Convencional	85-95	Aguas residuales domésticas de baja concentración de contaminantes
Mezcla completa	85-95	Aguas residuales domésticas. Puede soportar altas cargas contaminantes de forma puntual
Alimentación escalonada	85-95	Varios tipos de aguas residuales
Contacto-Estabilización	80-90	Sistemas exigentes
Aireación prolongada	75-95	Poblaciones pequeñas y plantas prefabricadas
Doble etapa	60-75	Poblaciones pequeñas. Cuando se quiere conseguir grados intermedios de tratamiento de aguas
Proceso de Kraus	85-95	Aguas residuales muy contaminantes y con baja concentración de nitrógeno
Aireación graduada	85-95	Aguas residuales domésticas
Empleo oxigeno puro	85-95	Cuando no se dispone de mucho espacio y existe una fuente de oxígeno puro rentable económicamente

B. Lechos bacterianos

Los lechos bacterianos son un proceso biológico de tratamiento de las aguas residuales que consiste en la oxidación de la materia orgánica por parte de microorganismos en un ambiente aerobio. Para ello se hace pasar el agua por un medio poroso.

A diferencia de los fangos activos, las bacterias en los lechos bacterianos se encuentran adheridas al medio de fijación (lecho).

Alrededor de una masa porosa se adhiere una fina capa de microorganismos que van a degradar la materia orgánica y los contaminantes del agua. Esta capa no debe tener un espesor superior a 3 mm ya que el oxígeno no actúa a mayores distancias. Si la capa aumenta su espesor hasta los 3 mm o valores superiores se producirá anaerobiosis. En esta situación se romperá la capa de microorganismos que envuelve al medio poroso y será arrastrada por el agua residual hasta el decantador secundario donde se produce su sedimentación.

Este sistemas de capas es representado en la siguiente figura:

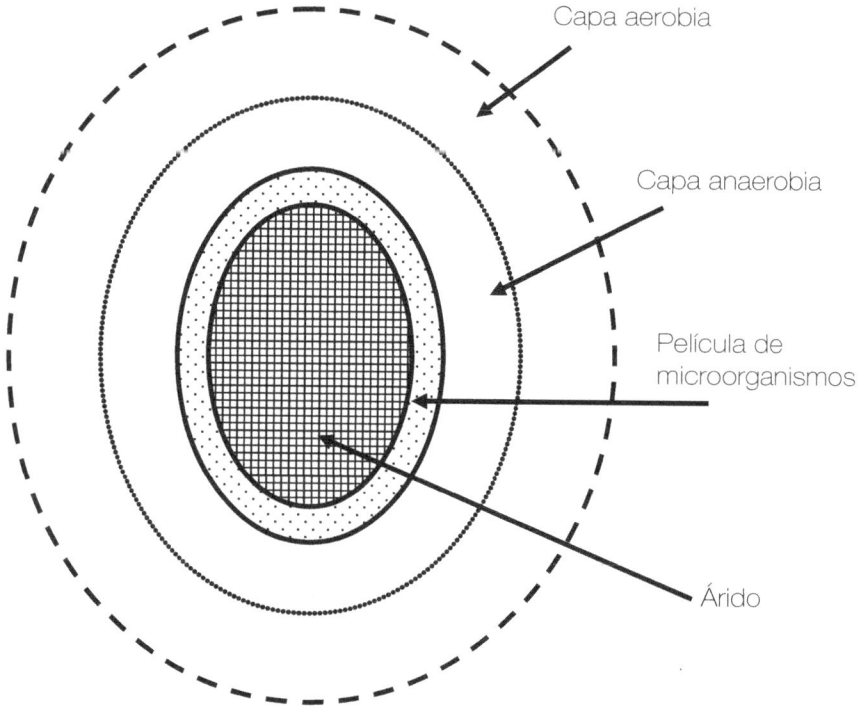

Capa aerobia

Capa anaerobia

Película de microorganismos

Árido

Al igual que ocurre con los fangos activos, el **funcionamiento óptimo** del sistema se logra:

— Manteniendo las condiciones de aerobiosis (véase epígrafe 5.2) necesarias para el desarrollo de los microorganismos.

— Controlando la cantidad de materia orgánica que llega al sistema. Cantidad e elevadas o pequeñas de materia orgánica provocan una disminución de la eficiencia del proceso.

Los microorganismos que contiene un lecho bacteriano son diversos que los encontrados en los fangos activos. Se distribuyen en forma de capa, de tal forma que encontramos:

— **Capa superficial.** Formada por bacterias y protozoos principalmente.

— **Capa intermedia (hasta donde llega luz solar).** Formada por algas filamentosas, filamentos de hongos, protozoos, gusanos y nemátodos.

— **Capa interior.** Formada por micelios de hongos que se adhieren al material poroso. Estos micelios pueden retener bacterias, protozoos y algas si llega la radicación solar.

Vamos a enumerar algunos de estos microorganismos.

HONGOS	ALGAS	PROTOZOOS	INVERTEBRADOS
			Ácaros
Fusarium acueductum		Opercularia	Anélidos
	Euglena		
Geotrichum candidum		Paramecium	Gusanos
	Chlorella		
Pullalaria pullalans		Epistylis	Insectos
	Ocillatoria		
Ascoides rubescens		Oxytrichia	
	Phormidium		Nemátodos
Leptomitus lacteus		Euplotes	
			Rotíferos

Respecto a las bacterias, son prácticamente las mismas que las vistas para los fangos activos.

Sabías qué

Los hongos representan entre el 5 y el 30% del total de microorganismos.

Su funcionamiento se representa en la siguiente figura:

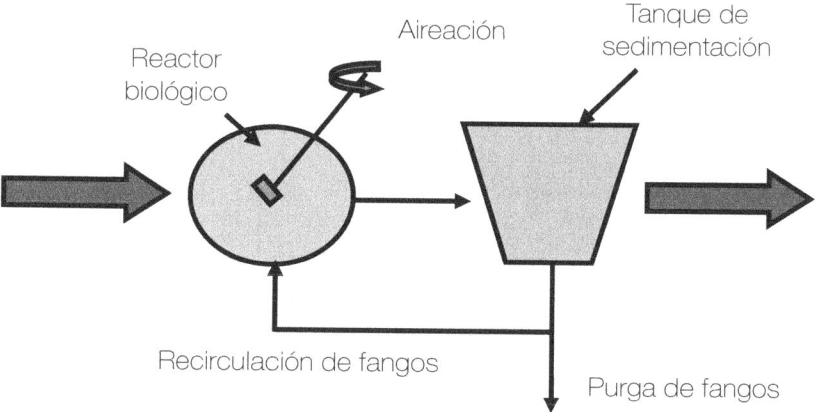

Los parámetros a tener en cuenta en el diseño de un lecho bacteriano para que su eficacia sea óptima son:

- **Distribución del agua.** La distribución del agua residual en el sistema debe ser uniforme. Se debe evitar atascos en los aspersores o paradas.

- **Masa soporte.** La masa soporte debe tener una serie de características:

  · Alta superficie específica. A mayor superficie, mayor película de microorganismos.

  · Alto porcentaje de huecos. Se evita la inundación por colmatación con elevadas cargas hidráulicas.

  · Espesor. El espesor más frecuentemente empleado es de 2 metros, aunque puede variar entre 1,5 y 4 metros.

  · Tipo de áridos. Los áridos empleados pueden ser:

- Naturales (piedra silícea, puzonlas y pórfidos).

- Artificiales (materiales plásticos de diversa naturaleza).

- Tamaño de áridos. Varía entre 4 y 8 cm.

- Alto tiempo de retención. Debe ser de entre 40 min y 1 hora.

- Económico y duradero.

— **Aireación.** La introducción de aire al sistema para mantener las condiciones de aerobiosis puede ser:

- Natural.

- Artificial.

(Véase epígrafe 5.2.)

— **Sistema de recogida del agua residual tratada.** Se realiza gracias a un dispositivo de drenaje localizado en el fondo del lecho bacteriano. Se caracteriza por tener canales de recogida. Estos canales:

- Tienen pendientes de 1-2%.

- No van completamente llenos, puesto que función también como canal de aireación.

Respecto a la forma que presentan, se diferencian dos tipos de lechos:

— **Rectangulares.** Se emplean lechos bacterianos rectangulares cuando son alimentados por:

- Distribuidores fijos.

- Distribuidores móviles de traslación.

En la siguiente figura podemos ver un lecho rectangular:

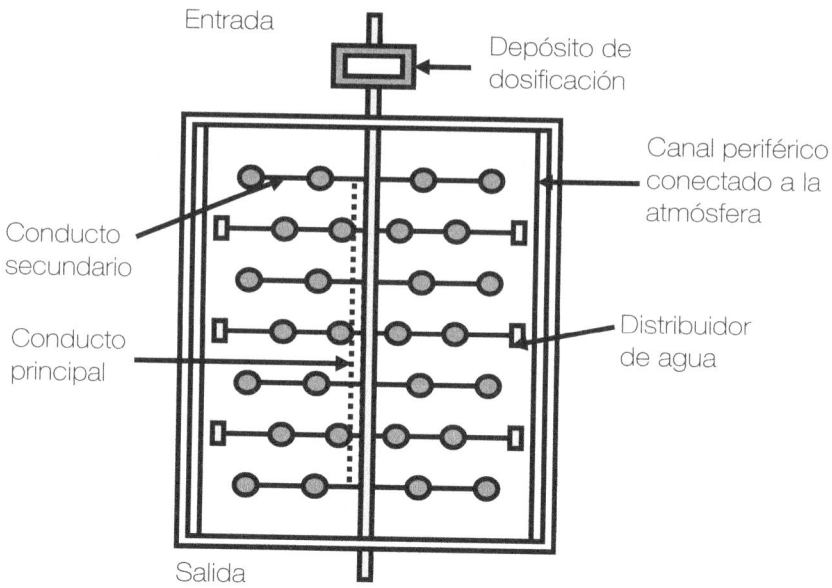

- **Circulares.** Se emplean lechos bacterianos circulares cuando son alimentados por distribuidores giratorios. Actualmente son de este tipo casi todos los lechos.

En la siguiente figura podemos ver un lecho rectangular:

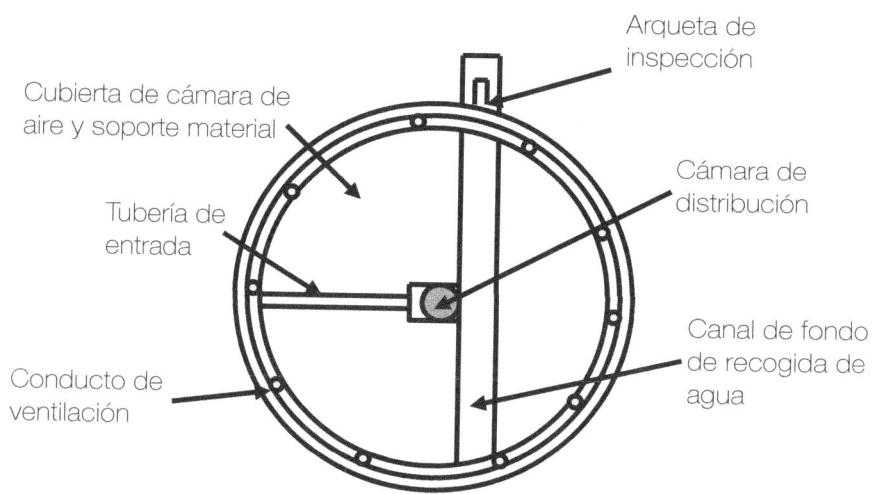

5.2. Incorporación de aire al sistema

Vamos a estudiar ahora la introducción de aire a lo sistemas de los procesos estudiados en el epígrafe anterior:

A. Fangos activos

En los reactores se introduce oxígeno al sistema para que los microorganismos aerobios puedan llevar a cabo sus reacciones. Este oxígeno puede ser introducido en forma de aire u oxígeno puro.

Se distinguen dos **sistemas** de aireación:

–   **Difusores sumergidos.** Los difusores se caracterizan por producir tres tipos de burbujas: gruesas, medias y fina.

    Vamos a mostrar ahora una tabla donde se recogen algunas de sus principales características:

TIPO DE BURBUJA	EFICACIA DE LA TRANSFERENCIA	DESCRIPCIÓN	MODELO COMERCIAL
Fina	Alta	Granos de óxido de aluminio cristalino fundido con material cerámico	Placa y tubo difusores
			Difusor de domo
		Granos de sílice unidos por silicato vítreo o resinas	Placa y tubo difusores
Media	Media	Tubos difusores recubiertos de plástico	Difusor de precisión tipo Saran
		Difusores de manguito de tela	Flexofuser
Gruesa	Baja	Varios dispositivos con orificios	Monosparj
		El aire pulverizado se reparte desde el extremo de un disco que se mueve cuando la presión en la tubería es mayor que la carga sobre él	No colmatable
		Inyectores con orificios y ranuras	

Vamos a analizar ahora **las ventajas e inconvenientes** de los distintos tipos de difusores atendiendo al tipo de burbuja que generan:

DIFUSORES DE BURBUJA FINA (POROSOS)		DIFUSORES DE BURBUJAS MEDIAS Y GRUESAS	
Ventajas	Inconvenientes	Ventajas	Inconveniente
Alta eficiencia de aireación	Requiere filtros para el suministro de aire limpio El polvo puede obturar los orificios	Bajo coste Menor mantenimiento (no precisa de filtros)	Baja eficiencia de aireación

La **eficiencia** de las transferencias de oxígeno al agua residual depende de varios factores:

- Tipo y porosidad del difusor.

- Tipo de burbujas.

- Profundidad a la que se sitúe el difusor.

De forma general, se puede concluir que la eficiencia de los difusores es la siguiente:

> Burbujas finas = 10-30%
>
> Burbujas medias = 6-15%
>
> Burbujas gruesas = 6%

- **Aireación mecánica del agua residual.** La agitación mecánica favorece la disolución del oxígeno atmosférico. Existen dos tipos de aireadores mecánicos:

  - **Turbina en superficie.** El oxígeno introducido en el sistema proviene de la atmósfera. Son los más sencillos. Poseen unos rotores que se encuentran sumergidos total o parcialmente unidos a motores, de entre 0,75 y 75 kW, situados en estructuras fijas o flotantes.

    Los rotores están fabricados en diversos materiales:

> Acero.

> Aleaciones anticorrosivas.

> Plástico reforzado con fibra de vidrio.

> Fundición.

En función de la velocidad de giro del rotor, los aireadores mecánicos se dividen en dos:

> Alta velocidad.

> Baja velocidad.

Vamos a ver sus principales características:

	BAJA VELOCIDAD	ALTA VELOCIDAD
ROTOR	Gira por un motor eléctrico que se encuentra unido a un reductor	Se acopla sobre el motor eléctrico
SITUACIÓN DEL REACTOR Y MOTOR	Sobre una plataforma apoyado sobre pilares o vigas	Sobre flotantes

· **Turbinas sumergidas.** El oxígeno introducido en el sistema proviene de la atmósfera y de su inyección en el fondo del tanque.

Posee un tubo de aspiración para controlar la corriente del flujo dentro del tanque. Dicho tubo es un cilindro que se extiende desde la base del tanque de aireación hasta el impulsor.

En la siguiente figura se refleja un aireador mecánico de turbina sumergida:

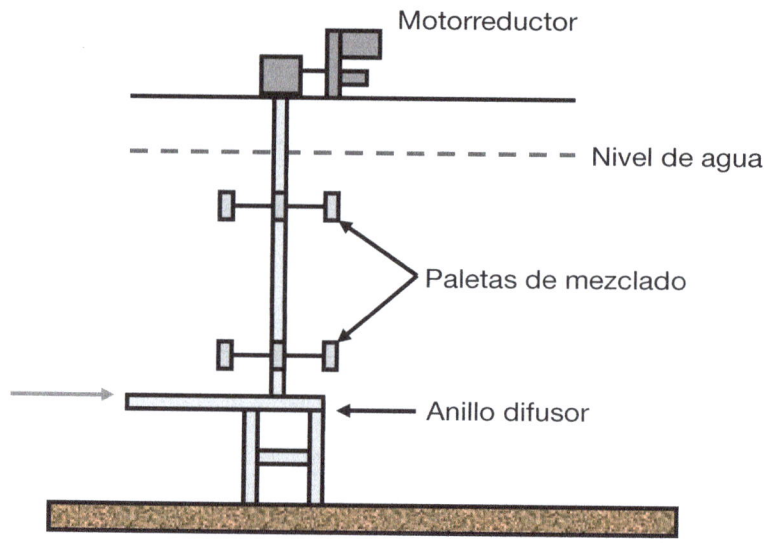

La **eficiencia** de los aireadores se estima entre 1,2-2,4 Kg O2/kWh.

B. Lechos bacterianos

La incorporación de aire al sistema puede ser de dos forma:

– **Natural.** Se produce debido a la diferencia de temperatura existente entre el aire y el agua residual. Las variaciones de temperatura de aire provocan cambios en su densidad. Estos cambios de densidad hacen que se mueva dicha masa de aire.

El movimiento de la masa de aire queda explicada por el ecuación de los gases perfectos:

$$PV = nRT$$

Donde:

P = Presión del gas (atmósfera).

V = Volumen del gas (litros).

N = Número de moles de gas.

R = Constante universal de los gases ideales (0.08205 l atm/K mol).

T = Temperatura del gas (K).

Si desarrollamos la ecuación obtenemos:

$$V = m/d = nRT/P$$

Se concluye que temperaturas elevadas provocan una mayor volumen del aire y esto implica una menor densidad del mismo. Dado su baja densidad realiza movimientos ascendentes.

Se ha estimado que una diferencia de temperatura de 6 grados produce un movimiento del orden de 0,3 m³/m² min.

Importante

Si la diferencia de temperatura es igual o menor de 2 grados, el movimiento de la masa de aire se anula y se produce una situación de anaerobiosis. Por ello, se debe airear el lecho de tal forma que la diferencia de temperatura sea siempre superior a 2 grados.

— **Artificial.** Se puede introducir por medio de dispositivos oxígeno al sistema. Este sistema es costoso y se solo realiza cuando las condiciones climáticas impiden el movimiento de la masa de aire.

En ambos casos la circulación del aire se produce, generalmente, a contra corriente del flujo de agua.

5.3. Agitación

La agitación es un proceso fundamental en los fangos activos. Es realizada por los rotores de los aireadores mecánicos, tanto los de turbina en superficie como los de turbinas sumergidas.

Mediante un sistema de paletas, mueven la masa de agua residual fuertemente. Ello favorece una rápida renovación de la interfase agua-aire facilitando la disolución del aire atmosférico.

Recuerda

Para que el proceso de fangos activos funcione correctamente se precisa de oxígeno en el sistema. Las bacterias que intervienen son aerobias y precisan de oxígeno para desarrollar sus funciones vitales.

En el epígrafe 5.2 vimos paletas de mezcla en un aireador mecánico de turbina sumergida. Vamos a mostrar ahora una figura donde se observan paletas de mezcla en un aireador de turbina en superficie de baja velocidad.

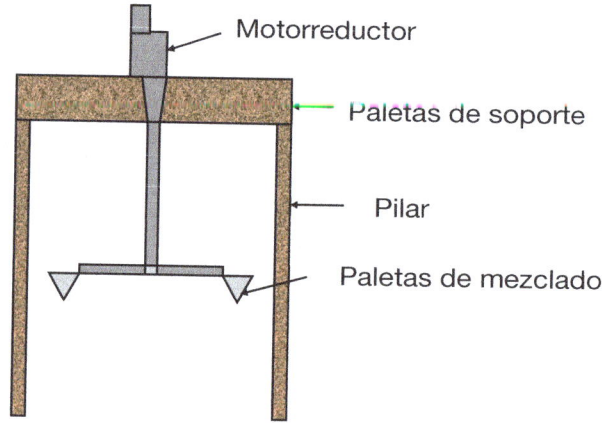

Motorreductor

Paletas de soporte

Pilar

Paletas de mezclado

Recuerda

En un aireador de turbina en superficie de baja velocidad el motor eléctrico se acopla aun reductor (motorreductor) y se sitúan sobre una plataforma con pilares o vigas. Sin embargo, en los aireadores de turbina en superficie de alta velocidad, el motorreductor se sitúa sobre flotadores.

5.4.   Recirculación de fangos

Hemos visto como tanto en los fangos activos como en los lechos bacterianos se produce la recirculación de fangos.

La recirculación de fangos tiene como **objetivo**:

Mantener en el reactor una cantidad de fangos activos de forma que puede obtenerse el grado de depuración requerido en un intervalo de tiempo estimado.

Para ello el fango retirado de los decantadores secundarios (tanques de sedimentación) son devueltos al sistema mediante su entrada:

–   En el flujo de agua residual que se introduce.

–   En el propio reactor.

Un requisito importante que debe cumplir este proceso es que el retorno de los fangos debe poseer una capacidad de bombeo grande con el objeto de que no se produzcan pérdidas de sólido de fango con el efluente.

Importante

Los sólidos forman una capa de fango en el fondo de gran espesor. Este espesor varía principalmente con la entrada de caudales punta pudiendo llenar todo el volumen del tanque de sedimentación.

La capacidad de bombeo es la siguiente:

TIPO DE PLANTA DE TRATAMIENTO	CAPACIDAD DE BOMBEO
Pequeña	150% del caudal residual
Grande	50-100% del caudal residual

Se ha estimado que las bombas de retorno de fangos activados debe ser tal que el caudal de retorno al sistema sea aproximadamente igual a la relación porcentual entre:

- Volumen ocupado por los sólidos sedimentables que viene del reactor.

- Volumen del efluente clarificado tras media hora de sedimentación en un cilindro de un litro de capacidad.

$$\text{Caudal de retorno} = \frac{\text{\% Volumen ocupado por los sólidos sedimentables del reactor}}{\text{\% Volumen del efluente clarificado tras media hora de sedimentación en un cilindro de un litro de capacidad}}$$

Importante

Dicha relación no deber ser nunca inferior al 15%.

Un parámetro muy empleado para conocer la el estado de funcionamiento de la planta y controlar el caudal de fango recirculado al sistema es el Índice de Volumen de Fangos (IVF).

Definición

El índice de volumen de fangos es el volumen (ml) ocupado por un gramo, pesos seco, de sólido del líquido de mezcla del fango activado después de media hora de sedimentación en un cilindro de un litro.

El IVF se expresa de la siguiente forma:

$$IVF = Qv / Pw$$

Donde:

Qv = volumen porcentual que ocupa el fango de líquido de mezcla de la salida del tanque de aireación después de media hora de sedimentación.

Pw = concentración de material sólido en suspensión del líquido de mezcla.

Este índice también se emplea para conocer las características de sedimentación del fango activado. Sin embargo, dado que su valor varía según la concentración de los sólidos, este índice es propio para cada estación de tratamiento.

El funcionamiento de las bombas de retorno puede controlarse con dos sistemas: Células fotoeléctricas y Sistema sónico.

El funcionamiento de estos dispositivos se basan en la formación de una interfase distinta entre:

La parte superior del lecho de fango.

-   Líquido clarificado situado en su parte superior.

Líquido claridicado

Interfase

Lecho de fango

5.5. Purga de fangos en exceso

Hemos visto como la recirculación de fangos permite mantener en el reactor una cantidad de fangos activos de forma que puede obtenerse el grado de depuración requerido en un intervalo de tiempo estimado.

Sin embargo, no todos los fangos producidos en los tanques de sedimentación son recirculados. Una parte de ellos son eliminados del sistema (purga de fangos).

Los **objetivos** de la purga de fangos son:

1. Mantener constante la concentración de sólidos en suspensión del líquido de mezcla.

2. Mantener constante el tiempo medio de retención celular.

La purga de fangos se realiza:

– **Tanque de sedimentación.** Es el sistema convencional de purga de fangos. Casi todas las estaciones de tratamiento de aguas residuales eliminan fango en este lugar.

– **Líquido de mezcla en el reactor o en la tubería que va del reactor al tanque de sedimentación.** Si la concentración de sólidos es uniforme, se puede purgar en estos sitios de forma eficaz. El líquido de mezcla eliminado puede:

   · Evacuarse a un espesador de fango.

   · Tanques de sedimentación primaria.

Este último sistema queda representado en la siguiente figura:

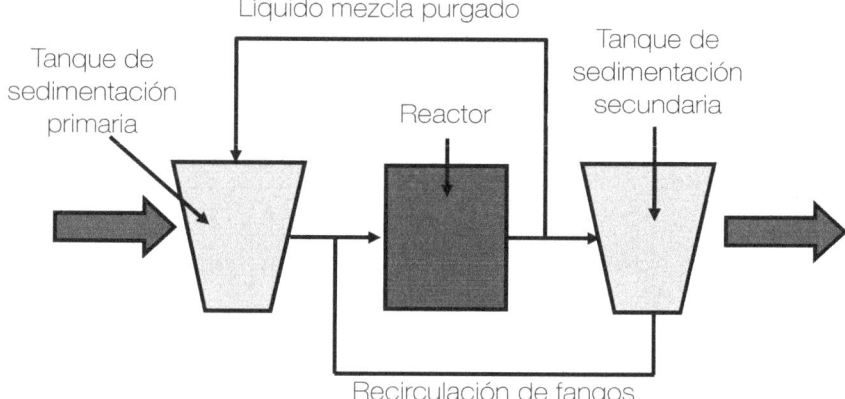

5.6. Equipos empleados

Vamos a describir los equipos empleados en los dos procesos.

A. Fangos activos

Los dos equipos principales de este proceso son: los reactores y los tanques de sedimentación.

— **Reactores biológicos.** Son tanques de hormigón armado abiertos para favorecer la aireación. Poseen forma rectangular con el fin de permitir la construcción en serie de varios de ellos.

El volumen total del tanque no debe ser superior a 140 m^3 y se puede dividir en dos o más partes siempre y cuando no se supere dicho volumen. En este caso, los tabiques que separan los tanques deben soportar la presión hidrostática de las masas de agua que divide.

La profundidad a la que se encuentra la masa de agua residual dentro del tanque es de aproximadamente 3-5 metros con el objeto de que los difusores puedan funcionar eficazmente.

Los reactores biológicos están dotados de canales de aireación de larga longitud que pueden estar conectados entre sí para actuar en serie.

Se deben diseñar de tal forma que no haya puntos muertos o áreas donde la mezcla no sea adecuada. Para evitar la sedimentación de sólidos se pueden instalar tabiques o deflectores triangulares en las esquinas de los canales.

Además, deben tener:

- Válvulas o compuertas de entrada y salida de agua fácilmente desmontable.

- Desagües y sumideros para su vaciado.

Vamos a mostrar ahora un reactor biológico típico:

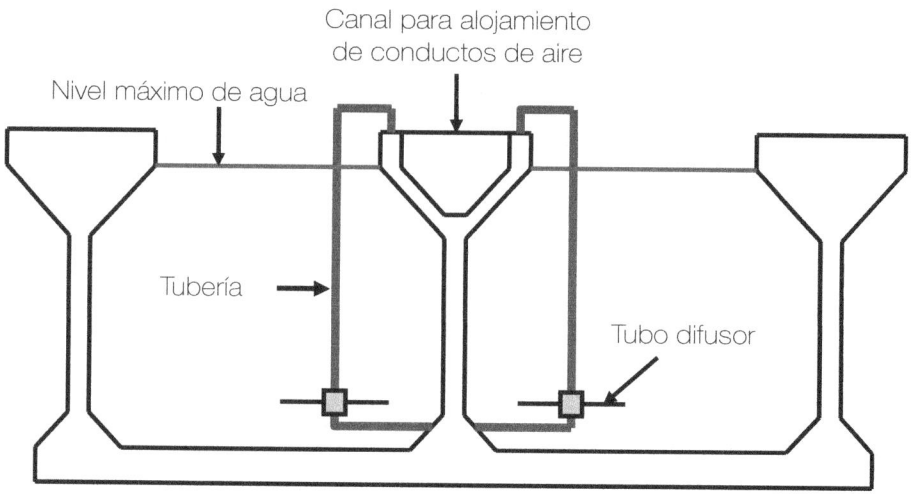

Canal para alojamiento
de conductos de aire

Nivel máximo de agua

Tubería

Tubo difusor

Sabías que

Una estación de tratamiento de aguas residuales de gran superficie debe tener entre 6 y 8 reactores biológicos.

– **Tanques de sedimentación.** Se distinguen dos tipos de tanques de sedimentación:

  · **Circulares.** Los diámetros más frecuentes varían entre 30-60 m.

Importante

El diámetro no debe ser cinco veces superior a la profundidad del agua.

Se distinguen dos tipos:

  › De alimentación periférica.

  › De alimentación central.

· **Rectangulares.** Su longitud máxima no debería exceder en 10 veces su profundidad con el objeto que el agua se distribuya uniformemente por todo el volumen y que las velocidades horizontales no sean excesivas.

En ambos tanques el fango acumulado en el fondo deberá ser extraído mediante sistemas que poseen las siguientes características:

› Alta capacidad.

› Que no succione el líquido localizado en la parte superior del fango.

› Robusto para poder transportar fangos de alta densidad.

Para extraer y transportar el fango depositado se utilizan tres mecanismos:

› Rascadores múltiples que arrastran el fango hacia una tolva central (parecidos a los empleados en la decantación primaria).

› Tubos de succión que extraen el fango del fondo.

› Puentes de traslación. Consiste en un puente que se apoya sobre los muros laterales del tanque y que aloja el sistema de extracción de fango (véase figura adjunta).

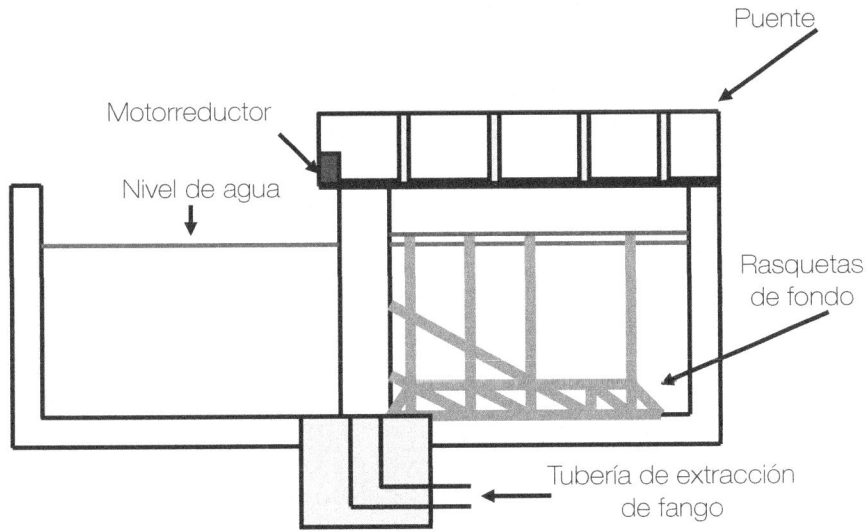

B. Lechos bacterianos

Además, de los reactores y los tanques de sedimentación cuyas características son muy similares a los estudiado en los fangos activos, los lechos bacterianos presentan:

– **Distribuidor y autopropulsión.** Es un dispositivo que gira sobre una base central gracias a la impulsión proporcionada por los surtidores o flujos de agua de salida.

– **Dosificador sinfónico.** Equipo de incorpora el agua residual al depósito central de distribución.

– **Sistema recolector.** Son bloques prefabricados de arcilla vitrificada u hormigón que cubren totalmente el lecho. Poseen forma rectangular y poseen ranuras en su parte superior.

Los colectores realizan dos funciones:

– Retirar las aguas que han pasado por el lecho (aguas negras).

– Dar aireación al lecho.

El sentido de circulación de la masa de aire a través del lecho depende de la diferencia de temperatura existente entre el ambiente exterior y el material de soporte y las aguas negras.

Temperatura lecho > Temperatura exterior y aguas negras --> corriente ascendente de aire
Temperatura lecho < Temperatura exterior y aguas negras --> corriente descendente de aire

A continuación mostramos un sistema colector:

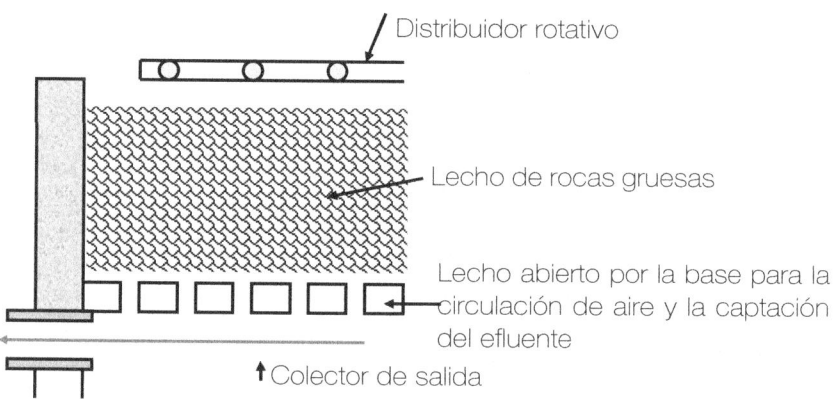

Distribuidor rotativo

Lecho de rocas gruesas

Lecho abierto por la base para la circulación de aire y la captación del efluente

↑Colector de salida

5.7. Problemas de funcionamiento de los sistemas de fangos activos

El proceso de fangos activos presenta, principalmente, dos problemas de funcionamiento: Fango ascendente y Fango voluminoso.

A. Fango ascendente

A veces, aunque el fango posea buenas características para la sedimentación asciende la superficie del tanque. Esto es consecuencia directa del proceso de desnitrificación. Los nitritos y nitratos del agua residual se convierten en gas nitrógeno por medio de las siguientes reacciones químicas:

$$6NO_3^- + 2CH_3OH \rightarrow 6NO_2^- + CO_2 + 4H_2O$$

$$6NO_2^- + 3CH_3OH \rightarrow 3N_2 + CO_2 + 6OH^-$$

Si bien gran parte del nitrógeno gas queda atrapado en el fango, otra parte asciende a la superficie arrastrando con ellos partículas sólidas.

Sabías que

Puede observarse a simple vista partículas de lodos en la superficie pegadas a burbujas de gas.

Existen varias **soluciones** a este problema:

Soluciones	
	Aumentar el caudal de bombeo del fango activado de retorno
	Reducir el caudal del líquido mezcla en el tanque de sedimentación
	Incrementar la velocidad del mecanismo colector de fango en el tanque de sedimentación
	Disminuir el tiempo medio de retención t

B. Fango voluminoso (Bulking)

El fango voluminoso se **caracteriza** por presentar: **Mala sedimentación** o **Mala compactabilidad**.

El fango voluminoso es **producido** por:

- El crecimiento de organismos filamentosos u organismos que, bajo condiciones adversas, crecen de forma filamentosa.

Sabías que

Los principales géneros de microorganismos filamentosos que provocan Bulking son: *Sphaerotilus sp* y *Beggiatoa sp*.

- Aguas unidas a los flóculos. Las células bacterianos que se encuentran unida a los flóculos aumentan su volumen por incorporación de agua. Este aumento de volumen provoca una disminución de la densidad por lo que no sedimentan.

Las **causas** por la que este fango es producido son tres:

- **Las características físico-químicas del agua residual.** Entre las principales características físico-químicas que pueden influir en el volumen de fangos encontramos:

  · Temperatura.

  · pH.

  · Contenido de nutrientes.

  · Grado de septicidad.

- **El diseño de la planta de tratamiento.** Influyen en la generación de fangos espesos:

  · Diseño del clarificador.

  · Capacidad de bombeo del fango de retorno.

- Insuficiente grado de mezcla.

- Capacidad de suministro de oxígeno.

- **El funcionamiento de la planta.** Se producirán fangos voluminosos cuando haya:

  - Déficit de oxígeno en el reactor.

  - Sobrecarga de materia orgánica.

Para conocer la causa que está provocando este problema o prevenir su aparición se debe de revisar:

- Las características del agua residual (carga de contaminantes).

- La concentración de oxígeno disuelto.

- La carga del proceso.

- El caudal de bombeo del fango activo recirculado.

- Posible sobrecarga del sistema.

- Funcionamiento de tanque de sedimentación.

Si, tras revisar los seis punto mencionados anteriormente, el problema continúa se deberá de hacer un estudio detallado del funcionamiento del tanque de sedimentación.

Importante

Este estudio debe llevarse a cabo especialmente en los tanques circulares de alimentación central puesto que el fango activo es eliminado (mediante purga o recirculación) justo debajo del lugar donde entra el líquido mezcla.

Se debe de comprobar la capa de fango de este tanque. Esto nos dirá el tiempo que lleva depositado en el fondo del tanque.

Recuerda

Los fangos no deben estar depositados en el tanque mucho más tiempo de la media hora recomendada.

Una vez conocido el origen del problema se debe de proceder a ejecutar la **solución**. Por ejemplo, si se ha detectado que la causa de la aparición de los lodos voluminosos es la ausencia de oxígeno en el reactor, se instalarán soplantes adicionales para procurar las condiciones de aerobiosis.

Mientras que las causas son analizada o en situaciones de emergencia se pueden emplear como soluciones:

- **La cloración del agua residual o del fango recirculado.** Es una técnica muy empleada y eficaz cuando el volumen de fangos es provocado por el crecimiento de microorganismos filamentosos.

  La cloración provoca la aparición do un clarificado turbio hasta la liberación del fango de los microorganismos filamentosos.

- **El tratamiento del agua residual o del fango recirculado con peróxido de hidrógeno.** La cantidad de peróxido de hidrógeno empleado y el tiempo del tratamiento dependerá de la cantidad de microorganismos filamentosos existentes en el medio.

Otros problemas de funcionamiento de los sistemas de fangos activos así como las causas que los provocan se resumen en la siguiente tabla:

PROBLEMAS	CAUSAS QUE LO PROVOCAN
Olores	Condiciones de anaerobiosis
	Escasa aireación o agitación en el reactor
Baja reducción de la DBO	Escaso tiempo de retención
	Baja concentración de sólidos en suspensión el líquido mezcla
	Presencia de sustancias tóxicas
	Escasa aireación
	Escasa cantidad de nutrientes
	Valores de pH no recomendados
	Alta carga másica
Baja reducción de la DBO + escapa de sólidos	Escasa cantidad de nutrientes
	Poco tiempo de retención
	Baja concentración de sólidos en suspensión el líquido mezcla
	Presencia de sustancias tóxicas
	Poca aireación
	Valores de pH no recomendados
	Presencia de microorganismos filamentosos
Alta reducción de la DBO + escapa de sólidos	Alto tiempo de retención
	Alta concentración de sólidos en suspensión el líquido mezcla
	Concentración excesiva de nutrientes
	Presencia de microorganismos filamentosos
Alta concentración de nitrógeno	Exceso de nitrógeno del agua residual a tratar
Alta concentración de fósforo	Exceso de fósforo del agua residual a tratar

Vamos a hablar ahora brevemente de los problemas de funcionamiento de los sistemas de **lechos bacterianos**.

Los principales problemas de funcionamiento de estos sistemas son:

- **Puesta en marcha.** La formación de la película biológica que envuelve a la partícula sólida tarda más de 8 días en formarse.

  Este puede ser debido a:

  · La existencia de poca materia orgánica en el agua residual. Una posible solución a este problema sería disminuir la recirculación de fangos activos.

  · La existencia de vertidos industriales que modifican el pH del agua. Una modificación del pH impide el crecimiento de los microorganismos que forman el lecho. Una posible solución sería ajustar el pH con la adición de productos como la cal. Otra medida, más complicada de realizar, sería impedir que se sigan realizando este tipo de vertidos.

- **Desaparición brusca de la película biológica.** La película biológica puede destruirse rápidamente por la existencia puntual de un vertido ácido o tóxico. La solución sería lavar fuertemente el lecho y reiniciar le ciclo.

- **Encharcamiento de la superficie del lecho.** El lecho bacteriano puede encharcarse por:

  · Insuficiente granulometría del lecho poroso. Se debe proceder a sus sustitución.

  · Excesiva carga orgánica. Se puede aumentar la recirculación del sistema o no tratar todo el caudal de entrada.

  · Insuficiente efectividad en la deposición de fangos en el decantador primario.

  · Excesiva biomasa en la superficie del lecho o en su interior. Se puede verter cloro en el agua antes de su entrada para eliminar parte de la biomasa y retirarla mediante lavado.

- **Olores.** La ausencia de aireación del sistema provoca el crecimiento de bacterias anaerobias causantes del mal olor. Estas bacterias realizan procesos fermentativos con la producción de gases como metano o ácido sulfhídrico. Se puede solucionar aumentando la recirculación o mediante cloración.

- **Presencia de moscas.** Se produce el crecimiento de larvas de moscas (*Psychoda*) en el interior del lecho. Estos individuos viven entre 5 y 7 días.

La solución a este problema pasaría por inundar la superficie del lecho o el empleo de insecticidas.

– **Formación de espumas en canaletas de recogida.** La formación de espumar es debido a la existencia en el agua de productos detergentes no biodegradables. La solución sería la instalación de pulverizadores de agua presión o el vertido de productos antiespumantes antes de que el agua pase al lecho bacteriano.

– **Formación de hielo.** Si la temperatura ambiente es muy baja el lecho puede congelarse. La formación de hielo se puede evitar cerrando parcialmente la entrada de aire frío.

5.8. Tipos de tratamientos biológicos

En los epígrafes anteriores hemos visto los dos principales tratamientos biológicos empleados en las estaciones de tratamiento de aguas residuales: Fangos activos y Lechos bacterianos.

En los epígrafes siguientes vamos a desarrollar los siguientes tratamientos biológicos:

TRATAMIENTOS BIOLÓGICOS	
SISTEMAS DE LECHO FIJO	**A. Procesos aerobios**
	Filtros percoladores
	Filtros de pretratamiento (filtros de desbaste)
	Reactores de lecho compacto
	B. Procesos anaerobios
	Filtro anaerobio
	Lagunas anaerobias
	C. Procesos anóxicos
	Desnitrificación en película fina
TECNOLOGÍAS BLANDAS	Lagunas aerobias
	Digestión aerobia
	Digestión anaerobia
REACTORES DE RUEDA COMPLETA	
USBR	
FILTROS PERCOLADORES	

Los **objetivos** de estos tratamientos son:

- · La eliminación de la DBO carbonosa.

- · Nitrificación.

- · Desnitrificación.

- · Eliminación de fósforo.

- · Estabilización de fangos.

Vamos a empezar estudiando los sistema de lechos fijos.

5.8.1. Sistemas de lecho fijo

Estos sistemas quedan divididos en 3 grupos atendiendo a la presencia o ausencia de oxígeno en ellos:

A. Procesos aerobios

- − **Filtros percoladores.** Dado su amplio uso en las estaciones depuradoras de aguas residuales será estudiado en el epígrafe 5.8.5

- − **Filtros de pretratamiento (filtros de desbaste).** Son filtros percoladores diseñados para soportar grandes caudales de efluentes.

  Con ellos se pretende:

  - · Reducir la carga orgánica.

  - · Realizar una nitrificación estacional.

  Debido a que soportan altas cargas hidráulicas precisan de altas tasas de recirculación. Como todo tratamiento biológico, su eficiencia varía con la temperatura exterior.

  Suelen estar constituidos por materiales sintéticos y su profundidad varía entre 3,7 y 12 m.

Respecto a los microorganismos presentes, suelen ser bastante pareci- dos a la de los filtros percoladores. Se distinguen bacterias, hongos, algas y protozoos (véase epígrafe 5.8.5). Las escasas diferencias se deben a que al soportar elevados caudales de entrada, se produce un arrastre más acusado. El crecimiento de los microorganismos se ve afectado por la presencia de metales pesados y compuestos orgánicos.

– **Reactores de lecho compacto.** Consiste básicamente en un reactor con microorganismos nitrificantes adheridos a un medio. El agua residual junto con el aire u oxígeno se introducen por su parte inferior a partir de una cámara de entrada o alimentación.

A continuación mostramos un reactor de lecho compacto típico:

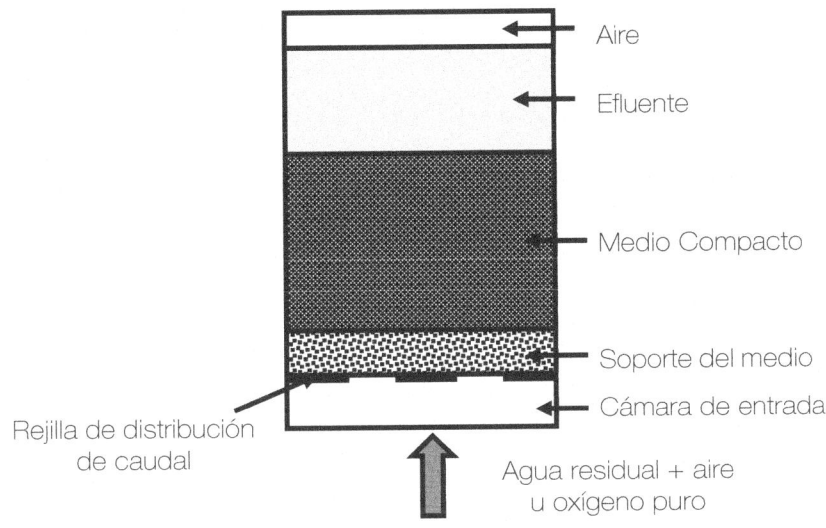

B. Procesos anaerobios

– **Filtro anaerobio.** Es una especie de columna que contiene distintos me- dios sólidos en su interior en los que se fijan y desarrollan las bacterias anaerobias. A través de él se hace pasar al agua residual en sentido as- cendente.

El **objetivo** de este filtro es la reducción de la materia orgánica carbonosa presente en el agua residual.

Su principales **ventajas** son:

- Se pueden utilizar en el tratamiento de aguas residuales de baja carga contaminante a temperatura ambiente gracia que las bacterias no son arrastradas por el fuente.

- El volumen de fango producido es bajo.

– **Lagunas anaerobias.** Las lagunas anaerobias no constituyen un sistema de lecho fijo en sentido estricto, sin embargo, vamos a proceder a su descripción.

Son tanques de gran profundidad excavados en el suelo, generalmente de forma circular, con sistemas de conducción de entrada y salida de efluente.

Se emplean para el tratamiento de agua residual con elevadas concentraciones de materia orgánica y de sólidos en suspensión.

Se obtiene de este proceso:

- **Un líquido clarificado.** Es llevado a otro proceso donde es tratado.

- **Un residuo sólido (fango).** Sedimenta en el fondo del tanque.

Su principal **ventaja** es que consigue reducir los valores de DBO5 en un 70-80%.

C. Procesos anóxicos

– **Desnitrificación en película fina.** Se distinguen cuatro tipos:

- **Reactor de lecho compacto relleno de gas.** El reactor está relleno de gas nitrógeno.

- **Reactor de lecho compacto relleno de líquido.** El líquido puede ser de alta o baja porosidad. En ambos casos se requiere el lavado a contracorriente del medio para mantener estable la población de microorganismos.

- **Reactor de lecho fluidizado.** Están rellenos de arena fina o carbón activado. El agua asciende por el lecho a una velocidad tal que puede suspender o fluidificar el medio aumentando su porosidad específica. Este aumento de la porosidad específica permite elevar las concentraciones de microorganismo presentes.

- **Biodiscos.** Véase epígrafe 5.8.3.

5.8.2. Tecnologías blandas

Vamos a distinguir tres tipos de tecnologías blandas:

Lagunas aerobias

Las lagunas o estanques aerobios se desarrollan a raíz de la instalación de aireadores superficiales en los estanques de estabilización facultativos para reducir el mal olor.

Consiste en la introducción de un residuo orgánico en un depósito, generalmente circular, excavado en el suelo que posee un cultivo de microorganismo aerobios en suspensión.

Al igual que ocurre en el proceso de fangos activos, el oxígeno se consiguen gracias al empleo de difusores o aireadores mecánicos.

Las bacterias empleadas son también muy parecidas a las del proceso de fangos activos. Las pocas diferencias existentes se deben al hecho de que la superficie del agua de las lagunas puede sufrir choques térmicos más pronunciados debido a que se encuentran en la intemperie.

En estos sistemas se puede realizar una nitrificación estacional y continua. El grado de nitrificación dependerá de:

- El diseño de la laguna.

- La temperatura del agua residual (a mayor temperatura mayor nitrificación).

Digestión aerobia

Consiste en sistema alternativo de tratar los fangos producidos en los siguientes procesos:

- Fangos activados.

- Filtros percoladores.

- Mezcla de fangos activados y filtros percoladores.

- Exceso de fango biológicos en plantas sin sedimentación primaria.

Se inyecta al fango aire u oxígeno puro mediante aireadores superficiales o difusores convencionales en un tanque abierto durante un tiempo prolongado.

El proceso se puede llevar a cabo de dos formas:

- **Discontinua.** Se realiza en plantas de pequeñas dimensiones. El fango se airea y mezcla completamente. Después sedimenta en el tanque.

- **Continua.** La sedimentación del fango se realiza en otro tanque.

Sabías que

Una modificación de este proceso es la digestión aerobia termófila donde bacterias termófilas a temperaturas de 25-50ºC degradan hasta un 80% de la materia orgánica en 3 o 4 días.

Los microorganismos y las reacciones que se producen en este proceso son similares al de fangos activados.

Sabías que

Si se realiza la digestión aerobia de la mezcla de fangos activos o de filtros percoladores con fango primario se produce la oxidación de la materia orgánica del fango primario y la oxidación endógena del tejido celular.

Digestión anaerobia

Consiste en la descomposición de la materia orgánica e inorgánica presente en el agua residual en ausencia de oxígeno. Este tratamiento se emplea, fundamentalmente, para la estabilización de los fangos.

La reacción química que tiene lugar en un reactor totalmente cerrado es la siguiente:

$$\text{Materia orgánica} \longrightarrow CH_4 + CO_2$$

Existen dos **tipos** de digestores anaerobios:

	BAJA CARGA	ALTA CARGA
Proceso de digestión	No se calienta ni mezcla el contenido del digestor	Se calienta y mezcla completamente el contenido del digestor
Tiempos de detención	30-60 días	Menor o igual a 15 días

Vamos a mostrar ahora una figura de un digestor anaerobio de baja carga:

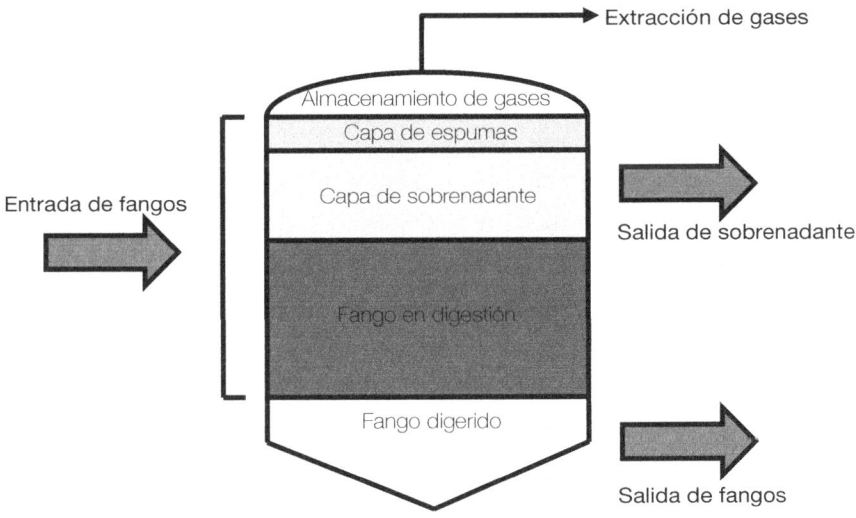

Entre las bacterias que aquí se encuentran destacamos, por orden alfabético, las siguientes:

- *Clostridium spp*

- *Peptococcus anaerobius*

- *Bifidobacterium spp*

- *Desulphovibrio spp*

- *Corynebacterium spp*

- *Lactobacillus*

- *Actinomyces*

- *Sataphylococcus*

- *Escherichia coli*

5.8.3. Reactores rueda completa

Entre los reactores de rueda completa distinguimos el r**eactor biológico rotativo de contacto (biodiscos).**

Son un conjunto de discos de poliestireno o cloruro de polivinilo de forma circular. Se sitúan sobre un eje dejando escasa distancia entre ellos.

Los microorganismos se adhieren a la superficie de los discos que se sumergen parcialmente (40%) en el agua residual y se hacen girar lentamente (a modo de molino). Debido a la rotación del tambor, una sección de los biodiscos sale fuera del agua estableciéndose contacto con el aire (oxígeno atmosférico). Ello hace que los microorganismos crezcan hasta alcanzar un espesor de entre 0,22 y 3 mm. Esta película biológica se va a desprender por la acción de procesos biológicos y por la velocidad del agua durante el giro. Cuando esto sucede, se quedan en forma de flóculos en el agua residual. Estos flóculos no sedimentan debido a la agitación que sufre el agua por el movimiento del tambor. Son retirados por decantación en el proceso siguiente. Posteriormente, se produce la regeneración de la capa biológica alrededor del disco.

Vamos a ver ahora una figura donde se observa el proceso:

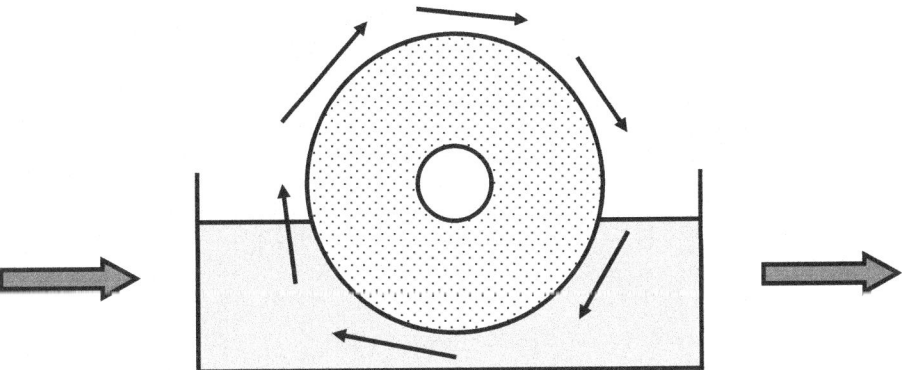

Los microorganismos presentes en los biodiscos son:

– Microorganismos filamentosos

– Bacterias heterótrofas no filamentosas

Este sistema se emplea en:

– El tratamiento secundario, para la eliminación de la materia orgánica.

– La nitrificación y desnitrificación

Los **problemas** de **funcionamiento** de estos sistemas se deben a las siguientes causas:

– Pérdida excesiva de la biomasa de la película biológica. Se debe a la presencia de sustancias tóxicas o inhibidoras

– Desarrollo de biomasa blanca. Se desarrollan microorganismos como Thiotrix o Beggiatoa que disminuyen el rendimiento del proceso. Estos microorganismos aparecen por la septicidad del agua o altas concentraciones de H2S.

– Otros. Variación de caudal, alteraciones de los valore de pH o materia orgánica, etc.

5.8.4. USBR

Las siglas USBR hacen referencia a la abreviación del proceso Reactor Biológico de Flujo Ascendente.

El agua residual es introducida en el reactor por su parte inferior y va atravesando un manto de fango formado por partículas biológicas.

Al entrar en contacto el agua residual y las partículas se produce la degradación de la contaminación y con ello la producción de los gases típicos de la digestión anaerobia: metano y dióxido de carbono.

Estos gases permanecen de dos formas distintas:

– Libres.

– Adheridos a las partículas biológicas.

Ambos ascienden a la parte superior del reactor donde se produce su eliminación del sistema mediante la instalación de una bóveda de recogida.

Sabías que

Estos sistemas pueden convertir en biogás el 70-95% de la materia orgánica biodegradable. Este biogás es valorizable, pudiéndose emplear en la generación de energía eléctrica para el funcionamiento de la planta.

Por su parte, el líquido se llevan a un tanque de sedimentación donde se produce la eliminación de los sólidos residuales que son recirculados al sistema.

Las **bacterias** que intervienen en este proceso poseen forma de granos compactos con diámetros que pueden alcanzar los 4 mm.

El **funcionamiento** óptimo de este tratamiento pasa por:

– Mantener un elevado tiempo de retención del fango

– La instalación de un separador sólido/gas en la parte superior del reactor.

A continuación mostramos un proceso Reactor Biológico de Flujo Ascendente:

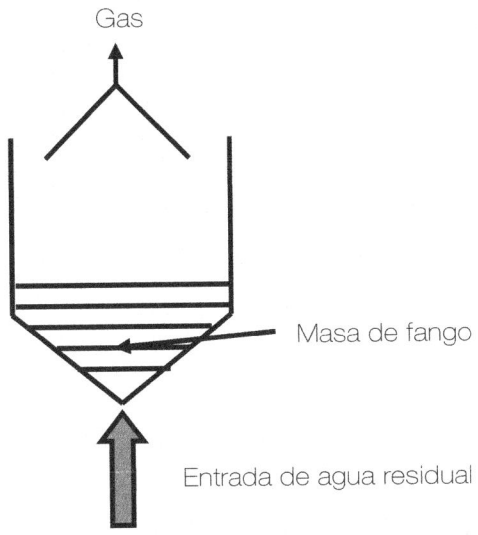

5.8.5. Filtros percoladores

Son un lecho, circular y extremadamente permeable, con microorganismos adheridos a través de cual pércola el agua residual.

Los **microorganismos** presentes en los filtros son:

BACTERIAS	HONGOS	ALGAS	PROTOZOOS
Achromobacter	*Fusazium*	*Chlorella*	*Epystelis*
Alcaligenes	*Geotrichum*	*Phormidium*	*Opercularia*
Flavobacterium	*Pencillium*	*Ulothrix*	*Vorticella*
Nitrosomonas	*Sporatlchum*		
Nitrobacter			
Pseudomonas			

Estos microorganismos aerobios van degradar la materia orgánica. Cuando crecen la materia orgánica adsorbida es metabolizada rápidamente y los organismo localizados cerca de la superficie filtrante se quedan sin aporte externo de carbono orgánico celular y pierden su capacidad para adherirse al sustrato. Ello provoca que el flujo de agua los arrastre y se pierda la película biológica. Finalmente se procederá a formar una capa nueva.

Por otra parte, los tipos de **materiales** que pueden formar el lecho son:

– **Piedras.** Suelen ser filtros circulares formados por piedras cuyo diámetro oscila entre 2,5 y 10 cm. La profundidad del lecho varía entre 0,9 y 2,5 m.

– **Materiales plásticos.** Poseen formas muy diversas (cuadradas, circulares, etc.) con profundidades que varían entre los 4 y 12 m.

El agua residual es pulverizada, con un distribuidor giratorio, por encima del lecho. El agua tratada es recogida en la parte inferior mediante un sistema de drenaje. Se conducen posteriormente a un tanque de sedimentación donde se produce la separación de los sólidos del agua residual.

A continuación se observa una sección transversal de un filtro percolador:

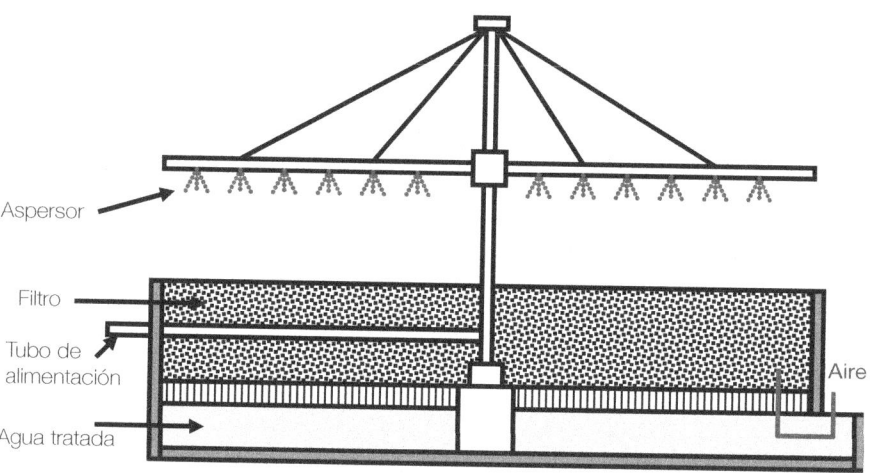

UD5
Lo más importante

- El proceso de fangos activos consiste en hacer pasar el agua residual por un reactor aireados que contiene un residuo orgánico (fango preformado en una proporción del 15-25%) y un cultivo de microorganismo aerobios en suspensión (licormezcla).

- Los objetivos de este proceso son: la coagulación rápida de partículas en suspensión, la sedimentación de las partículas coaguladas, la eliminación de un 90-98% de bacterias, la estabilización de la materia orgánica y la oxidación de la materia carbónica.

- Entre las bacterias que intervienen en el proceso se encuentran: gram negativas, nitrificantes y filamentosas.

- Las distintas variantes del proceso de fangos activos son: convencional, de mezcla completa, alimentación escalonada, contacto-estabilización, aireación prolongada, aireación graduada, doble etapa, proceso de Kraus y empleo de oxígeno puro.

- Los lechos bacterianos son un proceso biológico de tratamiento de las aguas residuales que consiste en la oxidación de la materia orgánica por parte de microorganismos en un ambiente aerobio. Para ello se hace pasar el agua por un medio poroso. Las bacterias en los lechos bacterianos se encuentran adheridas al medio de fijación (lecho).

- El funcionamiento óptimo del sistema se logra: manteniendo las condiciones de aerobiosis (véase epígrafe 5.2) necesarias para el desarrollo de los microorganismos y controlando la cantidad de materia orgánica que llega al sistema. Cantidad e elevadas o pequeñas de materia orgánica provocan una disminución de la eficiencia del proceso.

- Los microorganismos se distribuyen en forma de capas. Entre ellos se encuentran: hongos, algas, protozoos, invertebrados y bacterias.

- Existen dos tipos de lechos: rectangulares (se emplean cuando son alimentados por: distribuidores fijos o distribuidores móviles de traslación) y circulares (se emplean cuando son alimentados por distribuidores giratorios.

- La incorporación de aire en el proceso de fangos activos se realiza por difusores sumergidos o aireación mecánica del agua residual (turbina en superficie o sumergida)

- La incorporación de aire en el proceso de lechos bacterianos se realiza de forma natural (cambios en la densidad del agua) o artificial (introducción de oxígeno).

- La recirculación de fangos tiene como objetivo mantener en el reactor una cantidad de fangos activos de forma que puede obtenerse el grado de depuración requerido en un intervalo de tiempo estimado.

- Los objetivos de la purga de fangos son: mantener constantes la concentración de sólidos en suspensión del líquido de mezcla y el tiempo medio de retención celular-

- Los reactores biológicos del proceso de fangos activos son tanques de hormigón armado abiertos para favorecer la aireación. Poseen forma rectangular con el fin de permitir la construcción en serie de varios de ellos. El volumen total del tanque no debe ser superior a 140 m^3 y se puede dividir en dos o más partes siempre y cuando no se supere dicho volumen.

- Los tanques de sedimentación del proceso de fangos activos pueden ser circulares o rectangulares.

- El proceso de lechos bacterianos posee los siguientes equipos: distribuidos y autopropulsión, dosificador sinfónico, sistema colector, reactor biológico y tanque de sedimentación.

- Los problemas principales de funcionamiento del proceso de fangos activos son el fango ascendente y el fango voluminoso.

- Los problemas principales de funcionamiento del proceso de lechos bacterianos son: puesta en marcha, Desaparición brusca de la película biológica,

Encharcamiento de la superficie del lecho, Olores, Presencia de moscas, Formación de espumas en canaletas de recogida y Formación de hielo.

— Otros tratamientos biológicos son: sistemas de lechos fijos, tecnologías blandas, reactores de rueda completa, USBR y filtros percoladores.

UD5
Autoevaluación

1. Entre los objetivos del proceso de fangos activos no se encuentra:

   a. La coagulación rápida de partículas en suspensión.

   b. La sedimentación de las partículas coaguladas.

   c. La eliminación de un 90-98% de bacterias.

   d. La reducción de la materia carbónica.

2. Para mantener la masas de microorganismos en el proceso de fangos activos se precisa de:

   a. Materia orgánica carbonácea.

   b. DQO.

   c. Metales pesados.

   d. pH neutro.

3. En el proceso de Kraus:

   a. Se introduce oxígeno puro al sistema.

   b. El fango sufre un proceso de nitrificación.

   c. Se realiza cuando el agua presenta una alta concentración de DBO5.

   d. Precisa de tiempos de retención celular e hidráulica bastante elevados.

4. Los lechos bacterianos:

    a. Realizan una reducción de la materia orgánica.

    b. Emplean un ambiente anaerobio.

    c. Los microorganismos están adheridos al medio de fijación.

    d. Todas las anteriores son falsas.

5. La purga de fangos:

    a. Mantener variable la concentración de sólidos en suspensión del líquido de mezcla.

    b. Mantener variable el tiempo medio de retención celular.

    c. Se realizan en el tanque de sedimentación.

    d. Se realiza en el reactor biológico.

6. Los reactores biológicos del proceso de fangos activos:

    a. Son tanques de hormigón armado.

    b. Son circulares.

    c. Están cerrados herméticamente.

    d. Su profundidad no es mayor de 2 m.

7. Entre las soluciones para el problema del fango ascendente no se encuentra:

    a. Aumentar el caudal de bombeo del fango activado de retorno.

    b. Reducir el caudal del líquido mezcla en el tanque de sedimentación.

    c. Incrementar la velocidad del mecanismo colector de fango en el tanque de sedimentación.

    d. Aumentar el tiempo medio de retención.

8. Los biodiscos:

   a. Son un conjunto de discos de polietileno.

   b. Se emplea en la nitrificación y desnitrificación.

   c. Los discos se sumergen completamente en el agua residual.

   d. La distancia entre los discos es amplia.

9. En el USBR:

   a. El agua residual es introducida en el reactor por la parte superior

   b. Se producen gases típicos de la digestión aerobia.

   c. Los gases permanecen libres o adheridos a las partículas.

   d. Se debe mantener un tiempo bajo de retención del fango.

10. Los filtros percoladores:

    a. Es un lecho rectangular.

    b. Es extremadamente permeable.

    c. Está formado únicamente por bacterias.

    d. El agua residual es introducida al sistema por la parte inferior.

Área: seguridad y medioambiente

UD6

Tratamiento terciario o complementario de aguas residuales

6.1. Decantación
    6.1.1. Física
    6.1.2. Físico química
6.2. Filtros
6.3. Desinfección
    6.3.1. Criterios para una adecuada desinfección
    6.3.2. Desinfección con cloro o derivados
    6.3.3. Desinfección con radiación ultravioleta
    6.3.4. Ozonización

6.1. Decantación

La decantación es el proceso mediante el cual se produce la separación de las partículas disueltas en el agua gracias la acción de la gravedad.

En los siguientes epígrafes vamos a ver dos tipos de decantación:

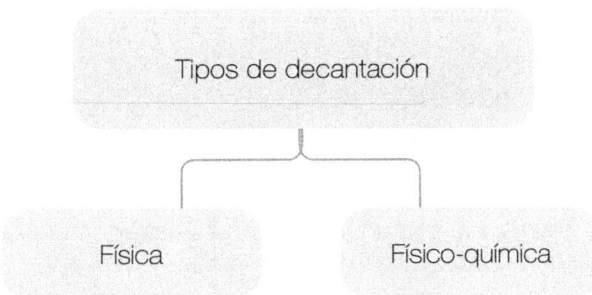

Tipos de decantación

Física | Físico-química

Los aspectos relacionados con la decantación física ya fueron tratados en el tema 4 "Tratamiento primario de aguas residuales", por lo que se va a recordar los aspectos tratados en dicho tema.

Respecto a la *decantación* físico-química (en el tema 4 también se explicó las principales características de la decantación química) se va a proceder al estudio de la eliminación de nutrientes:

- Nitrógeno;

- Fósforo;

- Materia orgánica refractaria;

- Sustancias orgánicas disueltas;

mediante tratamientos avanzados.

Vamos a recordara ahora mediante un esquema, el proceso general de una EDAR donde se observan las distintas decantaciones:

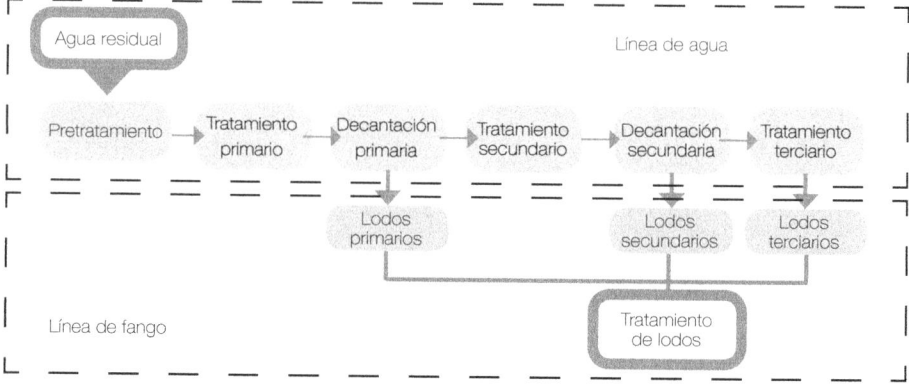

6.1.1. Física

Los objetivos de la decantación física son:

1. Separar las sustancias que se encuentran en suspensión y disolución en las aguas residuales que no pueden ser eliminadas en tratamientos anteriores ya que poseen un mayor peso que el agua.

2. Reducir los valores de DBO5 debido a que las partículas arrastran en su sedimentación bacterias.

Recuerda

El tratamiento de las aguas residuales reúne 3 tipos de tratamiento: pretratamiento, tratamiento primario o físico-químico y tratamiento secundario o biológico y tratamiento terciario.

La decantación se consigue disminuyendo la velocidad de la masa de agua en unos dispositivos denominados **decantadores**.

La sedimentación de las partículas en suspensión y disolución las aguas residuales puede realizarse según cuatro **modelos** distintos atendiendo a la concentración y características de las partículas. Estos modelos son:

Modelo	Descripción	Lugar donde se produce
Partículas discretas	El agua presenta muy baja concentración de partículas, las cuales sedimentan individualmente sin que exista interacción entre ellas.	Pretratamiento (eliminación de arenas)
Floculenta	Las partículas se agregan aumentando su tamaño y densidad. Se produce en aguas con bajas concentraciones de sólidos.	Se produce principalmente los tanques de sedimentación primaria.
Retardada o zonal	Las fuerzas entre las partículas dificultan la sedimentación de las partículas próximas. Se produce en aguas con concentraciones medias y altas de sólidos.	Tanques de sedimentación secundaria
Compresión	Las partículas se concentran en una estructura (están en contacto físico unas con otras) y la sedimentación se produce como consecuencia de la compresión de ella.	Se produce en las capas inferiores de fangos (decantadores secundarios y en los decantadores primarios con recirculación de fangos).

En el proceso de decantación influyen una serie de factores:

Factor	Observaciones
Tamaño de la partícula	A mayor tamaño de partículas mayor velocidad de sedimentación
Peso específico de las partículas	A mayor peso de partículas mayor velocidad de sedimentación

Factor	Observaciones
Concentración de sólidos en suspensión	A mayor concentración de sólidos en suspensión en el agua residual, mayor eficacia en su eliminación por sedimentación
Temperatura	A temperaturas elevadas la densidad del fluido disminuye y por tanto la sedimentación aumenta. Si la masa de fluido es elevada, se crearán gradientes de temperatura que producen corrientes térmicas. Estas corrientes disminuyen la decantación de partículas
Tiempo de retención	Cuanto mayor sea el tiempo que la masa de agua esté en el decantador, la eficacia del proceso será mayor
Velocidad ascensional	A mayor velocidad ascensional menor velocidad de sedimentación
Velocidad del flujo	Si la velocidad es flujo es elevada puede levantar los fangos sedimentados
Acción del viento sobre la superficie del fluido	El viento provoca turbulencias en el fluido y esto disminuye la sedimentación de partículas
Fuerzas biológicas y eléctricas	Las fuerzas biológicas y eléctricas favorecen la formación de partículas de mayor tamaño y con ello su sedimentación

Los principales sólidos a sedimentar así como sus principales características son:

Partícula	Diámetro (mm)	Velocidad de sedimentación (mm/s)	Tiempo Necesario Para Decantar 1 M
Gravilla	10	1000	1 s
Arena gruesa	1	100	10 s
Arena fina	0.1	8	2 min
Cieno	0.01	0.147	2 h
Tamaño de bacteria	0.001	0.00154	7.5 días
Arcilla	0.0001	0.0000154	2 años
Tamaño de coloides	0.00001	0.000000154	206 años

Fuente: Hernández Muñoz, A (1996)

La decantación física es un proceso obligatorio si posteriormente:

– Se vierten las aguas en terrenos agrícolas

– Se emplea un sistema biológicos de lechos bacterianos en el tratamiento secundario

No obstante, este proceso puede suprimirse. Vamos a ver las ventajas y desventajas de dicha supresión:

– **Ventajas**

Las principales ventajas son:

· Funcionamiento más simple de la planta de tratamiento

· Fango de calidad homogénea

· Remoción del fango en un único lugar

· Eliminación de malos olores debido a que el agua residual pasa directamente al tanque de aireación.

· Mejora la sedimentación del fango activo

· Incremento de la absorción puesto que existe un mayor volumen de fangos en el tanque de activación

- Puede suprimir el tratamiento de lodos

- Mejora los sistemas que tienen periodos de aireación prolongados, fundamentalmente con digestión aerobia en climas cálidos y templados

- Eliminación de parte de los olores producidos por los fangos

- Ahorro económico en la inversión inicial y en la fase de explotación

– **Desventajas**

Las principales desventajas son:

- Mayor consumo energético en el proceso de fangos activos

- Disminuye la generación de gas en la planta de tratamiento

- Posibilidad de formación de depósitos en el sistema de aireación

- Posibilidad de formación de fangos flotantes en el decantador secundario

- Se suprime un elemento que regula la carga hidráulica

- Se puede disminuir la capacidad de espesamiento de los lodos

Importante

Todas estas ventajas y desventajas son estudiadas por los técnicos durante el diseño de la planta

Como se ha mencionado anteriormente, la decantación se realiza en los **decantadores**. Los decantadores son grandes depósitos atravesados por un flujo de agua residual a una velocidad lo suficientemente lenta para que se pueda producir la sedimentación de las partículas.

Los decantadores deben diseñarse de tal forma que se cumplan los siguientes **requisitos**:

REQUISITOS	OBSERVACIONES
Entrada del efluente	Debe realizarse de tal forma que el agua se distribuya homogéneamente sobre todo el tanque
Deflectores	Deben situarse: A la entrada de caudal, para repartir homogéneamente el flujo de entrada A la salida del caudal, para la retención de grasas, espumas y masas flotantes
Vertedero de salida	Se debe tener en cuenta 2 factores: Su nivelación, para que la clarificación funcione correctamente La relación entre el caudal de entrada y la longitud total de vertido, para evitar levantar los fangos depositados en fondo
Características geométricas	La relación entre los distintos valores debe permitir la decantación de las partículas

El diseño de los tanques se encuentra actualmente normalizado y la mayoría de las estaciones de tratamiento de aguas residuales poseen dichos tipos de tanques que tienen sistemas incorporados para la recogida mecánica del fango.

En cuanto a su forma geométrica se distinguen dos **tipos** de decantadores:

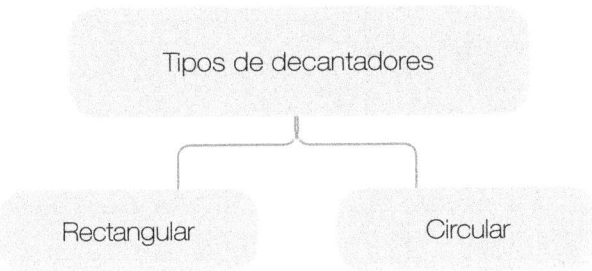

Vamos a estudiar las principales características de cada uno de ello.

– Decantadores rectangulares

Poseen dos cadenas transportadoras sobre los que se sujetan tablones de madera, extendidos por toda la superficie del decantador, a intervalos de espacio regulares. Los fangos sedimentados se depositan en el fondo del tanque y son extraídos por un mecanismo que se desplaza:

· Por la superficie (tipo puente)

Aquí se fijan rasquetas. Estas raquetas son abatibles para impedir el arrastre de fango en su recorrido de vuelta. También pueden tener sistemas para la succión o bombas para la retirada del fango.

· Por el fondo (sobre raíles)

Los raíles permiten el movimiento de la estructura.

La entrada de agua y la salida deben situarse transversalmente al tanque mientras que las estaciones de bombeo deben colocarse en los extremos del decantador.

· Las espumas se recogen por medio de:

· Rascadores localizados en la zona de salida

· Rociado de agua a presión

· Tubería horizontal ranurada con capacidad de giro

· Barredor helicoidal transversal

· Colector tipo cadenas con rascadores

· Rascadores especiales

Entre sus ventajas se encuentran:

· Se puede instalar un conjunto de tanques. Requiere de menos espacio que uno circular, por lo que supone una ventaja económica cuando el precio del terreno es caro.

· Pueden acoplarse a los tanques de preaireación y aireación del

proceso de fangos activos

- · Permiten la instalación de techos o cubiertas para cubrir la superficie

– **Decantadores circulares**

El agua a tratar se introduce por:

- · El centro:

  El agua se transporta al centro del tanque por una tubería suspendida del puente o situada dentro del hormigón debajo de la solera. El agua es distribuida homogéneamente por una campana circular.

  Los puentes están equipados de:

  - › Rascadores sumergidos, para la extracción del fango

  - › Rascadores superficiales, para la eliminación de espumas

  El fango, al igual que los decantadores rectangulares, puede ser eliminado mediante sistemas de bombeo y succión.

- · La periferia

  Un deflactor circular localizado a escasa distancia del muro del tanque forma un espacio anular en el que se produce la salida del agua residual de forma tangencial. Ello la obliga a circular alrededor del tanque en forma de espiral y por debajo del deflactor. El agua clarificada se recoge en unos vertederos situados a ambos lados del canal mientras que la grasa y la espuma quedan retenidas en la superficie.

Decantador circular

Vamos a recoger ahora algunas de las principales características de ambos tipos de decantadores en una tabla.

CARACTERÍSTICA	VALOR MEDIO
DECANTADOR RECTANGULAR	
Profundidad (m)	3.6
Longitud (m)	25-40
Anchura (m)	6-10
Velocidad de los rascadores (m/min)	1
DECANTADOR CIRCULAR	
Profundidad (m)	3.6
Longitud (m)	25-40
Anchura (m)	6-10
Velocidad de los rascadores (m/min)	1

Fuente: Metcalf-Eddy (1994)

Importante

La elección del tipo de tanque dependerá de:

– El tamaño de la instalación

– De las exigencias legales sobre la eficacia de la decantación, en particular, y de la depuración, en general.

– Costes

La elección será tomada por técnicos especialistas y su estudio quedará plasmado en el proyecto constructivo de la EDAR.

6.1.2. Físico química

La precipitación química es un proceso químico unitario, tal y como estudiamos en el tema 2 de la presenta unidad formativa.

Los procesos químicos unitarios son todos aquellos tratamientos realizados en las aguas residuales donde se produce un cambio en sus características y propiedades mediante reacciones químicas.

La **precipitación química** en el tratamiento de las aguas residuales consiste en:

> La adición de sustancias químicas al agua residual con el fin de:
>
> – Alterar el estado físico de los sólidos (disueltos y en suspensión)
>
> – Facilitar su eliminación mediante sedimentación

En algunos casos la alteración producida en los sólidos no es muy grande. Cuando ocurre esta circunstancia, la eliminación se produce porque quedan atrapados dentro de un precipitado voluminoso formado fundamentalmente por el propio coagulante.

Sin embargo, la adición de sustancias químicas al agua va a producir también efectos **negativos**. El más importante es el siguiente:

> Aumento de la concentración de los compuestos disueltos en el agua residual

La precipitación química se empezó a emplear en el tratamiento de las aguas residuales con el objeto de eliminar más eficazmente los sólidos suspendidos en el fluido así como reducir los valores de DBO en tres casos distintos:

- Existen variaciones estacionales en la concentración de contaminantes en el agua residual

- Se precisa un grado intermedio en el tratamiento

- Facilita el proceso de sedimentación

Sin embargo, el interés por la precipitación y su uso de forma más extendida no se produce hasta los años 70 del siglo pasado. Ello es debido a que se requiere eliminar más cantidad de compuestos orgánicos y nutrientes (fósforo y nitrógeno). La concentración de contaminantes en las aguas residuales ha incrementa exponencialmente en estos años.

Los procesos químicos pueden actuar:

- Individualmente

- En combinación con procesos físicos unitarios.

Vamos a centrarnos en este tema en la eliminación de nutrientes (nitrógeno, fósforo, materia orgánica refractaria y sustancias orgánicas disueltas) mediante tratamientos avanzados.

Vamos a ver ahora los métodos de eliminación de los siguientes nutrientes:

- **Nitrógeno**

    El nitrógeno se encuentra en el agua residual en 4 formas distintas:

    Formas de Nitrógeno
    - Nitrato orgánico
    - Nitrato amoniacal
    - Nitrito
    - Nitrato

Las dos primeras son las formas predominantes en el agua residual no tratada.

Las **fuentes** de **origen** del nitrógeno son:

NATURAL	ARTIFICIAL
· Precipitación · Polvo · Escorrentía · Fijación biológica	· Aguas residuales municipales · Drenaje de área de cultivos · Drenaje de instalaciones ganaderas · Actividades industriales · Filtraciones en fosas sépticas

Vamos a discutir ahora algunos de los procesos de **conversión** y **eliminación** del nitrógeno:

Nitrificación

Como se ha comentado anteriormente, la forma amoniacal es una de las dos formas en las que el nitrógeno se encuentra principalmente en el agua residual. Este amoniaco puede provocar una agotamiento del oxígeno disuelto en el agua en su transformación en nitrato. Véase las reacciones químicas que tienen lugar:

$$NH_4^+ + 3/2 O_2 \longrightarrow NO_2^- + 2H^+ + H2O \quad (Nitrosomonas)$$

$$NO_2^- + 1/2 O_2 \longrightarrow NO_3^- \quad (Nitrobacter)$$

La reacción global sería:

$$NH_4^+ + 2O_2 \longrightarrow NO_3^- + 2H^+ + H2O$$

El agotamiento del oxígeno puede evitarse si se oxida en amoniaco antes de su vertido al medio. Esto se puede llevar a cabo mediante dos procesos. Vamos a analizarlos en la siguiente tabla.

319

PROCESOS	VENTAJAS	INCONVENIENTES
Proceso combinado de nitrificación y oxidación del carbono		
Cultivo suspendido	Dos tratamientos en una única fase Control estable del líquido mezcla por la alta relación DBO5/KKT	No protección contra tóxicos Estabilidad operacional moderada e influenciada por el decantador secundario (retorno de los microorganismos)
Cultivo fijo	Dos tratamientos en una única fase Estabilidad no influenciada por el decantador secundario ya que los organismos están adheridos al medio	No protección contra tóxicos Estabilidad operacional moderada Alta concentración de amoniaco en el efluente (1-3 mg/L) Inviable en climas fríos
Nitrificación por fases independientes		
Cultivo suspendido	Alta protección contra muchos tóxicos Proceso estable Baja concentración de amoniaco en el efluente	Si la relación DBO5/KNT es baja se precisa un extremo control de los fangos Estabilidad operacional moderada e influenciada por el decantador secundario (retorno de los microorganismos) Precisa un mayor número de procesos unitarios
Cultivo fijo	Alta protección contra muchos tóxicos Proceso estable Estabilidad no influenciada por el decantador secundario ya que los organismos están adheridos al medio	Alta concentración de amoniaco en el efluente (1-3 mg/L) Precisa un mayor número de procesos unitarios

Desnitrificación

Junto con la nitrificación es el mejor proceso de eliminación del nitrógeno debido a que presenta las siguientes **características**:

- Elevada eficacia de eliminación

- Proceso altamente estable y fiable

- Proceso de fácil control

- Requiere poco espacio de terreno

- Su coste no es excesivo

Las reacciones químicas que tiene lugar son:

1ª ETAPA:

$$6\,NO_3^- + 2CH_3OH \longrightarrow 6NO_2^- + 2CO_2 + 4H_2O$$

2ª ETAPA:

$$6NO_2^- + 3CH_3OH \longrightarrow 3N_2 + 3CO_2 + 3H_2O + 6OH^-$$

REACCIÓN GLOBAL:

$$6\,NO_3^- + 5CH_3OH \longrightarrow 3N_2 + 5CO_2 + 7H_2O + 6OH^-$$

Las bacterias que intervienen en estas reacciones son, principalmente,:

- Pseudomonas

- Micrococcus

- Achromobacter

- Bacillus

Se distinguen dos **procesos** de desnitrificación:

– **Sistema independiente con fuente externa de carbono**

Se caracteriza por emplear una fuente externa de carbono (metanol principalmente) para la eliminación del nitrógeno.

Se emplea un reactor donde la masa de microorganismo permanece en suspensión. El gas nitrógeno generado se puede fijar en los sólidos biológicos por lo que se precisa de una etapa, entre el reactor y el tanque de sedimentación, para la liberación de este gas.

La eliminación de las burbujas que se adhieren al sólido se realiza por aireación:

- En los canales que unen el reactor con el tanque de sedimentación

- En un tanque independiente

– **Sistema combinado de nitrificación-desnitrificación y oxidación del carbono**

La nitrificación-desnitrificación y la oxidación del carbono se realizan en una única etapa. Esto presenta las siguientes ventajas:

- Menor volumen de aire para la nitrificación y la reducción de la DBO5

- Desaparición de fuentes externas de carbono (se emplea la descomposición endógena de los microorganismos o el carbono del agua residual)

- Desaparición de los decantadores intermedios

Vamos a comparar los distintos procesos:

– **Crecimiento suspendido con fuente externa de carbono (metanol) después de la nitrificación:**

Ventajas:

- Desnitrificación rápida

- Se requiere poco espacio para las instalaciones

- Proceso estable

- Se puede incorporar una etapa para la oxidación del metal sobrante de forma fácil

- La eliminación del nitrógeno es alta

- Cada proceso se puede optimizar independientemente

Desventajas:

- Precisa metanol

- Estabilidad operacional influenciada por el decantador secundario (retorno de los microorganismos)

- Necesita mayor número de procesos unitarios

- Crecimiento de cultivo fijo con fuente externa de carbono (metanol) después de la nitrificación

Ventajas:

- Desnitrificación rápida

- Se requiere poco espacio para las instalaciones

- Proceso estable

- La estabilidad no está supeditada a la decantación

- La eliminación del nitrógeno es alta

- Cada proceso se puede optimizar independientemente

Desventajas:

- Precisa metanol

- Es complicado introducir el proceso de oxidación del metanol sobrante

- Necesita mayor número de procesos unitarios

- Sistema combinado de nitrificación-desnitrificación y oxidación del carbono empleando fuente de carbono endógena

Ventajas:

- No requiere metanol

- Necesita menor número de procesos unitarios

Desventajas:

- Bajas tasas de desnitrificación

- Requiere de instalaciones grandes

- Menor eliminación del nitrógeno

- Estabilidad operacional influenciada por el decantador secundario (retorno de los microorganismos)

- Nula protección de nutrientes contra las sustancias tóxicas

- Complicada optimización independiente

Procesos físico-químicos

Distinguimos tres tipos de procesos físico-químicos de eliminación del nitrógeno presente en al agua residual:

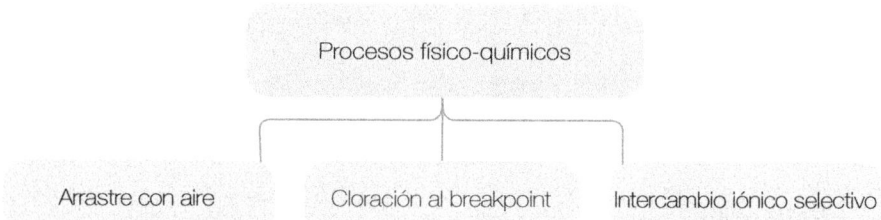

Vamos a ver cada uno de ellos.

– **Arrastre con aire (Air Stripping)**

Este proceso es una modificación del proceso de aireación empleado para la eliminación de otros gases disueltos en el agua.

El amoniaco se encuentra se encuentra en el agua residual en equilibrio con ión amonio:

$$NH_3 + H_2O = NH_4^+ + OH^-$$

Si el pH del agua alcanza un valor superior a 7, el equilibrio químico se desplaza hacia la izquierda. Es decir, el ión amonio se transforma en amoniaco y éste puede extraerse en forma de gas si se agita la masa de agua en presencia de oxígeno.

Este proceso se lleva a cabo en una torre de arrastre la cual posee un soplante para la inyección de aire al sistema.

Vamos a ver ahora una figura donde se esquematiza una torre de arrastre:

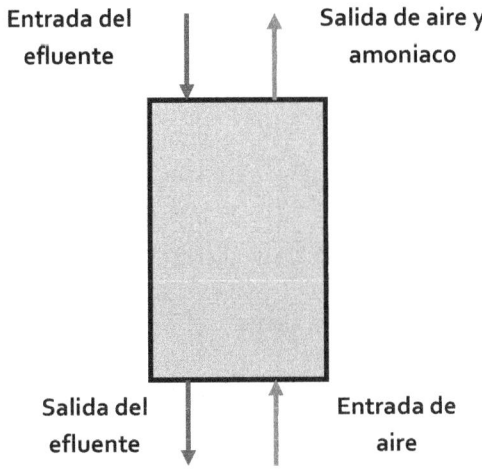

Entrada del efluente — **Salida de aire y amoniaco**

Salida del efluente — **Entrada de aire**

- Cloración al breakpoint

Consiste en añadir una cierta cantidad de cloro para la oxidación del nitrógeno amoniacal presente en el agua residual. Dicha reacción dará lugar a la formación de gas nitrógeno y otros compuestos estables.

La **reacción química** que tiene lugar es la siguiente:

$$2NH_3 + 3HOCl \longrightarrow N_2 + 3H_2O + 3HCl$$

Las principales **ventajas** de este sistema son:

- Puede eliminarse totalmente la cantidad de nitrógeno amoniacal del agua siempre y cuando exista una correcta homogeneización del caudal y control del proceso.

- Se produce simultáneamente la desinfección del agua residual.

- · Puede combinarse con otros procesos.

Entre sus **inconvenientes** se encuentran:

Se debe regular el caudal a tratar para optimizar el rendimiento.

El efluente debe ser declorado para evitar efectos negativos en el medio ambiente tras el vertido final.

— Intercambio iónico selectivo

El intercambio iónico selectivo consiste en el desplazamiento de los iones de un material insolubles por otro de una especie que se encuentra en solución.

Existen dos tipos de intercambio:

· **Proceso discontinuo**

La resina se introduce en un reactor con el agua a tratar y se agita. Una vez agotada, se extrae por sedimentación. Posteriormente se regenera y se vuelve a utilizar.

· **Proceso continuo**

El material de intercambio se sitúa sobre un lecho o torre a través del cual pasa el agua residual.

Las reacciones químicas que tienen lugar son:

REACCIÓN:

$RH + Na^+ = RNa + H^+$
$RNa + Ca_2^+ = RCa + 2\ Na^+$

REGENERACIÓN:

$RNa + HCl = RH + NaCl$
$RCa + NaCl = RNa_2 + CaCl_2$

Las resinas de intercambio pueden ser naturales (como las zeolitas) o sintéticas.

Fósforo

El fósforo puede encontrarse en el agua residual en tres **formas** distintas:

- Ortofosfato

- Polifosfato

- Fósforo orgánico

Las principales **fuentes** de fósforo son:

- Residuos del cuerpo humano

- Residuos alimenticios

- Detergentes domésticos

- Abonos y fertilizantes

El 10% del fósforo presente en el agua residual es eliminado en la decantación primaria. El resto se elimina, mediante sedimentación, por la formación de un precipitado insoluble. Ello se consigue con la adición de productos químicos, tales como:

- Cal

- Sulfato de alúmina

- Cloruro férrico

- Sulfato férrico.

Este proceso puede tener lugar en distintas etapas del tratamiento. Vamos a analizar as ventajas e inconvenientes de cada una de ellas.

– Tratamiento primario

Ventajas:

- Se puede aplicar a la mayoría de las estaciones

- Alta eliminación de DBO y sólidos en suspensión

- Escasas pérdidas de productos químicos

- Recuperación de la cal

Inconvenientes:

- Escasa eficacia del empleo del producto químico

- Puede necesitarse polímeros para la floculación

- Fango difícilmente deshidratado

– Tratamiento secundario

Ventajas:

- Bajo coste

- Bajas dosis de productos químicos

- Mejora la estabilidad del fango activo

- No requiere de polímeros

Desventajas:

- Toxicidad del metal por sobredosis a pH bajo

- No puede usarse cal por valores altos del pH

- Disminuye el porcentaje de sólidos volátiles

– Tratamiento terciario

Ventajas:

- La concentración de fósforo en el efluente es mínimo

- Alta eficacia en el empleo del producto químico

- Recuperación de la cal

Desventajas:

- Alto coste de inversión

- Alta pérdida del metal del producto químico

Materia orgánica refractaria

La eliminación de la materia orgánica refractaria puede realizarse mediante:

– **Adsorción sobre carbón**

Puede utilizarse dos tipos de carbón activo:

- Granular

- En polvo

Con este proceso se consigue los siguientes valores:

- DBO = 2-7 mg/L

- DQO = 10-20 mg/L

– **Oxidación química**

La materia orgánica residual puede eliminarse mediante su reducción con cloro y ozono. El empleo de estos productos químicos aporta también las siguientes ventajas:

PRODUCTO	VENTAJAS
Cloro	Desinfecta el agua
	Reduce los valores de DBO
Ozono	Desinfecta el agua
	Reduce los valores de DQO
	Elimina el color

– **Sustancias inorgánica disueltas**

Las sustancias inorgánicas disueltas pueden eliminarse mediante:

- **Precipitación química**

  La precipitación química del fósforo se logra mediante el empleo de coagulantes (vistos en el tema 4 de la presente unidad formativa).

· ### Intercambio iónico

El procesos es similar al estudiado para la eliminación del nitrógeno.

· ### Ósmosis inversa

Consiste en pasa el agua residual a través de una membrana se-mipermeable a una presión mayor que la osmótica provocada por las sales disueltas en el agua residual al otro lado de la membrana. El agua se desplaza del lugar de alta concentración al de baja con-centración.

Su principal inconveniente es su alto coste.

· ### Electrodiálisis

Consiste en la separación de los componentes iónicos del agua residual mediante membranas selectivas y semipermeables y con la generación de una corriente eléctrica que atraviesa la masa de agua. Los cationes van al electrodo positivo y los aniones la nega tivo.

6.2. Filtros

Los **objetivos** de la filtración son:

> - Conseguir una mayor eliminación de los sólidos en suspensión de los efluentes producidos tras los tratamientos biológico y químico
>
> - Realizar una eliminación del fósforo (P) precipitado por vía química

Sabías que

La filtración es un proceso muy empleado durante años en el tratamiento de las aguas potables mientras que en las aguas residuales es de reciente utili-zación.

El proceso de filtración consta de dos **etapas**:

— **Filtración**

La filtración se realiza haciendo circular el agua residual a través de un lecho granular con presencia o ausencia de productos químicos. El proceso de eliminación de los sólidos en suspensión dentro del lecho granular se realiza mediante:

· Tamizado

· Interceptación de partículas

· Sedimentación

· Absorción

La etapa de filtración termina cuando se producen estas dos circunstancias:

› La concentración de sólidos en suspensión en el agua aumenta por encima del valor deseable

› Se desarrolla una pérdida de carga prefijada a través del lecho

En condiciones ideales, ambas deberían ocurrir simultáneamente.

— **Lavado**

Una vez que finaliza la etapa de filtración, el filtro ha de ser lavado para eliminar las partículas que se han acumulado en él. Se utiliza una cauda de agua a contracorriente y con una presión tal que permita la expansión del lecho y el arrastre de las partículas incrustadas.

El agua empleada en este proceso pasa a:

· Sedimentación primaria

· Tratamiento biológico

Atendiendo a como se realizan ambas etapas distinguimos **dos tipos de filtración**:

· Semicontinua

Las fases de filtración y lavado de las partículas retenidas en el filtro se realizan de forma consecutiva, una detrás de la otra.

· Continua

Las fases de filtración y lavado de las partículas retenidas en el filtro se realizan simultáneamente.

Los sistemas de filtración también se pueden **clasificar** atendiendo a las cuatro características siguientes:

Tipos de sistemas de filtración

- · Sentido de flujo
- · Tipo de lecho filtrante
- · Presión que actúa en la filtración
- · Control de flujo

Vamos a ver cada una de ellas.

– **Sentido del flujo**

Según el sentido del flujo del agua distinguimos tres tipos de filtración:

· **Flujo descendente**

El agua atraviesa verticalmente el flujo desde la parte superior hacia la inferior. Es el sistema más empleado.

Este tipo de filtro se refleja en la siguiente figura:

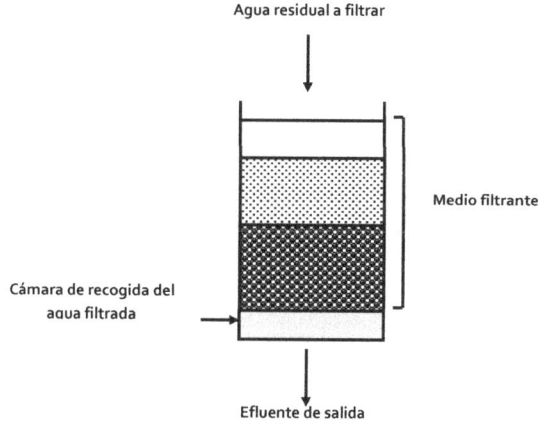

Flujo ascendente

El flujo sube a través del filtro. Después del filtrado el materia más grueso (mayor densidad) se deposita en el fondo y el más fino (menor densidad) en a parte superior. Entre sus ventajas se encuentra:

› Alta eficacia

› El agua residual sometida a filtrado es utilizada posteriormente en la etapa de lavado

Este tipo de filtro se refleja en la siguiente figura:

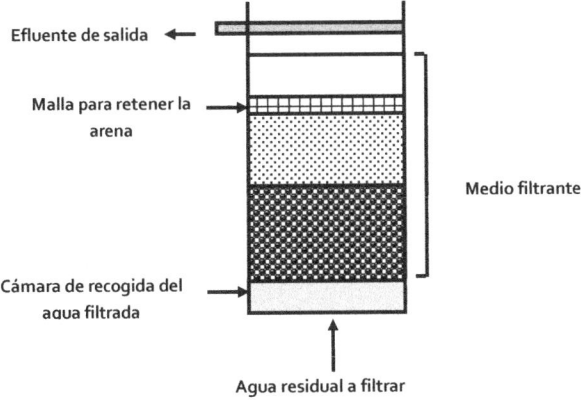

– Biflujo

Una tubería localizada dentro del lecho del filtro recoge el efluente. La etapa de lavado se realiza incrementando el caudal hacia la parte inferior del filtro.

Este tipo de filtro se refleja en la siguiente figura:

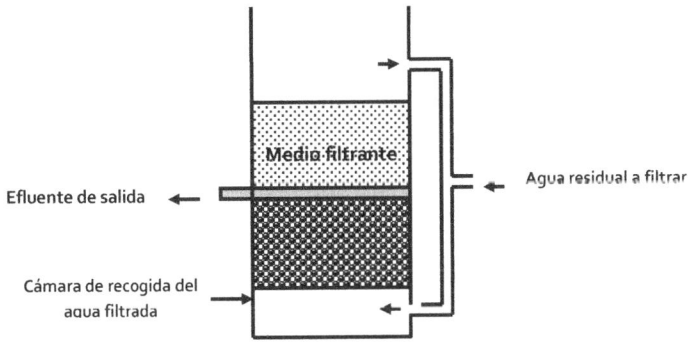

- Tipo de lecho filtrante

Los tipos de lechos filtrantes se clasifican según el número de medios filtrantes empleados. Se distinguen tres tipos:

- Medio único

- Medio doble

- Medio triple

En todos ellos el flujo tiene sentido descendente mientras que los lechos son limpiados en dirección ascendente (a contracorriente).

El grado de mezclado de los granos del lecho (para medio doble y triple) dependerá de:

> La densidad de las partículas

> Las diferencias de tamaño.

Los filtro de medio doble y triple permiten una mayor capacidad de almacenar partículas dentro del lecho lo cual implica una mayor duración de la etapa de filtrado.

- Presión que actúa en la filtración

Consiste en aplicar una fuerza que supere la resistencia por fricción que genera el flujo e un discurrir por el lecho.

Los filtros a presión se suelen emplear en estaciones de tratamiento de aguas residuales de pequeñas dimensiones.

Se realiza en un depósito cerrado bajo determinados valores de presión conseguidos por bombas. Operan con altas pérdidas de cargas por lo que la etapa de filtrado es de larga duración y la de lavado de corto tiempo.

- Control de flujo

El flujo que circula a través de un lecho se expresa con la siguiente fórmula:

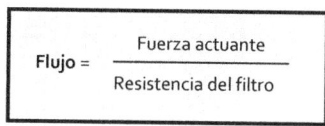

$$\text{Flujo} = \frac{\text{Fuerza actuante}}{\text{Resistencia del filtro}}$$

Al comienzo de la etapa de filtrado, la fuerza actuante (representa la perdida de presión del filtro) debe superar la resistencia que ofrece:

- El lecho (limpio)

- Sistema de recogida del agua filtrada

Con el paso del tiempo, se acumulan partículas en el lecho (éste se ensucia) por lo que la resistencia que ofrece será mayor.

Existen dos métodos para controlar el flujo:

> Filtración a caudal constante. El caudal se mantiene constante debido al empleo de una válvula de control.

> Filtración a caudal variable de forma decreciente

Son varias las **variables** que influyen el proceso de filtración.

En la siguiente tabla vamos a recoger las principales así como el efecto que produce.

VARIABLES	INFLUENCIA
Características del medio filtrante: Tamaño del grano Distribución de dicho tamaño Densidad, composición y forma del grano	Influyen en: La eficacia de la eliminación de partículas El aumento de la pérdida de carga
Porosidad de medio	Establece la cantidad de partículas que pueden retenerse en el lecho
Profundidad del lecho	Influyen a: La duración del ciclo La pérdida de carga
Velocidad	Determina la pérdida de carga Influye en la superficie que precisa el filtro
Características del agua residual: Cantidad de sólidos en suspensión Tamaño y distribución de flóculos Consistencia del flóculo Carga del flóculo Propiedades del fluido	Influye en la eficacia de la eliminación de partículas para un filtro dado

Importante

Se ha comprobado que las variables más importantes son:

Variables más importantes
- Naturaleza de las partículas presenten en el agua residual
- Tamaño de los materiales que conforman el filtro
- Caudal de filtración

Vamos a analizar ahora los mecanismos que se producen en los filtros para eliminar las partículas en suspensión.

MECANISMO	OBSERVACIÓN
Retención	Se produce una retención mecánica de las partículas de mayor diámetro que los poros del filtro y un retención de contacto aleatorio de las partículas de menor diámetro (quedan atrapadas dentro de él)
Sedimentación	Las partículas precipitan sobre el lecho
Impacto	Las partículas de peso elevado no siguen las líneas de corriente del flujo
Intercepción	Las partículas, que se desplazan en el mismo sentido que las líneas de corriente, se eliminan por contacto con la superficie del filtro
Adhesión	Las partículas en suspensión se adhieren a la superficie del lecho. Sin embargo, parte de ella es arrastrada y transportada a zonas más profundas del lecho provocando la obturación del lecho.
Adsorción química	Se establecen enlace o interacciones químicas entre las partículas o entre éstas y el filtro
Adsorción física	Se establecen fuerzas electrostáticas, electrocinéticas o de Van de Waals entre las partículas o entre éstas y el filtro
Floculación	Los flóculos formados en el agua residual son eliminados mediante alguno de los cinco primeros mecanismos que refleja esta tabla
Crecimiento biológico	Se produce disminución del tamaño del poro del filtro al crecer en él microorganismos

6.3. Desinfección

La desinfección consiste en la eliminación, de forma selectiva, de los microorganismo existentes en el agua (bacterias y virus principalmente) capaz de provocar enfermedades a la población.

Recuerda

Entre las principales enfermedades causadas por bacterias y virus se encuentran:

	ORGANISMO	ENFERMEDAD	SÍNTOMAS
BACTERIAS	Escherichia coli	Gastroenteritis	Diarrea
	Legionella pneumophila	Legionelosis	Enfermedades respiratorias agudas
	Leptospira	Leptospirosis	Fiebre
	Salmonella typhi	Fiebre tifoidea	Fiebre alta, diarrea, úlceras en el intestino delgado
	Salmonella sp	Salmonelosis	Envenenamiento de alimentos
	Shigella	Shigelosis	Disentería bacilar
	Vibrio Cholerae	Cólera	Diarreas muy fuertes y deshidratación
	Yersina enterolitica	Yersinosis	Diarreas
VIRUS	Adenovirus	Enfermedades respiratorias	Fiebre y vómitos
	Enterovirus	Gastroenteritis, anomalías cardiacas, meningitis	
	Hepatitis A	Hepatitis infecciosas	
	Agente Norwalk	Gastroenteritis	
	Reovirus	Gastroenteritis	
	Rotavirus	Gastroenteritis	

Gran parte de los microorganismos patógenos presentes en el agua residual son eliminados en los tratamientos físico-químicos, tales como:

Tratamientos físico-químicos

- Absorción
- Filtración
- Sedimentación
- Coagulación

Sin embargo, se precisa de una eliminación mas exhaustiva para asegurar una protección total contra las enfermedades.

A diferencia de la esterilización, la desinfección no elimina totalmente todos los microorganismos presente en el agua. Así, existen determinados organismos como el virus de la poliomelitis o de la hepatitis que no son eliminados.

La desinfección del agua residual, y especialmente del agua potable, es una técnica empleada desde la antigüedad. Vamos a hacer un recorrido por la historia para ver la evolución de esta técnica.

Se ha estudiado que en la antigua Persia existía una ley que establecía que el agua potable, antes de su empleo, debía ser almacenada en vasijas de plata o cobre brillante.

Los egipcios, en el año 100 a.C, utilizaban la filtración y vasijas de porcelana para desinfectar el agua potable.

En 1854 se produjo en Londres una epidemia de cólera asociada a un pozo de agua. Esta epidemia fue la primera detectada con una extensa distribución de la enfermedad.

En 1892, en Hamburgo (Alemania) se demostró la relación directa existente entre el agua infectada y la transmisión de la enfermedad del cólera. Se registró, en apenas 60 días, 17000 casos de cólera donde más de la mitad de ellos acabaron con la muerte del infectado.

En ese mismo año, la ciudad de Altona (Alemania) que también recibía agua del río Elba, registró escasos casos de enfermedad. Ello fue debido a que realizada una desinfección del agua mediante filtración lenta con arena.

En 1872, en Lausana (Suiza) de desarrolló una epidemia de fiebre tifoide. Dicha epidemia, cuyo origen fue la contaminación de los suministros del agua pública, duró más de un cuarto de siglo.

Otras epidemias importantes fueron:

- Plymouth (Pensilvania) en 1885

- Masachussets (1890-1891)

- Chicago (Illinois) en 1890-1892

- Ashland (Wisconsin) en 1893-1894

- Mankato (Minnesota) en 1908

- Pittsburg (Pennsylvania) en 1895-1905

Después de varias epidemias muy graves de cólera, se empiezan a emplear en Londres filtros de arena para purificar el suministro de agua. Sin embargo , la desinfección química no se extendió hasta varios años después.

La desinfección química se introdujo en 1904 después de la epidemia de fiebre tifoidea en Lincoln. El agente desinfectante empleado fue hipoclorito sódico.

Posteriormente, en 1908, se empleó hipoclorito cálcico en Chicago (Estados Unidos).

En 1910, el Tribunal Supremo de New Jersey, dictó una normativa por la cual la ciudad tenía derecho de clorar sus aguas en interés de la salud pública.

Sabías que

Este hecho es considerado el hito más importante respecto al uso de agentes químicos para el empleo de la desinfección del agua.

El agente químico más empleado en este tiempo fue el hipoclorito.

Los principales **métodos** de **desinfección** son cuatro:

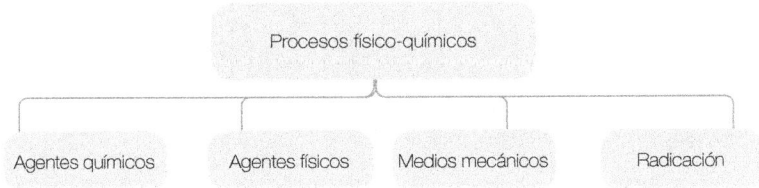

Vamos a ver cada uno de ellos.

— **Agentes químicos**

Los agentes químicos más empleados son:

- El cloro y sus compuestos

- El bromo

- El yodo

- El ozono

- El fenol y los compuestos fenólicos

- Los clorantes

- Los jabones

- Los compuestos amoniacales cuaternarios

- El agua oxigenada

- Ácidos y alcalis diversos

El más empleado es el cloro y sus compuestos (véase epígrafe 6.3.1) seguido del ozono (véase epígrafe 6.3.4)

— **Agentes físicos**

Los desinfectantes físicos utilizados son:

- **La luz**

  La radiación ultravioleta (UV) ha demostrado ser muy efectiva (véase epígrafe 6.3.3)

- **El calor**

  Si se calienta el agua hasta su ebullición se consigue la eliminación de gran número de bacterias.

— **Medios mecánicos**

Entre los medios mecánicos más empleados están:

- Tamices de malla gruesa y fina

- Desarenadores

- Sedimentación primaria y química

- Filtros percoladores

- Fangos activos

- **Radiación**

  Los principales tipos de radiación son:

  - Electromagnética

  - Acústica

  - De partículas

Vamos a estudiar ahora los mecanismos de acción de los agentes desinfectantes vistos anteriormente.

Los desinfectantes provocan 4 **acciones** en las células de los microorganismo patógenos:

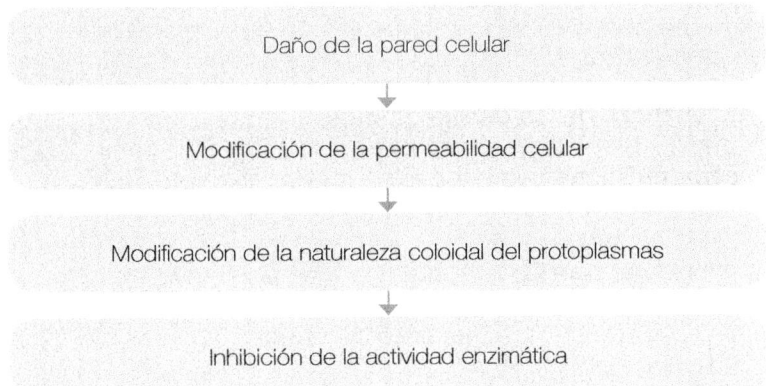

La mayor parte de los desinfectantes realizan una inhibición de la actividad enzimática que provocan la destrucción de la proteína celular. Ello implica que se tiene que producir:

- Una penetración del desinfectante en la pared celular

- Una reacción con los enzimas.

Otros compuestos como el cloro y sus derivados o el ozono provocan daños en la pared celular provocando una degradación química que da lugar a la lisis celular.

Los compuestos fenólicos o los detergentes realizan una alteración de la permeabilidad de la membrana citoplasmática. Ello provoca que salgan la exterior nutrientes como el nitrógeno y el fósforo, los cuales son vitales para el desarrollo celular.

La naturaleza coloidal del protoplasma es modificado por:

- El calor,

- La radicación;

- Los agentes ácidos o alcalinos.

Las altas temperaturas provocan una coagulación de la proteína celular. Los ácidos o las bases desnaturalizan la proteína. Esto provoca la muerte celular.

6.3.1. Criterios para una adecuada desinfección

Para que la desinfección sea efectiva se deben de cumplir o tener en cuenta una serie de requisitos:

– **Características de los desinfectantes**

Las **características** que debe tener un desinfectante para una correcta acción son:

- Toxicidad para los microorganismos pero no para las formas de vida superiores

- Solubilidad

- Estabilidad

- Homogeneidad

- No interacción con materias extrañas

- Toxicidad a temperatura ambiente

- Capacidad de penetración a través de la superficie

- No corrosivo

- No colorante

- Capacidad desodorante

- Disponibilidad (bajo coste)

— **Velocidad de desinfección**

La desinfección no es un proceso instantáneo sino gradual que implica una serie de fases:

- Físicas

- Químicas

- Biológicas.

La velocidad de destrucción de los microorganismos por la acción de un desinfectante se representa con la siguiente expresión:

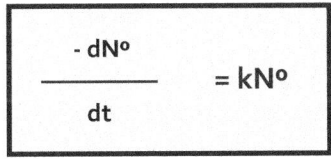

$$\frac{-dN^{o}}{dt} = kN^{o}$$

Donde:

$-dN^{o}/dt$ = velocidad de destrucción de microorganismos

k = constante de velocidad. Es un valor característico para cada microorganismo.

N^{o} = número de organismos que sobreviven.

Sabías que

Esta expresión es conocida como la Ley de Chick y representa una ecuación cinética de primer orden.

Sin embargo, esta expresión presenta limitaciones pues e la práctica al velocidad de destrucción no permanece constante sino que varía con el tiempo. Se representa con la siguiente expresión:

$$\frac{-dN^o}{dt} = k_1N^o + k_2N^o (No^o - N^o)$$

- Concentración del agente químico

La efectividad de un desinfectante está directamente relacionado con su concentración.

La expresión que representa está relación es la siguiente:

$$C^n t_p = \text{constante}$$

Donde:

C = concentración del desinfectante

n = constante característica para cada desinfectante

tp = tiempo necesario para alcanzar un porcentaje de mortalidad constante.

- Intensidad y naturaleza del agente físico

Ya se ha mencionado anteriormente que los agentes físicos (calor y luz) pueden ser empleados en la desinfección del agua residual y potable. Se ha demostrado que existe una relación directa entre la efectividad de la desinfección con la intensidad del agente.

La expresión que representa está relación es la siguiente:

$$\frac{dN^{\circ}}{dt} = -kN$$

Donde:

N = número de organismos

t = tiempo

k = constante de la velocidad de reacción

El efecto de la intensidad viene dado por el valor de k.

– **Temperatura**

Altas temperaturas provocan un aumento de la velocidad de mortalidad de los microorganismos. La expresión que relaciona esto en función del tiempo necesario para alcanzar una tasas de mortalidad es la siguiente:

$$\ln \frac{t_1}{t_o} = \frac{E(T_2 - T_1)}{RT_1T_2}$$

Donde:

t1, t2 = tiempo necesario para alcanzar la tasa de mortalidad a las temperatutas T1 y T2

E = energía de activación

k = constante de los gases ideales (8,314 J/mol K)

– **Ph del medio**

Se ha demostrado que la mayoría de los microorganismos son destruidos con valores extremos de pH (menores de 3 y mayores de 11). Sin embargo, a valores de entre 4-10, el pH puede influir sobre la actividad del desinfectante en el agua residual a través de reacciones químicas.

— **Materia orgánica**

La materia orgánica presente en el agua residual puede provocar tres efectos:

Efectos de la matera orgánica

- Retrasar o evitar la acción del desinfectante al adherirse a la superficie celular
- Reaccionar con especies disueltas formando complejo de sustitución (menos efectivos)
- Oxidar la materia orgánica. Ello provoca la reducción del desinfectante y la pérdida de sus propiedades para la muerte de los microorganismos.

Recuerda

La presencia de materia orgánica está relacionada con una mayor turbidez del agua.

— **Número de microorganismos**

A mayor concentración de microorganismos en el agua residual, mayor será el tiempo necesario para obtener una tasas de mortalidad dada.

Esto se refleja en la siguiente ecuación:

$$C^q N_p = \text{constante}$$

Donde:

C = concentración del desinfectante

Np = concentración de microorganismos

q = constante relacionada con la intensidad de un desinfectante.

— **Tipos de microorganismos**

La efectividad del desinfectante dependerá del tipo de microorganismo sobre el que actúe. Por ejemplo:

· Células bacterianas, se destruyen de forma bastante fácil

· Esporas bacterianas, son altamente resistentes por lo que su destrucción es compleja

Algunas veces los productos químicos no muestran el efecto necesario y se precisa de agentes físicos como el calor.

6.3.2. Desinfección con cloro o derivados

Actualmente, el cloro es el desinfectante más empleado debido a que presenta las siguientes características:

CARACTERÍSTICAS	OBSERVACIONES
Toxicidad para los microorganismos	Alta
Solubilidad	Ligera
Estabilidad	Estable
Toxicidad para formas de vida superiores	Altamente tóxico
Homogeneidad	Buena
Interacción con materiales extraños	Oxida la materia orgánica
Toxicidad a temperatura ambiente	Alta
Penetración	Alta
Corrosividad	Alta
Capacidad desodorante	Alta
Disponibilidad	Muy buena (bajo coste)

Los compuestos de cloro más empleados son:

– Cloro gas (Cl2)

– Dióxido de cloro (ClO2)

– Cloruro de bromuro (ClBr)

– Hipoclorito sódico (NaOCl)

– Hipoclorito de calcio (Ca(OCl)2)

Vamos a ver los tres primeros dado su mayor empleo en las estaciones de tratamiento.

– **Cloro gas (Cl2)**

Su adición al agua hace que se generen dos reacciones químicas:

· Hidrólisis

$$Cl_2 + H_2O \longrightarrow HOCl + H^+ + Cl^-$$

· Ionización

$$HOCl \longrightarrow H^+ + OCl^-$$

La distribución relativa del HOCl y el OCl- , denominados cloro libre disponible, es crucial puesto que el HOCl posee entre 40 y 80 veces mayor poder destrucción de microorganismos que el OCl-.

El ácido hipocloroso (HOCl) es muy reactivo por lo que reaccionará con el amoniaco (NH3) que se encuentra en el agua residual generando tres tipos de cloramidas según las siguientes reacciones:

$$NH_3 + HOCl \longrightarrow NH_2Cl \text{ (mocnocloramina)} + H_2O$$
$$NH_2Cl + HOCl \longrightarrow NHCl_2 \text{ (dicloroamina)} + H_2O$$
$$NHCl_2 + HOCl \longrightarrow NCl_3 \text{ (triclocruro de nitrógeno)} + H_2O$$

Importante

Las cloramidas poseen también poder desinfectante pero su velocidad de reacción es muy lenta.

Esta reacción del ácido hipocloroso con el amoniaco dificulta la tarea de desinfección al variar su concentración en el agua residual.

La **eficacia** desinfectante del cloro está determinada por una serie de factores:

- **Mezcla de la masa de agua**

  La adición de cloro en un régimen turbulento incrementa su capacidad desinfectante en dos órdenes de magnitud.

- **Tiempo de contacto**

  A mayor tiempo de contacto, mayor capacidad desinfectante.

- **Características del agua residual**

  Así por ejemplo, una alta concentración de compuestos orgánicos dificulta la acción del cloro como desinfectante.

- **Características de los microorganismos**

  A menor edad del cultivo bacteriano menor tiempo se requiere para la desinfección.

– **Dióxido de cloro (ClO2)**

El dióxido de cloro un compuesto cuyo poder de desinfección es superior al cloro gas tanto para la destrucción de bacterias como de virus.

La generación de este compuesto químico se realiza in situ por su carácter inestable y explosivo.

La reacción química que tiene lugar es la siguiente:

$$2NaClO_2 + Cl_2 \longrightarrow 2ClO_2 + 2NaCl$$

Entre sus **ventajas** se encuentran:

- Alto poder germicida debido a su elevado poder de oxidación. Se cree que el dióxido de cloro provoca la inactivación enzimática de las bacterias con la consiguiente inhibición de la síntesis de proteínas.

- No reacciona con el amoniaco, por lo que no se generan cloramidas.

- No se forman cantidades apreciables de compuestos orgánicos halogenados.

- No reacciona con el agua ni se disocia en ella.

Entre sus inconvenientes se encuentran:

- Generación de productos tóxicos como el clorito o el clorato.

– **Cloruro de Bromuro (ClBr)**

Su poder desinfectante no se encuentra muy estudiado pero parece tener las misma efectividad que el cloro gas.

Las reacciones químicas que tienen lugar en el agua son:

$$BrCl + H_2O --> HOBr + HCl$$
$$HOBr --> H^+ + OBr$$

El cloruro de bromuro puede reaccionar, al igual que ocurre con el cloro gas, con el amoniaco generando bromaminas. Estos compuestos son inestables y se descomponen en sales de bromo y de cloro (inocuas).

Entre sus **ventajas** se encuentran:

- Alto poder desinfectante (inhibe la actividad enzimática de las células)

- Forma subproductos (bromaminas) inocuos.

Importante

La desinfección con los tres compuestos de cloro estudiados (cloro gas, dióxido de cloro y cloruro de bromuro) precisa posteriormente de un proceso de decloración para la eliminación de los compuestos de cloro combinados. Estos compuestos precisan de su eliminación tanto para los casos en que el fluente es vertido al medio, cómo si es reutilizado.

6.3.3. Desinfección con radiación ultravioleta

La radicación ultravioleta se ha empleado comúnmente en los procesos de potabilización de aguas domésticas siendo su aplicación en aguas residuales aún muy escasa.

La generación de radiación UV para la desinfección del agua residual se produce mediante lámparas de arco de mercurio a baja presión. Estas lámparas se caracterizan por:

— Emitir el 85% de su luz a una longitud de onda de 253,7 nm (luz monocromática)

Importante

El intervalo óptimo para obtener una mayor tasa de mortalidad de microorganismos se encuentra entre 250-270 nm.

— Tener una longitud de entre 0,75-1,5 m

— Tener un diámetro de entre 10-20 mm

Para la producción de la radiación UV, el vapor de mercurio contenido en la lámpara se carga al contacto con un arco eléctrico. La excitación del vapor de mercurio genera energía produciendo la emisión de estos rayos.

Las lámparas pueden colocarse:

· Fuera del agua

· Sumergidas

Vamos a analizar ahora sus principales ventajas e inconvenientes:

Entre sus **ventajas** se encuentra:

· **Alta eficacia en la destrucción de virus y bacterias**

La radiación UV (cuya longitud de onda es de aproximadamente 254 nm) penetra en la pared celular y es absorbida por el ADN y el

ARN produciendo:

› La imposibilidad de la reproducción celular

› La muerte del organismo

· **No forma compuestos tóxicos**

Dado que es una gente físico y no químico, no genera compuestos tóxicos.

Entre sus principales **inconvenientes** se encuentra:

· **Baja efectividad para aguas que presenten:**

› Alta turbidez

› Altas concentraciones de sodio

Importante

La efectividad del proceso depende de la penetración de la radiación en la masa de agua. Por ello, la geometría entre la lámpara y el agua es un dato clave puesto que absorbe radiación UV:

– Partículas en suspensión

– Moléculas orgánicas disuelta

– Microorganismos

– Masa de agua

Vamos a hablar ahora de otros dos tipos de radiaciones:

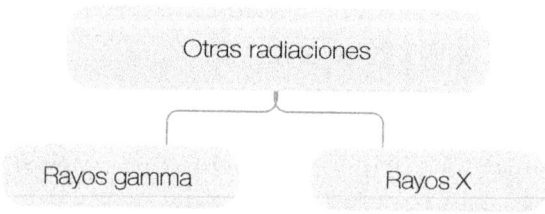

Vamos a ver cada una de ellas:

– Rayos gamma

La radiación gamma emite a longitudes de onda muy corta.

Es altamente efectiva en la destrucción de microorganismos debido a su alto poder de penetración en el interior celular.

Su fuente principal de emisión es el cobalto 60, el cual emite a altas energías (1,10-1,3 MeV). Este tipo de energía presenta una longitud de onda de una fracción de 1 Angström.

Importante

Los rayos gamma son un millón de veces más potentes que los ultravioletas pues presentan una capacidad de penetración mucho más elevada.

Los rayos gamma provocan:

- Reacciones de ionización dentro en las moléculas intracelulares y posterior destrucción

- Producción de radicales libres y átomos inestables que reaccionan con las moléculas orgánicas o causan efectos en las células vivas.

Vamos a sintetizar sus ventajas e inconvenientes:

– Ventajas

- Es muy eficaz en al eliminación de esporas y virus.

– Inconvenientes:

- Elevado precio

- Aplicación compleja, precisa de extremos cuidados.

Sabías que

La bacteria E. coli es fácilmente destruible por esta radiación.

— **Rayos X**

Tiene propiedades, respecto a la destrucción de microorganismos, similares a los rayos gamma.

Son generados por el bombardeo electrónico contra un tubo pesado de metal situados en un tubo de rayos X conectado a una bomba de vacío.

6.3.4. Ozonización

La desinfección con ozono se empezó a utilizar a principios del siglo XX en Francia. Su empleo se ha extendido en los últimos años a todos los países de Europa y a EEUU fundamentalmente.

Sabías que

La desinfección con ozono se empleaba únicamente para el agua potable hasta hace relativamente pocos años que se ha convertido en una técnica competitiva.

A continuación mostramos las principales características del ozono como desinfectante:

CARACTERÍSTICAS	OBSERVACIONES
Toxicidad para los microorganismos	Alta
Solubilidad	Alta
Estabilidad	Inestable (debe generarse a medida que se consume)
Toxicidad para formas de vida superiores	Tóxico
Homogeneidad	Buena
Interacción con materiales extraños	Oxida la materia orgánica
Toxicidad a temperatura ambiente	Alta
Penetración	Alta
Corrosividad	Alta
Capacidad desodorante	Alta
Disponibilidad	Media (coste moderadamente elevado)

— Se considera como una alternativa viable a la desinfección con cloro pues presenta las siguientes **ventajas**:

· Es un oxidante muy reactivo que destruye a las células mediante la rotura de su pared celular (lisis)

· Elimina a una gran cantidad de virus, algunos de los cuales no son eliminados con cloro.

· No produce sólidos disueltos

· No se ve afectado por la presencia de amonio ni por el pH del agua

· No presenta efectos perjudiciales para el medio acuático debido a su baja estabilidad

· Destruye el ácido húmico

- Aumenta la concentración de oxígeno disuelto

- No altera las propiedades organolépticas (olor, color y gusto)

- Elimina el hierro y el manganeso

- No genera sustancias tóxicas

- Elimina materia orgánica refractaria

Sabías que

Una concentración de ozono de 1,010ppm es capaz de destruir el 99,9% de E. coli en tan sólo 100 segundos.

No obstante, presenta también algunos **inconvenientes**:

- La reactividad del ozono no es buena en aguas con elevadas concentraciones de materia orgánica o impurezas inorgánicas oxidables.

- No suministra una protección a largo plazo contra los microorganismo patógenos por lo que se precisa de una posterior cloración.

El ozono se **genera** a partir de oxígeno o aire. Para ello se hace circular, entre dos electrodos separados por un reducido espacio, una corriente eléctrica de alto voltaje. Las moléculas de oxígeno se disocian y al unirse con otras dos se genera dos moléculas de ozono.

Las reacciones químicas de formación del ozono son las siguientes:

$$O_2 \longrightarrow O + O$$
$$2 O_2 + O + O \longrightarrow 2O_3$$

Las **reacciones químicas** que tienen lugar en la desinfección con ozono son las siguientes:

$$O_3 + H_2O \longrightarrow HO_3^+ + OH^-$$
$$HO_3^+ + OH^- \longrightarrow 2 HO_2$$
$$O_3 + HO_2 \longrightarrow HO + 2 O_2$$
$$HO + HO_2 \longrightarrow H_2O + O_2$$

UD6
Lo más importante

- La decantación es el proceso mediante el cual se produce la separación de las partículas disueltas en el agua gracias la acción de la gravedad.

- El objetivo de la decantación física es separar las sustancias que se encuentran en suspensión y disolución en las aguas residuales que no pueden ser eliminadas en tratamientos anteriores ya que poseen un mayor peso que el agua y reducir los valores de DBO5 debido a que las partículas arrastran en su sedimentación bacterias.

- En le proceso d decantación influyen una serie de factores: tamaño de la partícula, peso específico de las partículas, concentración de sólidos en suspensión, temperatura, tiempo de retención, velocidad ascensorial, velocidad de flujo, acción del viento sobre la superficie del fluido y fuerzas biológicas y eléctricas.

- La decantación física es un proceso obligatorio si posteriormente se vierten las aguas en terrenos agrícolas o si se emplea un sistema biológicos de lechos bacterianos en el tratamiento secundario

- La precipitación química en el tratamiento de las aguas residuales consiste en la adición de sustancias químicas al agua residual con el fin de: alterar el estado físico de los sólidos (disueltos y en suspensión) y facilitar su eliminación mediante sedimentación.

- El nitrógeno se encuentra en el agua residual en cuatro formas: nitrógeno orgánico, nitrógeno amoniacal, nitrito y nitrato.

– El fósforo puede encontrarse en el agua residual en tres formas distintas: ortofosfato, polifosfato y fósforo orgánico.

– El 10% del fósforo presente en el agua residual es eliminado en la decantación primaria. El resto se elimina, mediante sedimentación, por la formación de un precipitado insoluble

– La eliminación de la materia orgánica refractaria puede realizarse mediante adsorción sobre carbón y oxidación química

– Las sustancias inorgánicas disueltas pueden eliminarse mediante: precipitación química, intercambio iónico, ósmosis inversa y electrodiálisis

– Los objetivos de la filtración son conseguir una mayor eliminación de los sólidos en suspensión de los efluentes producidos tras los tratamientos biológico y químico y realizar una eliminación de fósforo (P) precipitado por vía química

– El proceso de filtración consta de dos etapas: filtración y lavado.

– La variables que influyen en el proceso de filtración son: características del medio filtrante, porosidad del medio, profundidad del lecho, velocidad y características del agua residual.

– La desinfección consiste en la eliminación, de forma selectiva, de los microorganismo existentes en el agua (bacterias y virus principalmente) capaz de provocar enfermedades a la población.

– Gran parte de los microorganismos patógenos presentes en el agua residual son eliminados en los tratamientos físico-químicos, sin embargo, se precisa de una eliminación mas exhaustiva para asegurar una protección total contra las enfermedades

– Los principales métodos de desinfección son: agentes químicos, gentes físicos, medios mecánicos y radiación.

– Los desinfectantes provocan 4 acciones en las células de los microorganismo patógenos: daño en la pared celular, modificación de la pared celular, modificación de la naturaleza coloidal de del protoplasma e inhibición de la actividad enzimática.

– Las características que debe tener un desinfectante para una correcta acción son: toxicidad para los microorganismos pero no para las formas de vida superiores, solubilidad, estabilidad, homogeneidad, no interacción con materias extrañas, toxicidad a temperatura ambiente, capacidad de penetración a través de la superficie, no corrosivo, no colorante, capacidad desodorante y disponibilidad (bajo coste)

UD6
Autoevaluación

1. El nitrógeno:

   a. Se presenta en el agua residual en tres formas distintas

   b. El nitrito y el nitrato son las formas predominantes

   c. Siempre tienen un origen natural

   d. Pueden tener un origen natural o artificial

2. La desnitrificación:

   a. Es un proceso altamente estable y fiable

   b. Proceso de difícil control

   c. Requiere mucho espacio de terreno

   d. Su coste es excesivo

3. La cloración al breakpoint:

   a. No puede combinarse con otros procesos.

   b. Puede eliminar totalmente la cantidad do nitrógono amoniacal del agua

   c. No se tiene que regular el caudal a tratar para optimizar el rendimiento

   d. El efluente no precisa de tratamiento para su vertido final al medio

4. El fósforo:

    a. Se encuentra en el agua residual únicamente en forma de ortofosfato

    b. El 10% es eliminado en la decantación secundaria

    c. Procede, entre otros, de abonos y fertilizantes

    d. Su eliminación en el tratamiento primario precisa de bajo coste de inversión

5. La filtración:

    a. Realizar una eliminación del nitrógeno precipitado por vía química

    b. Consta de tres etapas

    c. Siempre se adiciona productos químicos en el proceso

    d. Emplea un lecho granular

6. La desinfección:

    a. Consiste en la eliminación de los microorganismo existentes en el agua capaz de provocar enfermedades a la población

    b. Solo elimina formas bacterianas

    c. Realiza una eliminación total de microorganismos

    d. Sólo elimina formas víricas

7. Entre los agentes químicos más empleados en la desinfección no se encuentra:

    a. El bromo

    b. El yodo

    c. El ozono

    d. La radiación UV

8. El cloro y sus derivados provoca:

    a. Daños en la pared celular

    b. Una alteración de la permeabilidad de la membrana citoplasmática

    c. Una modificación de la naturaleza coloidal del protoplasma

    d. Una inhibición de la actividad enzimática

9. El cloro:

   a. No es estable

   b. Reduce la materia orgánica

   c. Presenta una toxicidad para los microorganismos alta

   d. Su corrosividad es baja

10. La desinfección con radiación UV:

    a. No se emplea en la potabilización de aguas domésticas

    b. Emplea lámparas de mercurio de baja presión

    c. Forma compuestos tóxicos

    d. Presenta baja eficacia en la eliminación de virus y bacterias

Área: seguridad y medioambiente

UD7
Línea de lodos de una EDAR

7.1. Lodos primarios, secundarios y lodos mixtos

En el tratamiento de las aguas residuales, se ha producido la sedimentación de los sólidos disueltos en dos etapas:

— Decantación primaria.

— Decantación secundaria.

La contaminación de las aguas ha quedado depositado en ambos tanques de sedimentación en forma de lodos.

Distinguimos los siguientes tipos de lodos:

Tipo de lodos	Características
Primarios	Se caracterizan por tener textura limosa, su color varía de marrón a gris, se vuelven sépticos y general mal olor.
Precipitación química	Poseen un color negruzco y no presentan tan mal olor como los anteriores, aunque a veces, puede ser desagradable. Su velocidad de descomposición es también menor
Secundarios: Proceso de fangos activos	Poseen un color marrón y su densidad es relativamente baja. No suelen generar olores desagradables debido a que están aireados. Si el grado de aireación disminuye se producen condiciones sépticas con el consiguiente malo olor característico y el oscurecimiento del lodo.

Tipo de lodos	Características
Secundario: Proceso de lechos bacterianos	Al igual que los anteriores, son de color marrón y no generan malos olores si están frescos (bien aireados). Su velocidad de degradación suele ser menor que a del proceso de fangos activos.
Mixtos	Su color es marrón oscuro tirando a negro. Contiene gas en cantidades relativamente elevadas. Si está bien digerido no genera malos olores.

Los lodos descritos anteriormente presentan características distintas en cuanto s su composición. Vamos a mostrar en una tabla, la composición media de los lodos generados en el tratamiento de un agua residual de origen urbano:

	Lodos primarios	Lodos secundarios	Lodos mixtos
Sólidos en suspensión - SS- (g/hab x día)	30-36	18-29	31-40
Contenido en agua (%)	92-96	97.5-98	94-97
Sólidos en suspensión volátiles (% SS)	70-80	80-90	55-65
Grasas (% SS)	12-16	3-5	4-12
Proteínas (% SS)	4-14	20-30	10-20
Carbohidratos (% SS)	8-10	6-8	5-8
pH	5.5-6.8	6.5-7.5	6.8-7.6
Fósforo (% SS)	0.5-1.5	1.5-2.5	0.5-1.5
Nitrógeno (% SS)	2-5	1-6	3-7
Bacterias patógenas (nº por 100 ml)	1000-100000	100-1000	10-100
Organismos parásitos (nº por 100 ml)	8-12	1-3	1-3
Metales pesados (% SS)	0.2-2	0.2-2	0.2-2

Fuente: Hernández Muñoz, A (1996)

Respecto a los compuestos mencionados en la tabla, hay dos que presentan problemas: los metales pesados y los organismos patógenos.

Vamos a ver cada uno de ellos.

Metales pesados

Los metales pesados presentes en los lodos pueden provocar dos efectos:

— Reducción del proceso de fermentación en los digestores. Ello provoca:

  · La disminución en un 10% de la generación de metano.

  · La no digestión de parte de la materia orgánica.

  · Aumento de la concentración de ácidos grasos y sólidos volátiles en el licormezcla.

— Su no utilización en labores agrícolas:

  Los metales pesados son absorbidos por las plantas y entran a forma parte de la cadena alimenticia.

Los metales pesados presenten en el fango, por orden de toxicidad son:

— Cromo.

— Cobre.

— Zinc.

— Cadmio.

— Níquel.

El problema de la existencia de metales pesados se puede resolver mediante:

— El empleo de disolventes orgánicos: tolueno (para el cadmio y el plomo) y pirideno (para el zinc).

— El empleo de ácidos minerales y complexonas.

— La oxidación seguida de un ataque en un medio ácido.

— La neutralización con cal y potasio con precipitación química.

Organismos patógenos

Los organismos patógenos, al igual que los metales, pueden ser arrastrados y entrar a formar parte de la cadena alimenticia si entran en contacto con especies vegetales, causando enfermedades.

Entre los organismos patógenos se encuentran:

Bacterias	Virus	Protozoos	Nemátodos	Tremátodos	Céstodes
Clostridium					
Escherichia	Adenovirus				
Leptospira	Echovirus				
Mycobacterium Salmonella	Hepatitis A Poliovirus	Entamoeba Giarda	Ancylostoma Ascaris	Schistosona	Taenia
Shigella	Reovirus				
Vibrio	Rotavirus				

Para la eliminación de esos microorganismos se debe proceder a la desinfección del lodo mediante el aumento del pH con cal, la irradiación o tratamientos térmicos.

7.2. Procesos de espesado por gravedad y flotación

La **línea de fangos** de una EDAR comprende 4 **procesos**:

- Espesamiento.

- Estabilización.

- Acondicionamiento químico.

- Deshidratación.

En este epígrafe vamos a estudiar el primero de ellos.

El **espesamiento** de los lodos es el primer tratamiento al que se ve sometido antes de su eliminación o estabilización.

Los **objetivos** del espesado son:

– **Reducir del volumen del lodo:**

La disminución del volumen facilitará su traslado a vertedero o su tratamiento en los digestores.

– **Favorecer su mezcla y homogeneización:**

Los lodos proceden de dos decantadores distintitos (primarios y secundarios) lo cual implica características y composición distinta.

– **Abaratar el proceso de deshidratación.**

Sabías que

En las estaciones de tratamiento de aguas residuales que poseen tratamiento secundario con recirculación de fangos es posible llevar el fango en exceso desde los decantadores secundario hasta los espesadores o a los decantadores. En cualquiera de los dos casos, se produce la mezcla y homogeneización con los lodos de la decantación primaria.

Existen dos tipos de espesadores:

– Por gravedad.

– Por flotación.

Vamos a ver a continuación cada uno de ellos.

Espesado por gravedad

El espesamiento por gravedad es un proceso relativamente sencillo. Consiste en un proceso de sedimentación parecido al que acontece en los tanques de sedimentación primaria y secundaria.

En un tanque, generalmente circular, se introducen los lodos diluidos. El lodo sedimentado es compactado por brazo de rasquetas que son accionados por un motor-reductor y conducido hacia la parte central del depósito cónico, donde se produce su extracción. Este lodo espesado se dirige a los digestores mientras que el sobrenadante pasa al decantador primario.

A continuación se muestra una figura de un espesador por gravedad:

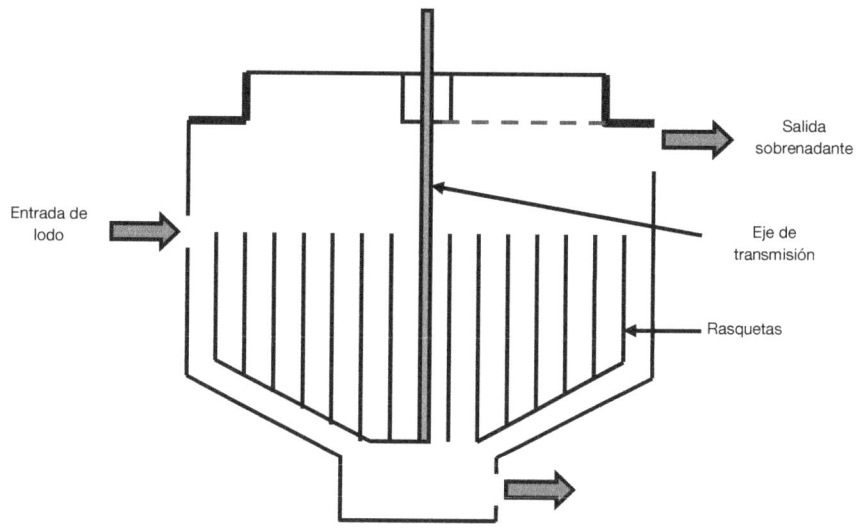

Este tipo de espesamiento es muy efectivo en lodos primarios.

Espesado por flotación

Al lodo se le suministra una eleva cantidad de aire a presión (275-550 kPa) y se introduce en un tanque abierto (a presión atmosférica). El lodo es conducido por las burbujas de aire a la parte superior del tanque, donde flotan. Aquí es recogido por un desnatador.

Este tipo de espesamiento es muy efectivo en lodos secundarios como el producido en el proceso de lodos activados.

Importante

Además de los dos tipos explicados, existe un tercero: espesado por centrifugación. Se emplea tanto para el espesado como para la deshidratación (véase epígrafe 7.6). Este tipo de espesado solo se utilizada para el tratamiento de los lodos activos.

7.3. Tamizado de lodos. Ventajas y equipos empleados

El tamizado de lodos es un proceso que se realiza ante del espesamiento.

El **objetivo** del tamizado es **retener partículas de gran tamaño contenidas en el lodo.**

Gracias al tamizado se obtiene un lodo más homogéneo que mejora el rendimiento de los procesos posteriores: desbaste, estabilización y deshidratación.

Los equipos más comúnmente empleados son:

– **Tamices verticales autolimpiables:**

Se trata de un conjunto formado por dos tamices con un paso de malla de 3 mm y con dimensiones, aproximadas, de 0,5 m de ancho por 1,4 m de altura.

El caudal de lodo se hace pasar por estos dos tamices y luego se dirige a los espesadores. Aquí se localiza un tercer tamiz que, con un paso de malla igual a los anteriores, repasa la operación de tamizado realizada anteriormente.

Posteriormente, los residuos de los tres tamices son depositados en una cinta transportadora que los conduce hasta el exterior de la instalación. Aquí son compactados mediante una prensa de residuos con el objeto de reducir su volumen y finalmente son depositados en contenedores.

- **Tamiz de tubería horizontal:**

El sistema queda dividido en tres partes:

- Parte 1: entrada y conducción.

- Parte 2: tamizado y prensado.

- Parte 3: descarga.

La alimentación se realiza gracias a una bomba que empuja el lodo a través del tamiz. Los sólidos de mayor tamaño retenidos por el tamiz son llevados, mediante un tornillo transportador, a la zona de prensado donde el lodos es deshidratado.

Sabías que

El tornillo transportado también realiza una limpieza del sistema mediante raspado.

Las principales **características** de este sistema son:

- Bajo coste de mantenimiento.

- Alta capacidad de procesamiento de lodos.

- Separa satisfactoriamente las fases sólidas y líquidas.

- No precisa de agua externa para el lavado.

- Regulación automática de la presión.

- Realiza una deshidratación del lodo.

- Fácil de manejar.

- Realiza un tamizado grueso y fino.

La elección de un sistema u otra dependerá de las características de la EDAR.

7.4. Procesos de estabilización (digestión anaerobia y estabilización aerobia)

Tras el proceso de espesado de fango se produce su estabilización.

Los **objetivos** de la estabilización del fango son:

– Reducir los patógenos presentes.

– Mineralizar la materia orgánica.

– Disminuir las materias volátiles.

– Eliminar, reducir o inhibir su potencial de putrefacción.

Los principales métodos de estabilización de fangos son:

– Oxidación con cloro.

– Estabilización con cal.

– Tratamiento térmico.

– Digestión anaerobia.

– Digestión aerobia.

De ellos los dos métodos principales son la digestión anaerobia y aerobia, por lo que su exposición será más extensa.

Oxidación con cloro

Consiste en la oxidación química del fango con cloro gas. Se suele añadir altas dosis de gas en un reactor cerrado (prefabricado y fácilmente transportable) el cual contiene el fango a tratar. Para conseguir una mayor eficacia del proceso, el lodo debe ser mezclado durante el tratamiento.

La reacción del cloro con el gas genera elevadas volúmenes de ácido clorhídrico (HCl) que provoca la solubilización de metales pesados.

Posteriormente, el lodo se somete a deshidratación.

Este tipo de estabilización se aplica en estaciones de reducidas dimensiones.

Estabilización con cal

Se trata de añadir cal al fango hasta que éste alcance un pH igual o mayor a 12. Este elevado valor del pH provoca la muerte de los microorganismos y con ello se evita la putrefacción y la aparición de malos olores.

Importante

La estabilización con cal a pH mayor 12 durante 3 horas provoca la muerte de mayor número de patógenos que la digestión anaerobia.

Tratamiento térmico

El fango se calienta en un depósito hasta alcanzar temperaturas superiores a 260°C y presiones mayores de 2,75MN/m² durante un corto periodo de tiempo. Con ello se produce:

–   La coagulación de los sólidos.

–   Hidrólisis de los materiales proteicos.

Digestión anaerobia

La digestión anaerobia es el método más apropiado para obtener un lodo final aséptico.

El proceso es llevado a cabo por microorganismos anaerobios los cuales realiza una descomposición de la materia orgánica produciendo un lodo final inerte y una liberalización de gases.

Bacterias no metanogéncias (bacterias facultativas y anaerobias obligadas)	Bacterias metanogéncias (bacterias anaerobias estrictas)
Actinomyces	
Bifidobacterium	
Clostridium	
Corynebacterium	Methanobacterium
Desulphovibrio	Metanobacillus
Escherichia coli	Methanococcus
Lactobacillus	Methanosarcina
Peptococcus	
Staphylococcus	

El proceso de digestión consta de dos **etapas**:

– **Fermentación ácida:**

Fangos frescos + microorganismos $\rightarrow$ CO_2 + H_2O + Ácidos orgánicos

– **Fermentación alcalina:**

Ácidos orgánicos + microorganismos $\rightarrow$ CO_2 + CH_4 + Otros productos finales

Las **variables** que influyen en el proceso son:

– Concentración de los sólidos.

– Concentración de ácidos volátiles.

– Mezclado del fango.

– pH.

– Temperatura.

Sabías que

El proceso de la digestión anaerobia se empezó a desarrollar a finales del siglo XIX. Sin embargo, no fue hasta lo años 1920-1935 cuando se produjo un estudio ampliado del mismo. Se aplicó calor a los tanques y se produjeron mejoras importantes en el diseño de los mismos.

Existen tres **modelos** de digestión anaerobia:

— Convencional.

— Alta carga.

— Dos fases.

Vamos a ver cada uno de ellos:

Digestión convencional

Es un proceso de una única etapa (la digestión, el espesamiento del fago y la formación de sobrenadante se realiza simultáneamente).

Se añade fango crudo en el mismo lugar donde se está produciendo la digestión de fango ya vertido anteriormente y la liberación de gas. Este gas arrastra hacia la superficie partículas de lodos y aceites dando lugar a la formación de una capa de espumas. El fango que permanece en el fondo está más mineralizado y se espesa por acción de la gravedad.

Entre el fango espesado y la espuma se forma una capa de sobrenadante.

El digestor es calentado gracias un intercambiador de gas externo.

El principal **inconveniente** de este modelo es que no se utiliza más de la mitad del digestor debido a una estricta estratificación en capas.

A continuación se presente una figura de un digestor anaerobio convencional:

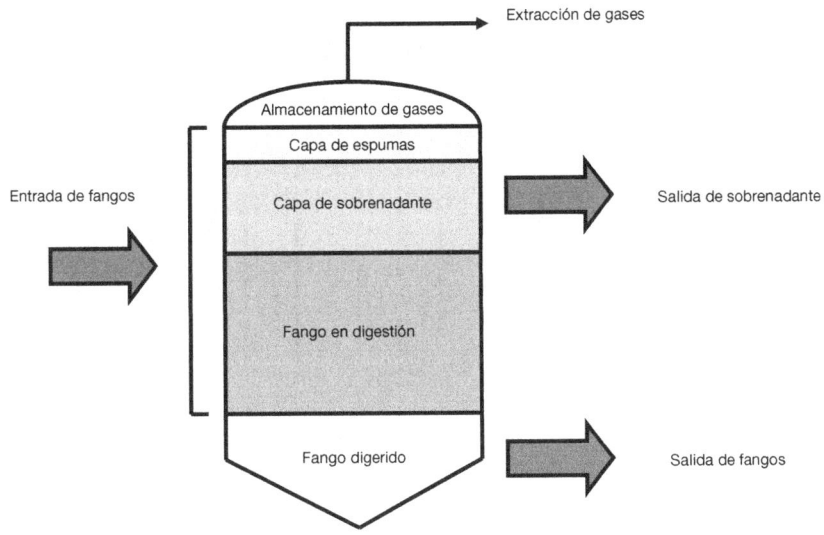

Digestión de alta carga

Se diferencia del modelo convencional en dos aspectos:

— La carga de sólido introducido es bastante más elevada.

— Se produce una mezcla total gracias a la recirculación del gas, bombeo o mezcladores con tubos de aspiración. No existe estratificación.

— El fango se bombea al digestor de forma continua o mediante temporizador cada media hora.

En la siguiente figura se muestra un digestor anaerobio de alta carga:

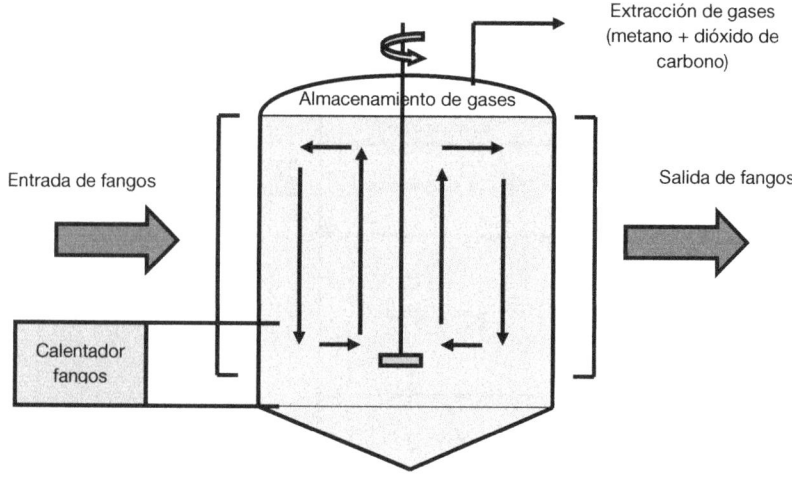

Digestión de dos fases

Se caracteriza por tener dos digestores:

— Digestor 1: está calentado y posee los mecanismos necesarios para producir una mezcla intensa:

- Bomba de recirculación.

- Tubos para la recirculación de gas.

- Mezcladores mecánicos con tubos para la digestión.

- Mezcladores de turbina y hélice.

— Digestor 2: aquí se produce el espesamiento del fango y la formación de una capa de sobrenadante. Se genera una estructura estratificada donde se encuentra de arriba a abajo:

- Capa de gases.

- Capa de espuma.

- Capa de sobrenadante.

- Fango digerido.

Los digestores pueden tener cubiertas móviles o fijas. Sus diámetros varían entre 6 y 35 m. su parte inferior deberá estar inclinada para una adecuada extracción del fango.

Digestión aerobia

La digestión aerobia se emplea para tratar:

- Fango activo o de filtros percoladores en exceso.

- Mezclas de fangos activos o de filtros percoladores con fangos primarios.

- Fango activo en exceso de plantas sin sedimentación primaria.

La digestión aerobia es similar al proceso de fangos activos.

Recuerda

El proceso de fangos activos consiste en hacer pasar el agua residual por un reactor aireado que contiene un residuo orgánico (fango preformado en una proporción del 15-25%) y un cultivo de microorganismo aerobios en suspensión (licormezcla).

Cuando se acaba el sustrato que sirve de alimento, los microorganismos empiezan a consumir su propio protoplasma para obtener energía (fase endógena) produciéndose la siguiente reacción química:

$$C_5H_7NO_2 + 5O_2 \rightarrow 5CO_2 + NH_3 + 2H_2O + \text{Energía}$$

El tejido celular (C5H7NO2) solo puede ser oxidado en un 75-80%.

El amoniaco producido en la anterior reacción es oxidado a nitrato. La **reacción global** es la siguiente:

$$C_5H_7NO_2 + 7O_2 \rightarrow 5CO_2 + NO_3^- + 3H_2O + H^+$$

Vemos cómo se produce la formación de protones (H+). Estos protones pueden dar lugar a la acidificación del medio si la capacidad tampón de la disolución es insuficiente. En estos casos se precisará de la adición de compuestos básicos para mantener el pH.

El esquema del proceso se representa así:

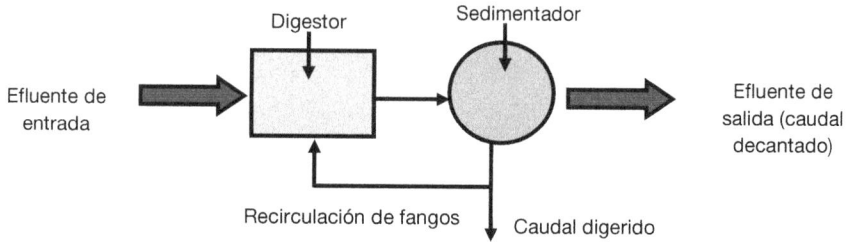

Entre los **microorganismos** que intervienen en la digestión aerobia se encuentran:

Gram negativas	Nitrificantes	Filamentosas
Achromobacter Bdellovibrio Flavobacterium Mycobacterium Nocardia Pseudomonas Zoogloea	Nitrobacter Nitrosomona	Sphaerotilus Begiatoa Thiothrix Lecicothrix Geotrichum

Los **factores** que influyen en el proceso y que por tanto deben considerarse en el diseño de los digestores son:

– Tiempo de detención hidráulico:

El tiempo requerido para la eliminación de los sólidos variará atendiendo a:

· La temperatura.

· Las características del fango.

La reducción máxima se encuentra en torno a un 4-75%.

– Carga:

La máxima concentración de sólidos que puede soportar el sistema vendrá dado las transferencias de oxígeno y los requerimientos de mezclado.

– Necesidades de oxígeno:

Las necesidades de oxígeno del sistema son:

· Las del tejido celular, son por mol de célula unos 7 moles de oxígeno.

· Las del fango primario para al oxidación de total de la DBO5.

– Energía necesaria para el mezclado:

Para que la digestión se desarrolle adecuadamente el contenido del digestor debe estar perfectamente mezclado.

– Condiciones ambientales:

Entre los factores ambientales que más influyen están la temperatura y el pH.

– Operación del proceso:

El digestor debe ir acompañado de una tanque de sedimentación donde se produzca el espesado de los fangos antes de su vertido.

Existen tres **modelos** de estabilización aerobia:

– Convencional.

– Con oxígeno puro.

– Termófila.

Vamos a ver cada uno de ellos:

– **Convencional:**

Se inyecta al fango aire mediante aireadores superficiales o difusores convencionales en un tanque abierto, sin calefacción, durante un tiempo prolongado.

El proceso se puede llevar a cabo de dos formas:

· Discontinua:

Se realiza en plantas de pequeñas dimensiones. El fango se airea y mezcla completamente. Después sedimenta en el tanque.

· Continua:

La sedimentación del fango se realiza en otro tanque independiente.

– Con oxígeno puro:

El proceso es similar al modelo convencional de digestión aerobia con la única diferencia que se inyecta en el digestor oxígeno puro en lugar de aire.

Las características del fango producido son también muy parecidos así como la cantidad de sobrenadante a recircular.

Su principal **ventaja** es su aplicabilidad a climas fríos dado que no se ve afectado por las bajas temperaturas externas.

Su principal **inconveniente** radica en su elevado coste. Solo se puede instalar este tipo de digestores en estaciones de tratamiento de aguas residuales de grandes dimensiones donde la producción de oxígeno se compense con el ahorro que se produce al disminuir los volúmenes de los reactores y la cantidad de energía para los equipos de disolución.

– Termófila:

La digestión aeróbica termófila puede eliminar hasta un 70% de la fracción biodegradable con poco tiempo de retención (3 - 4 días).

Se puede utilizar como fuente de calor para calentar el fango el producido durante la oxidación microbiana de la materia orgánica.

Sabías que

Se liberan en torno a 25 kcal/L de energía en la digestión aerobia de los fangos primarios y secundarios. Esta cantidad es suficiente para calentar hasta 45°C fangos con una humedad del 95%.

Vamos ahora a comparar en una tabla las principales característica de ambos procesos de estabilización:

Característica	Digestión aerobia	Digestión anaerobia
Reducción de sólidos volátiles	Alta	Alta
Concentración de BDO en el líquido sobrenadante	Baja	Media
Sobrenadante	Se puede incorporar a la línea de agua	Difícilmente tratable
Producto final	Inodoro y estable	Desprende mal olor
Fangos	Buenas características para la deshidratación	Buenas características para la deshidratación
Problemas de funcionamiento	Reducidos	Medios
Costes	Reducidos	Altos
Gases	No pueden ser recuperados	Pueden ser recuperados
Productos de degradación	CO_2, H_2O, NO_3-	CH_4, H_2O, NH_4
Tiempo de puesta en marcha	Corto	Largo
Energía necesaria para la digestión de 1 ml de dextrosa	650 cal	35 cal
Tipo de digestor	Abierto. Facilita la inspección visual y las tareas de limpieza	Cerrado. Dificulta la inspección visual y las tareas de limpieza

7.5. Línea de gas de una EDAR

En una estación depuradora de aguas residuales se distinguen tres líneas:

– Línea de aguas.

– Línea de fangos.

– Línea de gas.

Recuerda

La **línea de aguas** engloba el pretratamiento, el tratamiento primario o físico, el tratamiento secundario o biológico y el tratamiento terciario.

La **línea de fangos** engloba los procesos de espesamiento, estabilización, acondicionamiento químico y deshidratación.

La línea de gas es está formada por el gas resultante de la digestión aerobia o anaerobia de los fangos. A continuación mostramos un esquema completo de las 3 líneas de ala EDAR.

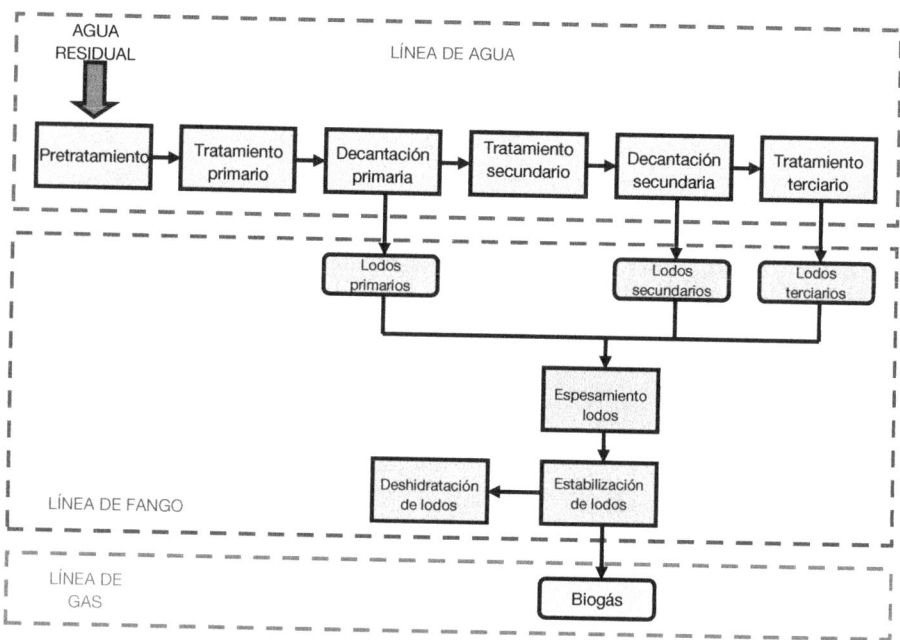

En este epígrafe vamos a estudiar las principales característica de la línea de gas de una EDAR, para ello vamos a dividirlo en los 4 epígrafes siguientes:

- Origen y composición del gas de digestión.

- Calentamiento y agitación de los digestores con gas de digestión.

- Intercambiadores de calor.

- Aprovechamiento del gas de digestión para producción de energía eléctrica.

7.5.1. Origen y composición del gas de digestión

Gas tiene dos orígenes distintos:

Digestión anaerobia

Como se ha comentado en el epígrafe 7.4, la digestión anaerobia de los fangos se produce en dos etapas:

- **Fermentación ácida:**

   Fangos frescos + microorganismos $\rightarrow$ CO_2 + H_2O + Ácidos orgánicos

- **Fermentación alcalina:**

   Ácidos orgánicos + microorganismos $\rightarrow$ CO_2 + CH_4 + Otros productos finales

Como resultado final de estas reacciones se produce:

- 65-70% de CH_4.

- 25-30% de CO_2.

- Cantidades residuales de otros gases como N_2 y H_2.

Sabías que

Un volumen de 0,5 metros cúbicos de gas metano es producido por 1 kilogramos de células.

La **producción** de gas metano puede calcularse por varios métodos:

– A partir de la concentración de sólidos volátiles del digestor o del porcentaje de reducción de sólidos volátiles

Los valores medio son de 0,5 -0,75 m³/kg de sólidos volátiles añadidos.

Importante

El volumen de gas varía dependiendo de la concentración de sólidos volátiles del fango crudo y de la actividad biológica que se desarrolla en el digestor.

Si se produce gas en exceso se desencadena la formación de espumas y su vertido por fuera del digestor.

– A partir de la aportación por número de habitantes:

El valor medio es de 0,0185 m³/habitante.

Digestión aerobia

En la digestión aerobia únicamente se obtiene dióxido de carbono. Recordamos que la reacción global del proceso es la siguiente:

$$C_5H_7NO_2 + 7O_2 \rightarrow 5CO_2 + NO_3^- + 3H_2O + H^+$$

7.5.2. Calentamiento y agitación de los digestores con gas de digestión

Calentamiento del digestor

El digestor requiere de calor para que:

– Los fangos que entran alcancen la temperatura del digestor.

– Compensar las pérdidas de calor que se producen en las distintas superficies del digestor (paredes, solera y cubierta).

Las pérdidas de calor que se producen en estas superficies se calcula a través de la siguiente expresión:

$$q = U A \Delta T$$

Donde :

q = pérdida de calor.

U = coeficiente global de transmisión del calor (W/m^2 ºC).

A = área donde se produce la pérdida.

ΔT = diferencia de temperatura producida.

– Suplir las pérdidas de calor que se producen en las conducciones:

Existen diversas **formas** de calentar el fango en los digestores.

– Recircular el fango por medio de un intercambiador de calor externo de agua caliente:

En este sistema el gas del digestor se emplea como agua combustible en una caldera cuya temperatura varía entre 60-80ºC.

El agua caliente se bombea desde la caldera al intercambiador de calor el cual calienta el fango que se recircula.

– Recirculación de agua caliente:

Se realiza una recirculación de agua a unos 55 ºC a través de tuberías unidas a la pared interior del digestor. No es un sistema muy empleado.

Su principal **inconveniente** es la creación de revestimiento de fangos en las tuberías. Ello provoca el aislamiento de la misma y la reducción del calor que se transfiere.

– Inyección de vapor de agua caliente:

La inyección se produce directamente a los digestores. El vapor, por su parte, se produce en las calderas o se recupera por la refrigeración de los motores.

Importante

Se debe realizar un tratamiento muy cuidado del agua de la caldera para evitar incrustaciones.

- Recirculación de los gases generados en la digestión:

  Se produce una recirculación del gas que se calienta y se introduce en el digestor.

Agitación del digestor

Es muy importante que se produzca una adecuada agitación del contenido de los digestores para obtener un rendimiento óptimo del proceso. Para ello se emplean equipos mezcladores.

Existen 4 tipos de mezcladores:

- Por gas.

- Mecánico.

- Por bombas.

- Sistema mixto.

Vamos a estudiar cada uno de ellos.

- **Mezclado por gas:**

  El gas extraído del digestor es comprimido y vuelto a introducir en el tanque a varios metros bajo la superficie del fango. Por otra parte, el gas producido en la digestión sube a la superficie, arrastrando fango con él, provocando una recirculación y mezcla del contenido del digestor.

  Los componentes de un mezclador de gas son:

  · Tuberías de entrada y salida de gas.

  · Compensador de desplazamiento positivo.

- Distribuidor de acero inoxidable.

Existen dos tipos de mezclado por gas:

- Calentamiento interno.

- Calentamiento externo.

Vamos a mostrar ahora una figura de un mezclador de gas de calentamiento interno:

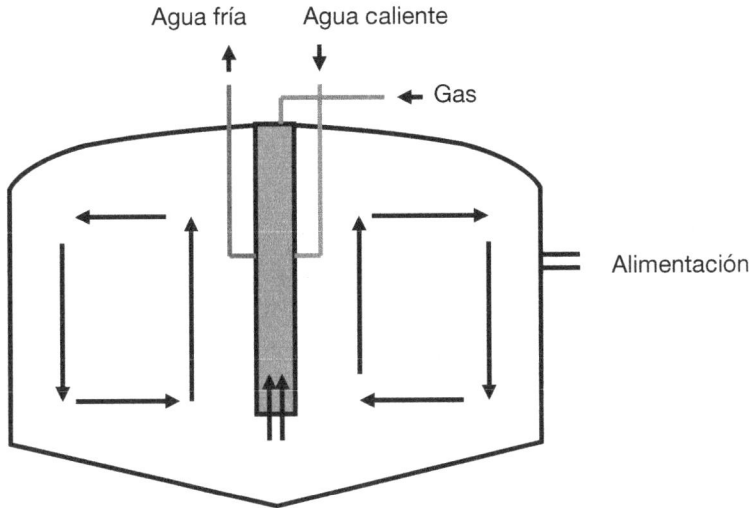

— **Mezclado mecánico:**

Se trata de digestores con cubierta fija los cuales tiene una hélice para el mezclado. Las hélices se encuentran sumergidas en el fango depositad en el fondo a unos 3,5 metros. La hélice es accionada por un motor eléctrico.

En los mezcladores de hélice de tubo forzado las tuberías, con un diámetro de entre 46-60 cm, son de acero. Su parte inferior está situada a unos 40 cm por debajo del nivel medio del agua del tanque y puede ser recta o estar formando un ángulo de 90°.

La hélice se coloca 60 cm por debajo del tubo y es accionada por un motor eléctrico. La hélice puede girar en las dos direcciones gracias a motores reversibles.

Entre sus **inconvenientes** se encuentra:

· El cojinete central presenta fallos en su funcionamiento debido a que es abrasado por el fango y corroído por el ácido sulfhídrico.

· Formación de costras en la superficie si el nivel de agua se mantiene constante. Si la costra presenta un espesor elevado el fango sólo será agitado por debajo de ella.

A continuación presentamos una figura de un digestor con mezclado mecánico.

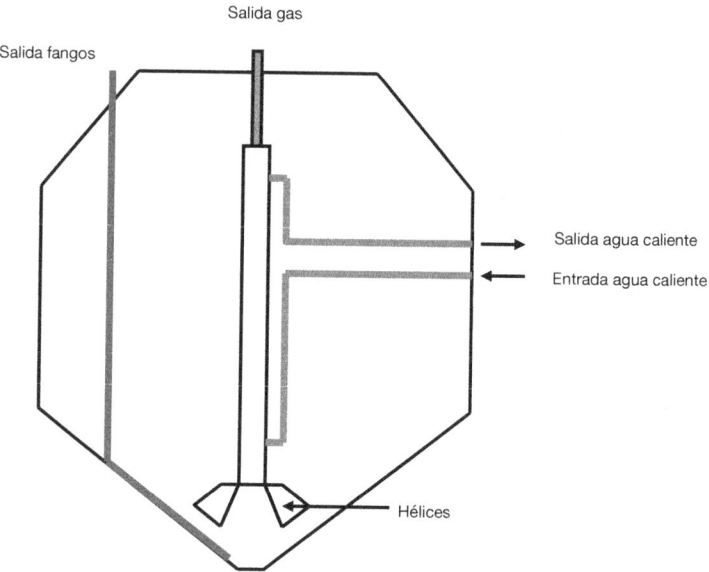

Salida gas

Salida fangos

Salida agua caliente

Entrada agua caliente

Hélices

— **Mezclado por bombas:**

El mezclado por bombas, aunque no es muy frecuente, también se emplea para la agitación de los digestores. Si el digestor posee un sistema de calor externo, la potencia de la bomba ha de ser mayor para poder recircular el fango y descargarlo otra vez en el digestor.

La recirculación de este tipo de digestor es de unas 16 horas.

— **Sistema mixto:**

Se trata de un tubo central vertical de unos 0,3 m de diámetro. Debido a su amplia sección las obstrucciones son casi imposibles. Este tubo central el se encuentra rodeado de agua de calefacción. El agua se encuentra en un circuito cerrado entra por la parte superior y sale por la inferior.

Se inyecta gas en la parte inferior del tubo central mediante un compresor. Esto provoca al arrastre del fango depositado en el fondo del digestor hasta la superficie del mismo.

La introducción del gas puede ser de forma discontinua para favorecer la homogeneización del medio con la agitación provocada por la recircula-ción.

El caudal de agua suministrado al sistema dependerá de la longitud del tubo central mientras que el caudal de gas se estima para que recircule todo el volumen del digestor en 4 horas.

El fango fresco se introduce por a parte inferior del tubo central para faci-litar la mezcla.

Vamos a mostrar ahora una figura del tubo central de este sistema de agitación:

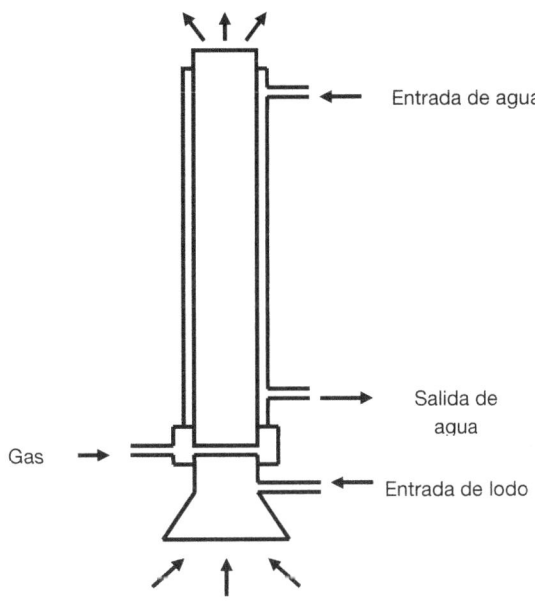

7.5.3. Intercambiadores de calor

Los **intercambiadores de calor** empleados para el calentamiento del digestor se caracterizan por ser exteriores.

Entre los **modelos** más empleado se encuentran:

– Tubular helicoidal vertical.

– Caldera helicoidal horizontal.

– Tubular horizontal.

– En espiral.

Vamos a describir cada uno de ellos:

Intercambiador tubular helicoidal vertical

El fango circula por una tubería de forma helicoidal. Esto permite que:

– El flujo de fango sea uniforme.

– La velocidad sea constante (aproximadamente 1m/s).

Estas dos características evitan la sedimentación de partículas en las tuberías.

El flujo de agua rodea a la tubería de fango circulando el sentido inverso.

Pueden alcanzar hasta 630.000 Kcal/h.

Caldera intercambiador helicoidal horizontal

Es similar al modelo anterior excepto que la tubería por la que circula el fango posee forma horizontal.

Pueden alcanzar hasta 315.000 Kcal/h.

Intercambiador tubular horizontal

La tubería está en posición horizontal y está unida por medio de codos con ángulos de 180°.

La longitud es variable (4-10 m) y el número de tubos del sistema viene dado por la pérdida de carga que se produce en el circuito de fangos.

Su principal inconveniente es que el flujo de fangos no es muy uniforme por lo que se puede producir sedimentación. Esto incrementa los costes de mantenimiento.

Intercambiadores en espiral

El flujo de agua caliente entra por el centro de la espiral y sale por la superficie mientras que el flujo de fango entra en sentido inverso.

La sección del flujo de fango y del agua caliente es rectangular.

Su principal inconveniente es el cambio brusco de tipo de sección (de rectangular a circular). Esto provoca pequeñas roturas en el flujo de corriente de fango, lo que puede disminuir el rendimiento.

7.5.4. Aprovechamiento del gas de digestión para producción de energía eléctrica

El gas generado en la digestión anaerobia puede ser aprovechado para la generación de energía eléctrica en la estación depuradora.

Para su aprovechamiento primero debe ser recogido. Para ello se instala en la parte superior del digestor cubiertas. Las cubiertas pueden ser:

Flotantes

Permiten aumentar el volumen de gas almacenado en su interior pero sin permitir la entrada de aire del exterior.

Importante

La mezcla de gas y aire del exterior es explosiva.

Las válvulas de seguridad y las tuberías de gas poseen parallamas.

Las cubiertas del gasómetro pueden diseñarse para que almacenen peque-ñas cantidades de gas bajo presión.

Se emplean en digestores de fase única o de doble fase.

Fijas

Se instalan de tal forma que permiten un espacio libre entre ella y la superficie del líquido. Cuando aumenta el volumen del líquido el gas almacenado en dicho espacio debe extraerse del digestor y almacenarse en un lugar comple-mentario como compresores de gas.

Debe instalarse medidores para saber la cantidad de gas producido y el reti-rado del digestor.

Como ya se ha comentado, el gas producido en los digestores puede ser empleado en las plantas de tratamiento.

Sabías que

Un metro cúbico de metano tiene un poder calorífico de 35800 kJ/m^3 mientras que un mol de gas natural (metano+propano+butano) tiene 37300 kJ/m^3.

El gas de los digestores puede emplearse como combustible para:

- Calderas.

- Motores de combustión interna.

Las calderas y los motores de combustión interna se utilizan para:

- Accionar los soplantes.

- Bombear el agua residual.

- Generar electricidad.

El empleo de gas puede cubrir ampliamente parte de las necesidades ener-géticas de una EDAR.

Sabías que

Aproximadamente un 60-75% de las necesidades energéticas son cubiertas por el gas generado en la digestión anaerobia.

7.6. Deshidratación de lodos (filtros banda, centrífugas, filtros prensa)

La deshidratación es una operación física unitaria cuyo **objetivo** es reducir la humedad que posee el lodo.

Con la deshidratación de lodos se persigue:

— Reducir los costes de transporte derivados del traslado de los lodos hasta su lugar de deposición final.

La deshidratación lleva aparejada una reducción de su volumen

— Facilitar su manipulación:

El fango deshidratado puede ser manipulado por tractores dotados con cucharas, cintas transportadoras, etc.

— Proceder a su incineración:

El fango antes de ser incinerado debe ser deshidratado para aumentar su poder calorífico.

— Conseguir su inodorización:

Para evitar que emita olores desagradables se debe eliminar el agua que contiene para que no sea putrescible.

— Reducir la cantidad de lixiviados:

Una vez que los lodos son vertidos a vertedero producen lixiviados contaminantes.

Existen diversas **técnicas** y dispositivos para la deshidratación de lodos. Pueden emplearse:

–   Naturales, proceso de evaporación y filtración no asistido.

–   Artificiales, medios mecánicos.

La elección un sistema u otro dependerá de:

–   El tipo de lodo a tratar.

–   Las características de la EDAR (espacio disponible).

El proceso de deshidratación puede optimizarse:

–   Aumentando las diferencias de presión.

–   Reduciendo el espesor de las capas de lodo para el secado.

–   Incrementando la granulometría mediante la formación de flóculos (uso de coagulantes y coadyudantes).

Las sistemas de deshidratación más empleados son:

–   **Filtración al vacío.**

–   **Filtros banda.**

–   **Centrifugación.**

–   **Filtros prensa.**

–   **Eras de secado.**

–   **Lagunaje.**

Vamos a describir cada uno de ellos:

Filtración al vacío

El **objetivo** de la filtración al vacío es reducir la cantidad de agua de fangos crudo o digeridos para aumentar la cantidad de sólidos en un 20-30% para que el fango sea fácilmente manejable.

Se realiza en filtros cilíndricos de tambor que poseen un medio filtrante y se sujeta por un eje horizontal. Dicho tambor se sumerge parcialmente en una cuba de fango y gira lentamente. En dicho giro parte del tambor se somete a un vacío interno que succiona el fango hacia el medio filtrante. El agua, por su parte, se extrae por la torta porosa formada en esa parte del tambor.

Las conducciones existentes en el interior del filtro permiten mantener las fuerzas para la succión del fango hasta la zona de depósito o descarga.

El rendimiento del filtro dependerá de: tipo y edad del fango, tipo de medio filtrante empleado y temperatura de fango.

A continuación mostramos una figura de un filtro al vacío:

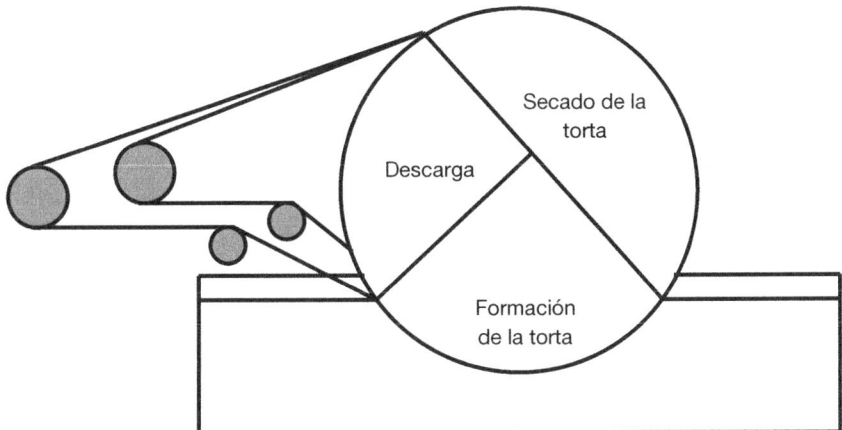

Filtros banda

Los filtros bandas son sistemas de deshidratación de lodos más actuales que emplean bandas continuas horizontales sobre las que se deshidrata el fango.

Sus principales **ventajas** son:

- Ahorro energético.

- Disminución de la cantidad de floculante empleado.

- Bajo coste de mantenimiento.

- Tamaño reducido.

- Su precio no es muy elevado.

- Buen rendimiento.

Existen cuatro **modelos** de filtros bandas:

- ### Concentrador de tamiz móvil:

    El fango tras ser espesado y acondicionado se sitúa sobre un tamiz móvil de velocidad variable. En la primera parte se procede a s deshidratación por gravedad y en la segunda parte se procede a una deshidratación más intensa por compresión por rodillos.

    Finalmente el fango deshidratado pasa un dispositivo para su evacuación del sistema.

- ### Filtro prensa de banda:

    Las bandas continuas horizontales se sitúan una sobre la otra introduciéndose el fango entre ambas. El proceso tiene tres fases:

    · Fase 1: deshidratación por acción gravitatoria.

    · Fase 2: deshidratación por compresión a través de presión ejercida por rodillos.

    · Fase 3: deshidratación mediante presión por cizalladura.

    Finalmente el fango es eliminado del sistema mediante un rascador.

- ### Deshidratación capilar:

    El fango, acondicionado químicamente, se sitúa uniformemente sobre una banda para que se drene el agua. Esto provoca que aumente su concentración en sólidos. Posteriormente, la banda entra en contacto con otra produciéndose una deshidratación capilar. Finalmente, el fango es sometido a una deshidratación final mediante compresión.

    Al igual que el anterior, el fango es eliminado del sistema mediante un rascador.

    La tela es lavada antes de comenzar un nuevo ciclo.

- **Concentración mediante filtro rotativo por gravedad:**

  Este modelo posee dos celdas independientes hechas de nylon de malla fina. En cada ceda se produce un proceso:

  - Celda 1: deshidratación por gravedad.

  - Celda 2: formación de la torta.

  Cuando la torta alcanza un espesor elevada se desborda de la cinta transportadora y se recoge para su evacuación.

Centrífugas

Las centrífugas empleados en la deshidratación de fangos son:

- **Centrífugas camisa maciza:**

  El fango se introduce, de forma que su volumen sea constante, en la cuba giratoria. Aquí se produce la separación entre:

  - Torta densa.

  - Corriente diluida que se recircula al clarificador primario o espesador de fangos crudos.

  Torta densa de fangos se caracteriza por presentar:

  - Entre un 75-80% de humedad.

  - Entre un 10-40% de sólidos.

  Dicha torta se descargará a una tolva o cinta transportadora para su retirada. Posteriormente se incinerarán o se llevarán a vertedero autorizado.

  Su rendimiento dependerá de:

  - Tipo y edad del fango.

  - Procesos a los que ha sido sometido anteriormente.

  - Tipo de medio filtrante empleado.

  - Temperatura de fango.

Importante

El fango, antes de someterse a este tipo de centrifugación, no tiene por qué ser sometido a acondicionamiento químico, aunque la eficacia del centrifugado aumenta si se adiciona polielectrolitos.

— Centrífugas de cesta:

Se utilizan para una deshidratación parcial en estaciones de tratamiento de reducidas dimensiones.

Pueden emplearse para la concentración y deshidratación de fango activo en exceso sin acondicionamiento químico.

Las principales **ventajas** de la deshidratación por centrífuga son:

· Método sencillo.

· Relativamente barato.

· No precisa de acondicionamiento químico.

Filtros prensa

La deshidratación se realiza aplicando elevadas presiones sobre el fango.

Ventajas	Inconvenientes
Obtención de altas concentraciones de sólidos en la torta.	Elevados costes por mano de obra y acondicionamiento químico.
Obtención de un líquido muy clarificado.	
Alta captura de sólidos.	Escasa vida útil de las telas de filtro.
Escaso consumo de productos químicos.	

Eras de secado

Consiste en deshidratar el fango mediante su extensión en capas de espesores no superiores a 30 cm.

Importante

Ese sistema sólo resulta rentable en estaciones depuradoras de poblaciones pequeñas o medianas (no superior a 20.000 habitantes).

El área destinada al secado del fango se divide en eras de 6 metros de ancho por 6-30 metros de largo. Para ello se emplea tablas creosotadas de 0,45 m de altura apoyadas en ranuras de postes de hormigón prefabricado.

Definición

La creosota es un compuesto químico derivado del destilado de alquitranes provenientes de la combustión de la hulla.

Existen dos **tipos** de eras:

– **Descubiertas:**

Se emplea cuando la población se encuentra a gran distancia por lo que no existe problema de llegada de malos olores.

– **Cubiertas:**

Se emplean cuando hay población cerca de la estación y/o se quiere deshidratar fango durante todo el año aunque las condiciones climatológicas no sean óptimas.

El fango es conducido al área de secado un sistema de tuberías y arquetas de distribución.

El fango se deshidrata por filtrado y por evaporación. Para el agua extraída del fango mediante filtrado se precisa de la instalación de tuberías de drenaje.

El fango, tras el secado, presenta un color negruzco y grietas. Es extraído de las eras manualmente o con camiones.

Lagunaje

El fango se deposita en una laguna sin acondicionamiento previo con espesores que no superen los 1,25 cm.

La deshidratación se produce por la evaporación del agua.

Tras la deshidratación, el fango se extrae con medios mecánicos

Entre sus **inconvenientes** se encuentra:

- No puede ser empleado para la deshidratación de fangos crudo, estabilizados con cal, que den lugar a la formación de sobrenadante de lata concentración.

- Su rendimiento depende de las condiciones climatológicas.

- Requiere de mucho tiempo. El fango puede estar almacenado en la laguna durante medio año.

- Sólo es aplicable en estaciones de pequeños núcleos urbanos.

7.7. Evacuación de residuos (cintas transportadoras, tolvas)

La evacuación de residuos se refiere a su extracción del sistema para su deposición final en vertedero controlado o su traslado a un proceso de tratamiento para su reutilización.

Dos de los **equipos** empleados en la evacuación de residuos son:

Tolvas

Características y funcionamiento

La **tolva** es una estructura metálica de acero de gran capacidad y forma troncopiramidal invertida. Se emplea para la alimentación de maquinarias. Los fangos son vertidos por su base superior y caen a la cinta transportadora por su base inferior.

Su **funcionamiento** puede ser:

—   Manual, la apertura es realizada manualmente por un operario.

—   Mecánico, se abre automáticamente mediante un sistema hidráulico.

Los principales **componentes** de un tolvas son:

—   **Un pulsador para realizar paradas de urgencia:**

Este sistema es muy útil pues permite detener el funcionamiento de la tolva ante situaciones de emergencia.

—   **Indicadores de nivel:**

Marcan si la tolva está llena o no.

—   **Extractor de aire:**

Impide la emisión de polvo a la atmósfera y con ello la contaminación atmosférica del aire.

A continuación mostramos un esquema de una tolva:

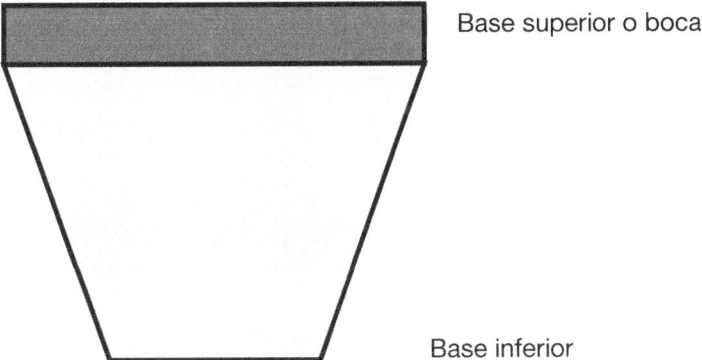

Base superior o boca

Base inferior

Sabías qué

Existen también tolvas abiertas de forma trapezoidal o rectangular que se emplean para el almacenaje temporal de lodos.

Mantenimiento operativo básico

El mantenimiento operativo básico de la maquinaria deberá ser el recomendado por el fabricante. Este se encuentra recogido en el manual técnico del producto. Dicho mantenimiento deberá ser realizado de forma periódica por mecánicos especializados de una empresa acreditada. Gracias a este mantenimiento se consigue aumentar la vida útil del equipo y el rendimiento del mismo.

Cintas transportadoras

Características y funcionamiento

Las cintas transportadoras o transportador de banda se emplean para transportar los materiales al lo largo de toda la instalación para que los residuos pasen por los distintos tratamientos.

Gracias a la cinta transportadora se produce:

– Separación rápida y fácil de los materiales recuperados.

– Eliminación de los no seleccionados.

Estas cintas se caracterizan por:

– Permitir el transporte de los residuos a grandes distancias.

– No alteran la calidad ni las características de los residuos.

– Tener mandos de accionamiento perfectamente identificables.

– Ser de banda ancha.

– Moverse velocidad lenta para facilitar la separación manual de materiales por parte de los operarios de la planta de tratamiento.

- Permitir la carga y descarga de residuos en cualquier punto de su recorrido.

- Poseer rodillos planos libres de fricción y un rodillo motriz para su conducción.

- Instalarse sobre una estructura, generalmente metálica, elevada respecto al terreno.

- Tener pasillo a ambos lados. En estos pasillos se colocan los operarios.

- Poseer sensores de emergencia para el bloqueo automático en caso de emergencia.

- Bajo coste de operación y mantenimiento.

Las primeras cintas transportadoras datan de 1795 y se utilizaron en la industria minera para el transporte del carbón y otros materiales asociados. Estaban fabricadas en cuero o lona y se deslizaban por un soporte de madera.

En los años 20, la compañía H. C. Frick las emplearon en sus instalaciones mineras, recorriendo la cinta aproximadamente 8 km bajo tierra.

En 1913, fue introducida por Henry Ford en las cadenas de montaje en sus instalaciones de producción de la Ford Motor Company.

A partir de la Segunda Guerra Mundial la fabricación y utilización de cintas transportadoras en los sistemas productivos de las grandes compañías experimento un crecimiento exponencial.

Mantenimiento operativo básico

El mantenimiento operativo básico de la maquinaria deberá ser el recomendado por el fabricante. Este se encuentra recogido en el manual técnico del producto. Dicho mantenimiento deberá ser realizado de forma periódica por mecánicos especializados de una empresa acreditada. Gracias a este mantenimiento se consigue aumentar la vida útil del equipo y el rendimiento del mismo.

7.7.1. Transporte y tratamiento de lodos

El **transporte** de lodos puede realizarse por varios medios:

- Tubería.

- Camión.

- Barcaza.

- Ferrocarril.

La elección de un sistema u otro dependerá de:

- Las características y cantidad de fango transportado.

- Distancia al lugar de destino.

- La disponibilidad de medios de comunicación.

Vamos a describir los cuatro medio de transporte.

Tubería

El transporte por tubería sólo es rentable económicamente si se realiza para distancias inferiores a 16 km y con fangos procedentes de pequeñas estaciones de tratamiento y cuyo contenido en sólidos sea menor del 10%. Por ello, sólo se suele emplear para el traslado del fango de plantas satélites a grandes instalaciones para su tratamiento posterior.

El transporte por tubería presenta, además, los siguientes **inconvenientes**:

- Acumulación de grasas en su interior provocando la corrosión del material.

- Sedimentación de arena si el caudal es pequeño.

- Elevados consumos energéticos.

Muchos de estos inconvenientes pueden ser reducidos o eliminados empleando tuberías de gran diámetro con caudales altos.

Importante

El transporte por tubería de fangos digeridos es más sencillo debido a que es más homogéneo y presenta una menor concentración de grasas.

Camión

El camión es el medio de transporte más empleado para el transporte de fangos espesados y deshidratados pues presenta las siguientes **ventajas**:

Fangos de deshidratados	Fangos espesados
Bajo coste	
Inversión inicial pequeña	El fango puede aplicarse directamente al terreno
Funcionamiento sencillo	
Flexible	

Barcaza

Se emplean distintos tipos de barcazas para el transporte del fango. Al igual que ocurre en le transporte de petróleo, se emplean barcazas de doble casco para disminuir las posibilidades de vertidos al mar en caso de accidente.

Existen dos tipos de barcazas en cuanto a su sistema de movimiento:

– Autopropulsadas.

– Remolcadas.

La descarga del fango se realiza:

– Por gravedad.

– Por bombeo.

Este método de transporte es rentable para estaciones de tratamiento de aguas residuales que reciben caudales superiores a 4,38 m³/s.

Ferrocarril

Son especialmente rentables económicamente para el transporte de lodo con gran contenido en sólidos a largas distancias. Sin embargo, no es rentable para el transporte a cortas distancias.

Es un sistema de transporte no flexible por lo que su empleo dependerá de la existencia de una línea de ferrocarril en las inmediaciones del lugar de origen y de destino.

Respecto al **tratamiento de lodos**, antes de su vertido final o reutilización, se realiza un acondicionamiento químico.

El acondicionamiento químico mejora las condiciones para la deshidratación del lodo. Se trata de un proceso que presenta alto rendimiento y flexibilidad.

La adición de compuestos químicos, tales como:

- Cloruro férrico.

- Cal.

- Sulfato de alúmina.

- Polímeros orgánicos.

Favorecen el proceso de coagulación de los fangos.

Recuerda

La **coagulación** consiste en neutralizar las cargas eléctricas de una dispersión coloidal para que se anulen las fuerzas de repulsión y se puedan agregar los coloidales por acción de masas.

Los productos químicos deben ser correctamente dosificados antes de su vertido al lodo.

Si el producto químico está en forma de polvo seco precisan ser previamente disueltos en grandes tanques de material no corrosivo.

Antes de la coagulación se puede realizar un lavado a contracorriente del fango. Para ello se emplea agua limpia o agua residual tratada en la depuradora.

7.7.2. Secado térmico

El **objetivo** del secado térmico es reducir el contenido de agua del fango mediante evaporación para su mejor incineración o transformación en fertilizante.

Importante:

Para la formación de fertilizantes a partir de lodo de depuradoras, se precisa su secado térmico para:

- Triturar el fango.

- Reducir su peso.

- Eliminar la actividad biológica.

El secado térmico puede realizarse de dos **formas**:

- **Natural**, debido las diferencias de presión de vapor de agua entre el aire y el fango.

- **Artificial**, mediante el empleo de dispositivos mecánicos.

Existen cinco **tipos** de secado térmico:

- Instantáneo.

- Por pulverización.

- Rotativo.

- De pisos múltiples.

- Emersión en aceite.

Vamos a estudiar cada uno de ellos.

Instantáneo

Consiste en pulverizar el fango mediante:

– Un molino:

Éste recibe fango húmedo junto con fango seco y reciclado. El secado se produce en un conducto hasta donde es dirigido el lodo y el gas. Posteriormente un ciclón separa el vapor y los sólidos.

El contenido de humedad pasa de un 50% a un 8%.

– Su suspensión con gases calientes en régimen de turbulencia:

Se produce la transferencia de vapor de agua del fango al gas al permanecer ambos en contacto.

Por pulverización

El fango líquido es introducido en una centrífuga que gira a alta velocidad. La fuerza centrífuga pulveriza el fango en pequeñas partículas que se dirigen a la cámara de secado. Aquí se produce la transferencia de humedad a los gases que poseen mayor temperatura.

Rotativo

Se distinguen tres tipos:

– Directo:

Existen un contacto directo entre el fango y los gases calientes.

– Indirecto:

Placas de acero separan el fango de los gases calientes.

– Mixto

Gases a elevadas temperaturas envuelven a una placa central que contiene el fango. Cuando su temperatura disminuye pasan a través de él.

Entre los combustibles empleados se encuentran:

- Carbón.

- Gas.

- Gasóleo.

Pueden instalarse placas deflectoras para mezclar el lodo durante el giro del tambor.

Sabías que

Este sistema también se emplea para el secado de residuos sólidos municipales e industriales.

Pisos múltiples

Consiste en hacer pasar a contracorriente aire caliente junto con otros gases propios de la combustión sobre un fango pulverizado. Al fango se le rastrilla su superficie periódicamente para cambiar la superficie expuesta al gas.

Se emplea generalmente para secar e incinerar fangos que previamente se ha secado parcialmente por filtración al vacío.

Emersión en aceite

Consiste en mezclar el aceite ligero con el fango deshidratado y hacerlo pasar por un evaporador de capa de cuatro fases.

Importante

La mezcla de aceite y lodo presenta las siguientes características:

- Fácil bombeo.

- Disminuye las incrustaciones y la corrosión.

El agua se elimina debido a que tiene un punto de ebullición menor que el aceite. Posteriormente se eliminan los sólidos de la mezcla de fango y aceite con una centrifuga. Estos sólidos son:

- Procesados para su reutilización.

- Enviados a vertedero controlado.

Se puede recuperar energía del fango seco y emplearse en la generación de energía eléctrica para la planta.

Sabías que

Este proceso es conocido por le nombre de la persona que lo patentó: Carver Greenfield.

7.7.3. Compostaje

El **compostaje** es un proceso biológico aeróbico, realizado por bacterias y hongos, que consistente en la transformación de la materia orgánica en **compost**, bajo condiciones de temperatura, humedad y ventilación controladas.

Definición

Se entiende por compost la "enmienda orgánica obtenida a partir del tratamiento biológico aerobio y termófilo de residuos biodegradables recogidos separadamente. No se considerará compost el material orgánico obtenido de las plantas de tratamiento mecánico biológico de residuos mezclados, que se denominará material bioestabilizado" (Ley 22/2011, de 28 de julio).

Compost

No es más que una proceso artificial, controlado por la acción de hombre, del proceso natural de transformación de la materia orgánica que se produce en la naturaleza.

El fango convertido a compost es un producto:

– Sin problemas para la salud humana.

– Carente de olores.

– Con características similares al humus.

– Prácticamente pasteurizado.

El compostaje es llevado a cabo en las denominadas **plantas de compostaje**. Estas instalaciones están divididas en diferentes áreas, las cuales están directamente relacionadas con los procesos que aquí se llevan a cabo.

Las áreas de una planta de compostaje son:

– Áreas de recepción de la materia orgánica.

– Área de mezclado y pretratamiento.

– Área de descomposición en túneles.

– Área de descomposición en hileras.

– Área de postratamiento.

– Área de almacenamiento.

– Balsa de lixiviados.

A continuación se muestra un plano de una planta de compostaje:

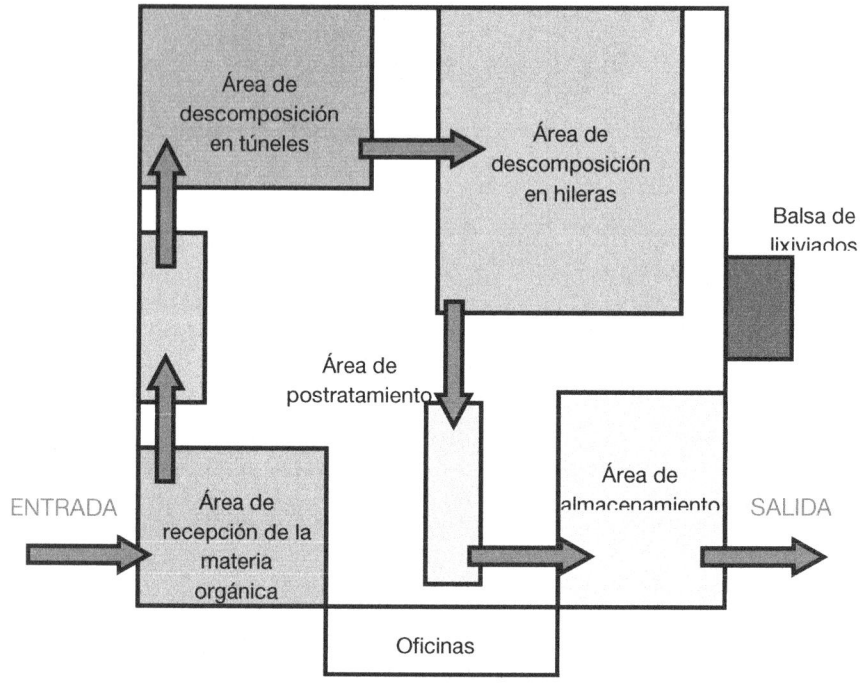

Las flechas rojas indican la dirección del flujo de materiales

Podemos dividir el proceso de compostaje en cuatro etapas:

– Preparación.

– Descomposición.

– Maduración.

– Postratamiento.

Vamos a estudiar a continuación las características de cada una de ellas.

Preparación

Esta etapa posee dos fases:

— Trituración:

El lodo recibido en la planta es fragmentado por molinos. La reducción del volumen del fango favorece la degradación aerobia de la materia orgánica.

— Pretratamiento:

Consiste en eliminar posibles restos inorgánicos presentes en la mezcla.

Descomposición

Esta etapa se caracteriza por alcanzar elevadas temperaturas y requerir de elevadas concentraciones de oxígeno. Su duración ronda entre 4 y 6 semanas aunque puede reducirse si se realiza en recintos cerrados con aireación inducida.

Se distinguen 3 **etapas**:

	Mesófila	Termófila	Mesófila de enfriamiento
Temperatura	< 40ºC	40-60ºC	< 40ºC
Moléculas que se degradan	Azúcares y aminoácidos	Ceras polímeros y hemicelulosa	Celulosas y ligninas
Agente	4 grupos de bacterias (*Bacillus y Thermus*)	5 hongos del grupo de los actinomicetos (*Micromonospora, Streptomyces y Actinomyces*)	bacterias y hongos (*Aspergilus y Mucor*)

Maduración

En esta etapa la materia orgánica empieza a estabilizarse y se polimeriza el humus. Se caracteriza por presentar las siguientes características:

— Disminución de la temperatura hasta alcanzar la temperatura ambiente.

— Disminución del consumo de oxígeno.

- La humedad ronda el 60%.

- Desaparición de la fitotoxicidad y el mal olor.

Postratamiento

Se procede al cribado del compost para obtener una granulometría homogénea. Los fragmento de mayor tamaño se someten a un nuevo tratamiento de compostaje recirculándose a la planta, y los de menor tamaño son almacenados para su comercialización, previo análisis de control de calidad y regulación de la humedad.

El proceso de compostaje puede durar entre 10 y 16 semanas.

Vamos a analizar ahora los **sistemas** empleados para la realización del compostaje. La mayoría de ellos se basan en controlar la aireación.

Recuerda

Una mayor aireación acelera el proceso.

Podemos distinguir 3:

- Pilas dinámicas.

- Pilas estáticas aireadas.

- Reactores.

Vamos a describir las principales características de cada uno de ellos:

Pilas dinámicas

La materia orgánica se dispone en pilas, cubiertas o no, de entre 2 y 4 m de altura. Se produce su aireación con convección natural más volteos periódicos. Los volteos ayudan a:

- Controlar la humedad y el olor.

- Aumentar la velocidad de transformación de la materia orgánica.

– Evitar la proliferación de insectos.

Es un método sencillo y barato.

Pilas estáticas aireadas

La pila está estática durante todo el proceso. El aire es suministrado por la parte inferior de la pila a través de un sistema instalado en el suelo. Con ello se evitan las situaciones de anaerobiosis. El suministro de aire se realiza según las necesidades de cada momento de la mezcla.

La corriente puede ser:

– Positiva (insuflación o suministro).

– Negativa (aspiración).

Mientras que la primera es realizada para favorecer la degradación, segunda se realiza para controlar el mal olor generado.

Es un método algo más complicado que el anterior y su inversión inicial y mantenimiento es más costoso.

Reactores

Se realizan aquí cuando se precisa de:

– Alta velocidad de transformación.

– Condiciones muy controladas.

Se caracterizan por tener un sistema de agitación de la materia orgánica que favorece la situación de aerobiosis.

Son complejos y costosos.

El fango puede ser convertido a compost:

– Sólo, sin mezcla de otras sustancias.

– Combinado con virutas de madera.

– Combinado con residuos sólidos.

El fango sin mezcla de otros compuestos sigue el proceso descrito anteriormente, así que vamos a centrarnos ahora en el estudio de los otros dos casos.

Compostaje de fango combinado con virutas de madera

Consiste en mezclar el fango deshidratado con virutas de madera en pilas aireadas.

La proporción de mezcla debe ser de 2 unidades de virutas por 1 de fango.

La mezcla se amontona en las pilas y se cubre con una capa de 0,3 m de compost tamizado con el objetivo de aislarlo y controlar los olores.

El oxígeno se inyecta mediante aireación forzada.

Pasados 23 días se procede a eliminar las virutas de la mezcla para su reciclaje.

Finalmente, tras un mes de curado, el compost se puede comercializar.

El proceso se resume en el siguiente diagrama:

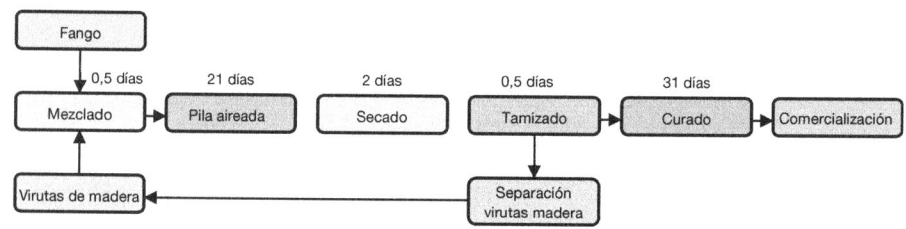

Sabías que

El fango que se introduce en la mezcla puede ser crudo o digerido. Sin embargo, el fango crudo se transforma en compost más rápidamente que el digerido pero presenta más problemas de malos olores.

Compostaje de fango combinado con residuos sólidos municipales

Los fangos en este tipo de compostaje:

– No precisan de deshidratación previa.

– Su contenido en sólidos varía de entre un 5-12%.

La proporción de mezcla debe ser de 2 unidades de residuos por 1 de fango.

Los residuos pueden ser clarificados y triturados previamente.

7.7.4. Otros usos

Tal y como se ha mencionado anteriormente, el lodo puede ser sometido a proceso de compostaje para la producción de compost.

El compost es un producto muy demandado en el sector agrícola (escaso de material orgánica) para mantener la fertilidad del suelo y su actividad biológica. Su empleo se ha realizado desde tiempos inmemorables por multitud de civilizaciones.

Actualmente, la utilización de compost es la base de la denominada **Agricultura Ecológica**.

Definición

La **agricultura ecológica** es un conjunto de técnicas agrícolas que se basan en el empleo óptimo de los recursos naturales con objeto de preservar el medio ambiente.

El uso de compost, como fertilizante natural, tiene numerosos **beneficiosos**:

– Contribuye a la formación de suelo.

– Aumenta su estabilidad, evitándose así problemas ambientales graves como la erosión y la desertificación.

– Aporta nutrientes a los cultivos.

- Incrementa su capacidad de retención de agua e intercambio catiónico.

- Disminuye la relación C/N al quedar el carbono retenido en el suelo. Esto evita la emisión de CO_2 a la atmósfera y con ello el incremento del efecto invernadero.

- Proporciona una mayor compactación pero con porosidad.

- Minimiza la aparición de enfermedades en las plantas.

- Disminuye el uso de productos químicos (fertilizantes).

Todo ello se traduce en un aumento del rendimiento de las cosechas tanto en cultivos al aire libre (patata, maíz, arroz, remolacha, etc.) como de invernaderos (tomates, cebollas, pimientos, etc.).

Pero el compost no sólo se emplea en agricultura. Otras actividades demandantes de este producto son:

- **Repoblaciones con especies forestales:**

    Los acuciantes problemas de desertificación en nuestro país está desencadenando la realización de proyectos de restauración hidrológico-forestales con objeto de incrementar la masa forestal y proteger al suelo.

- **Paisajismo:**

    Son numerosos los proyectos de restauración paisajísticas realizados con el objeto de minimizar, en la medida de los posible, los impactos que sobre el paisaje tiene n determinados proyectos.

- **Restauración de suelos degradados:**

    Tras la realización de determinadas actividades o accidentes (como el ocurrido en Aználcollar) se precisa de materia orgánica para mejorar la calidad del suelo y devolverlo a sus condiciones iniciales.

- **Estabilización de taludes:**

    En obras como las viarias, se realizan multitud de desmontes y terraplenes (España es un país con una orografía muy accidentada). Los taludes deben ser sometidos a restauración paisajística mediante su revegetación. Esto implica la necesidad de materia orgánica.

Por otra parte, los lodos que no son sometidos a proceso de compostaje pueden ser empleados para el **relleno de terrenos y escombreras**.

UD7
Lo más importante

–   Los lodos primarios se caracterizan por tener textura limosa, su color varía de marrón a gris, se vuelven sépticos y general mal olor.

–   Los lodos secundarios del proceso de fangos activos poseen un color marrón y su densidad es relativamente baja. No suelen generar olores desagradables debido a que están aireados. Si el grado de aireación disminuye se producen condiciones sépticas con el consiguiente malo olor característico y el oscurecimiento del lodo.

–   Los lodos secundarios del proceso de lechos bacterianos son de color marrón y no generan malos olores si están frescos (bien aireados). Su velocidad de degradación suele ser menor que a del proceso de fangos activos.

–   Los lodos mixtos tienen color es marrón oscuro tirando a negro. Contiene gas en cantidades relativamente elevadas. Si está bien digerido no genera malos olores.

–   Los lodos se caracterizan por presentar metales pesados y organismos patógenos.

–   Los objetivos de espesamiento son: reducir el volumen del lodo, favorecer su mezcla y homogeneización y abaratar el proceso de deshidratación.

–   Existen dos tipos de espesamiento: por gravedad (un proceso de sedimentación parecido al que acontece en los tanques de sedimentación primaria y secundaria) y por flotación (al lodo se le suministra una eleva cantidad de aire a presión y se introduce en un tanque abierto).

– Los objetivos de la estabilización de fango son: reducir los patógenos presentes; mineralizar de la materia orgánica; disminuir las materias volátiles y eliminar, reducir o inhibir su potencial de putrefacción.

– Los principales métodos de estabilización son: oxidación con cloro, estabilización con cal, tratamiento térmico, digestión anaerobia y digestión aerobia. Los dos últimos son los más importantes.

– La digestión anaerobia es proceso es llevado a cabo por microorganismo anaerobios los cuales realiza una descomposición de la materia orgánica produciendo un lodo final inerte y una liberalización de gases. Consta de dos etapas: fermentación ácida y alcalina.

– La digestión aerobia es un proceso similar al procesado de fangos activos. Cuando se acaba el sustrato que sirve de alimento, los microorganismo empiezan a consumir su propio protoplasma para obtener energía (fase endógena) produciéndose dióxido de carbono, amoniaco, agua y energía.

– La línea de gas es está formada por el gas resultante de la digestión aerobia o anaerobia de los fangos.

– Los digestores requieren calor para que los fangos que entran alcancen la temperatura del digestor, compensar las pérdidas de calor que se producen en las distintas superficies del digestor (paredes, solera y cubierta) y suplir las pérdidas de calor que se producen en las conducciones.

– Es muy importante que se produzca una adecuada agitación del contenido de los digestores para obtener un rendimiento óptimo del proceso. Para ello se emplean distintos sistemas de mezclado: por gas, mecánico, por bombas y sistema mixto.

– Los intercambiadores de calor empleados para el calentamiento del digestor se caracterizan por ser exteriores. Entre los modelos más empleado se encuentran: tabular helicoidal vertical, caldera helicoidal horizontal, tabular horizontal y en espiral.

– El gas generado en la digestión anaerobia puede ser aprovechado para la generación de energía eléctrica en la estación depuradora.

– La deshidratación es una operación física unitaria cuyo objetivo es reducir la humedad que posee el lodo. Los sistemas de deshidratación más empleados son: filtración al vacío, filtros banda, centrífugas, filtros prensa, eras de secado y lagunaje.

- La evacuación de residuos se refiere a su extracción del sistema para su deposición final en vertedero controlado o su traslado a un proceso de tratamiento para su reutilización. Dos de los equipos empleados en la evacuación de residuos son: tolvas y cintas transportadoras.

- El transporte de lodos puede realizarse por: tubería, camión, barcaza y ferrocarril.

- El objetivo del secado térmico es reducir el contenido de agua del fango mediante evaporación para su mejor incineración o transformación en fertilizante.

- El compostaje es un proceso biológico aeróbico, realizado por bacterias y hongos, que consistente en la transformación de la materia orgánica en compost, bajo condiciones de temperatura, humedad y ventilación controladas.

- El lodo puede emplearse, además de como fertilizante natural del suelo, como material de relleno de terrenos y escombreras.

UD7
Autoevaluación

1. Los lodos primarios:

   a. Tienen textura arcillosa.

   b. Su color varía de marrón a gris.

   c. Contienen elevadas cantidades de gases.

   d. Tienen un color negruzco.

2. Respecto a los metales pesados en los lodos:

   a. Aceleran el proceso de fermentación en los digestores.

   b. El níquel es el que presenta mayor toxicidad.

   c. Implican su no utilización en labores agrícolas.

   d. Se pueden eliminar mediante neutralización con sodio.

3. El espesamiento de fangos:

   a. Aumenta el volumen del lodo.

   b. Favorece su mezcla y homogeneización.

   c. Encarece el proceso de deshidratación.

   d. Se realiza mediante centrífugas.

4. La estabilización del fango:

    a. Incrementa los patógenos presentes.

    b. Oxida la materia orgánica.

    c. Aumenta las materias volátiles.

    d. Eliminar, reducir o inhibir su potencial de putrefacción.

5. El mezclador mecánico del fango:

    a. El digestor presenta una cubierta fija.

    b. Las hélices no se encuentran sumergidas en el fango.

    c. Posee tuberías de PVC.

    d. La hélice gira en una única dirección.

6. El intercambiador de calor tubular helicoidal vertical:

    a. El flujo de fango no es uniforme.

    b. La velocidad no es constante.

    c. Se produce la sedimentación de partículas en las tuberías.

    d. El flujo de agua rodea a la tubería de fango circulando el sentido inverso.

7. Con la deshidratación de lodos se persigue:

    a. Reducir los costes de transporte derivados del traslado de los lodos hasta su lugar de deposición final.

    b. Facilitar su manipulación.

    c. Conseguir su inodorización.

    d. Todas las anteriores son correctas.

8. Los filtros banda se caracterizan por:

    a. Bajo consumo energético.

    b. Aumentar la cantidad de floculante empleado.

    c. Gran reducido.

    d. Bajo rendimiento.

9. El secado térmico:

   a. Reduce el contenido de agua del fango mediante evaporación para su mejor incineración o transformación en fertilizante.

   b. Se realiza siempre de forma natural.

   c. Existen cinco tipos de secado térmico.

   d. Aumenta el peso del fango.

10. El compostaje:

   a. Es un proceso biológico anaeróbico.

   b. Es realizado por virus.

   c. Consistente en la transformación de la materia orgánica en compost.

   d. Es un proceso químico.

Área: seguridad y medioambiente

UD8

Línea de aire en una EDAR

8.1. Medida y control de olores en una EDAR

Vamos a empezar definiendo qué es el olor.

Definición

El olor es la "impresión que los efluvios producen en el olfato" (Real Academia de la Lengua Española).

El sentido del olfato detecta la presencia de determinadas sustancias en el aire que transmiten mediante impulsos nerviosos la señal al cerebro. Atendiendo al tipo e intensidad del olor, el cerebro lo interpretará como una sensación agradable o como rechazo.

Es una sensación subjetiva, pues no todo el mundo percibe la señal de la misma forma. Lo que para unos es un olor desagradable para otros no lo es.

Las aguas residuales emiten malos olores antes y durante su tratamiento debido a la emisión a la atmósfera de compuestos volátiles. Los principales son:

– Ácido sulfhídrico.

– Aminas y sus derivados.

– Amoniaco y sus derivados.

– Mercaptanos.

En la siguiente tabla mostramos el umbrales de reconocimiento de esos compuestos.

COMPUESTOS	UMBRAL DE RECONOCIMIENTO (ppm volumen)
Ácido sulfhídrico de Na_2S	47×10^{-4}
Escatol	22×10^{-2}
Ácido sulfhídrico gas	47×10^{-5}
Fenol	47×10^{-3}
Metilmercaptanos	21×10^{-4}
Etanotiol	10^{-3}
Amoniaco	468×10^{-1}
t-Butiltiol	9×10^{-5}
Alil mercaptanos	16×10^{-3}
Propanotiol	74×10^{-5}
Metilaminas	21×10^{-3}
Dimetilaminas	47×10^{-3}
Trimetilaminas	21×10^{-5}
Paracresol	10^{-3}
Alilaminas	28
Dietilaminas	498×10^{-3}
Etilmercaptanos	10^{-3}
Ácido propiónico	20
Metanotiol	21×10^{-4}

Fuente: Seoanez Calvo, M (1995)

Además de los compuestos listados en la tabla, las defecaciones humanas también son fuente de malos olores en la EDAR. Ello es debido a que sufren dos procesos:

− Putrefacción en las proteínas.

− Descarboxilaciones de aminoácidos con producción de lisina, tirosina y aminas, entre otros.

− Desaminaciones con liberación de amoniaco.

Finalmente se producen compuesto tales como el estacol, indol, fenol, etc. que dará lugar a la formación de ácido sulfhídrico y mercaptanos.

Otros compuestos responsables del mal olor en las EDAR	
· Ácido acético	· Metanotiol
· Ácido isobutírico	· n-Butanol
· Ácido propiónico	· n-Butiraldehído
· Dibutilamina	· n-Hexilamina
· Diisobutilamina	· n -Propanol
· Diisopropilamina	· Propanotiol
· Etanotiol	· Propionaldehído
· Etilamina	· t-Amitiol
· Isopropanol	· t-Butiol
· Metano	· Trietilamina

Los compuestos volátiles emitidos a la atmósfera son dispersados por la acción del viento. En su trayecto, la intensidad disminuye por la acción de dos tipos de factores:

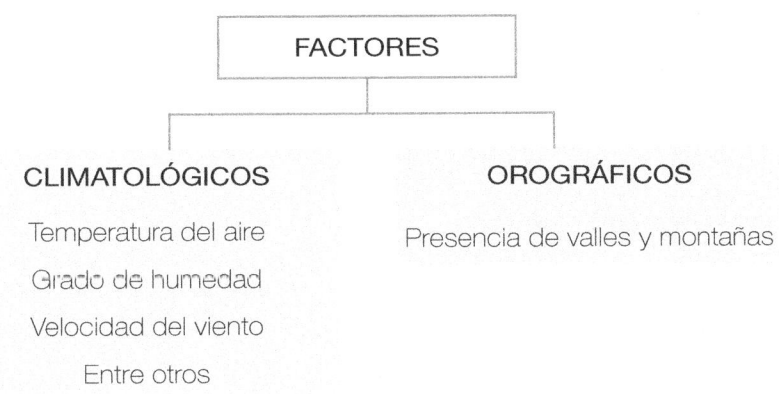

FACTORES

CLIMATOLÓGICOS

Temperatura del aire

Grado de humedad

Velocidad del viento

Entre otros

OROGRÁFICOS

Presencia de valles y montañas

Si estos olores llegan a núcleo de población se producirá un malestar generalizado con la consiguiente protesta por parte de los ciudadanos que viven en las inmediaciones de la EDAR.

El problema se agrava si afecta a:

- Personas ancianas.

- Población con alergias.

- Personas con problemas respiratorio.

Además, existe un colectivo que se directamente afectado: los trabajadores de la estación depuradora.

Los operarios soportan durante un tiempo prolongado la exposición a olores desagradables. Para solventar esto se emplean medidas acorde con las normas de seguridad y salud. Una medida sencilla sería el empleo de mascarillas.

Definición

Las normas de seguridad y salud en el ámbito laboral son directrices destinadas a disminuir o eliminar los riesgos de la actividad profesional sobre sus trabajadores.

Las técnicas de medida y control de olores se basan principalmente en:

- La captación en bolsas.

- El empleo de olfactometría.

- El bombeo en absorbentes.

- La cromatografía de gases.

En la medida de los olores se debe tener en cuenta una serie de factores:

- La sensibilidad olfativa.

- La concentración de los compuestos volátiles vistos anteriormente.

A continuación enumeramos una serie de procesos realizado en las depuradoras para evitar la generación de malos olores:

PROCESO	MEDIDA
Llegada a través de colectoras a la planta de tratamiento	Ajustar la velocidad en la conducción para evitar procesos de fermentación
	Someterla a mezclado y aireación tras su salida del colector
Tras la sedimentación secundaria	Someterla a cloración

Además se debe tener en cuenta la distancia de la EDAR al núcleo de población más cercano.

Se sabe que en condiciones atmosféricas estables la intensidad de un olor disminuye al cuadrado de la distancia del foco emisor.

Sin embargo, en condiciones de inestabilidad atmosférica se aplica la siguiente expresión:

$$I_x = I_o \, e^{cx}$$

Donde:

Ix = intensidad del olor a una distancia x.

Io = intensidad del olor en la fuente.

C = constante.

X = distancia a la fuente emisora de mal olor (m).

Importante

Los valores de Io y C se determinan experimentalmente. No obstante, existen tablas con valores ya comprobados para algunos compuestos.

Los malos olores pueden ser reducidos mediante la instalación de pantallas vegetales en los perímetros de la EDAR.

8.2.   Alternativas

Ya hemos visto que los malos olores causan malestar a la población. Para evitar esto surgen dos tipos de alternativas: Ubicación de la EDAR y Empleo de MTDs.

A. Ubicación de la EDAR

Cuando se proyecta construir una EDAR, uno de los factores que se tiene en cuanta es su ubicación. El proyecto de construcción plantea una serie de alternativas para la ubicación de la estación depuradora donde se analizan los ventajas e inconvenientes de cada una de ellas.

Además, en el Estudio de Impacto Ambiental (EsIA) asociado al proyecto se estudia los impactos que la actividad causa sobre el medio ambiente y la población en:

−   La fase de construcción.

−   La fase de funcionamiento.

Y, evidentemente, uno de los factores causantes de impacto que se contempla en el estudio son los olores.

Definición

Un Estudio de Impacto Ambiental (EsIA) es un documento que, según el Real Decreto Legislativo 1/2008, de 11 de enero, contempla al menos los siguientes datos:

"a) Descripción general del proyecto y exigencias previsibles en el tiempo, en relación con la utilización del suelo y de otros recursos naturales. Estimación de los tipos y cantidades de residuos vertidos y emisiones de materia o energía resultantes.

b) Una exposición de las principales alternativas estudiadas y una justificación de las principales razones de la solución adoptada, teniendo en cuenta los efectos ambientales.

c) Evaluación de los efectos previsibles directos o indirectos del proyecto sobre la población, la flora, la fauna, el suelo, el aire, el agua, los factores climáticos, el paisaje y los bienes materiales, incluido el patrimonio histórico artístico y el arqueológico. Asimismo, se atenderá a la interacción entre todos estos factores.

d) Medidas previstas para reducir, eliminar o compensar los efectos ambientales significativos.

e) Programa de vigilancia ambiental.

f) Resumen del estudio y conclusiones en términos fácilmente comprensibles. En su caso, informe sobre las dificultades informativas o técnicas encontradas en la elaboración del mismo".

Si quieres conocer con más detalle la legislación base estatal sobre este tema, te invitamos a que la consultes en www.boe.es como **Real Decreto Legislativo 1/2008, de 11 de enero**, por el que se aprueba el texto refundido de la Ley de Evaluación de Impacto Ambiental de proyectos.

En dichos estudios se estudiarán variables como:

- distancia a la población más cercana;

- dirección predominante de los vientos;

- velocidad de los vientos;

- para minimizar lo impactos.

Sin embargo, no sólo los factores ambientales y sociales influyen en la ubicación de una EDAR, sino que existen también intervienen factores económicos.

El suelo es un recurso extremadamente caro en algunos municipios, por lo que la localización de la EDAR habrá de hacerse en un suelo cuyo valor económico sea bajo. Estos suelos suelen localizarse a las afueras de los municipios. Esto tiene la ventaja de que son zonas poco pobladas e incluso deshabitadas por lo que la población no se ve afectada.

Pero existe un problema añadido, las EDAR ha en situarse cerca de un curso de agua para realizar el vertido al mismo. Por tanto, la tarea de encontrar suelo barato y cerca de un curso fluvial se complica.

En la siguiente imagen observamos una EDAR cerca de un curso fluvial. Se aprecia como existe un núcleo de población en la lejanía.

B. Empleo de MTDs

La **Ley 16/2002 de 1 de julio, de Prevención y Control Integrados de la Contaminación** define las Mejoras Técnicas Disponibles (MTDS) como:

Definición

"Fase más eficaz y avanzada de desarrollo de las actividades y de sus modalidades de explotación, que demuestren la capacidad práctica de determinadas técnicas para constituir, en principio, la base de los valores límite de emisión destinados a evitar o, cuando ello no sea posible, reducir en general las emisiones y el impacto en el conjunto del medio ambiente y de la salud de las personas".

El empleo de dichas técnicas requiere de:

– Apoyo por parte de las administraciones.

– Fondos económicos dedicados a la investigación.

Sabías que

El objetivo de la ley 16/2002 es " evitar o, cuando ello no sea posible, reducir y controlar la contaminación de la atmósfera, del agua y del suelo, mediante el establecimiento de un sistema de prevención y control integrados de la contaminación, con el fin de alcanzar una elevada protección del medio ambiente en su conjunto".

En el siguiente epígrafe vamos a estudiar algunas de esas técnicas.

8.3. Extracción y tratamiento de olores

Dado los problemas que ocasiona los malos olores a la población y a los trabajadores de la estación depuradora, se precisa de sistemas de tratamiento y extracción de los mismos.

Las principales causas del mal olor son:

— La recepción de aguas residuales sépticas que contienen sulfuro de hidrógeno.

— Residuos industriales vertidos a la red de alcantarillado municipal.

— Arena sin lavar.

— Espumas de los tanques de decantación primaria.

— Procesos de tratamientos biológicos.

— Espesadores de fango.

— Quemado de gas generado en procesos anaerobios.

— Tareas de mezclado de productos químicos.

— Incineración de fangos.

— Producción de fango mal digerido.

En este apartado vamos a estudiar los distintos equipos y sistemas empleados para la eliminación o reducción del mal olor.

Para ello se ha dividido en los siguientes 4 epígrafes: Equipos, Biológicos, Físico-químicos, Reactivos empleados.

8.3.1. Equipos

Entre los equipos empleados para la eliminación de gases volátiles productores de mal olor encontramos:

— Lechos de carbón activo (véase tema 2).

- Filtros percoladores (véase tema 5).

- Tanques de aireación de fangos activos (véase tema 5).

- Torres biológicas especiales de stripping (véase tema 6).

- Torres de lavado de gases.

Todos ellos a excepción de las torres de lavado de gases has sido descritos en temas anteriores, por lo que en este epígrafe nos centraremos en el estudio de este equipo.

Las torres de lavado de gases se emplean no sólo para la eliminación de malos olores sino también para la eliminación de contaminantes atmosféricos. Consiste en la inyección de los gases por la parte inferior de una columna, haciéndolos circular hasta su parte superior. Por otra parte, se introduce líquido de lavado por la parte superior de la misma. Este líquido se distribuye por el interior de forma uniforme absorbiendo los contaminantes. Se distinguen los siguientes elementos dentro del equipo:

- Separador de gotas: retiene al líquido de lavado e impide que salgan los gases volátiles del sistema.

- Distribuidor del líquido de lavado: material metálico o plástico encargado de distribuir de forma uniforme el líquido en la torre.

- Material de relleno: material de alta superficie específica donde se producen las reacciones químicas.

- Soporte de relleno: mallas destinadas a sujetar el material de relleno. Debe dejar pasar el líquido de lavado.

A continuación se muestra una figura de una torre de lavado:

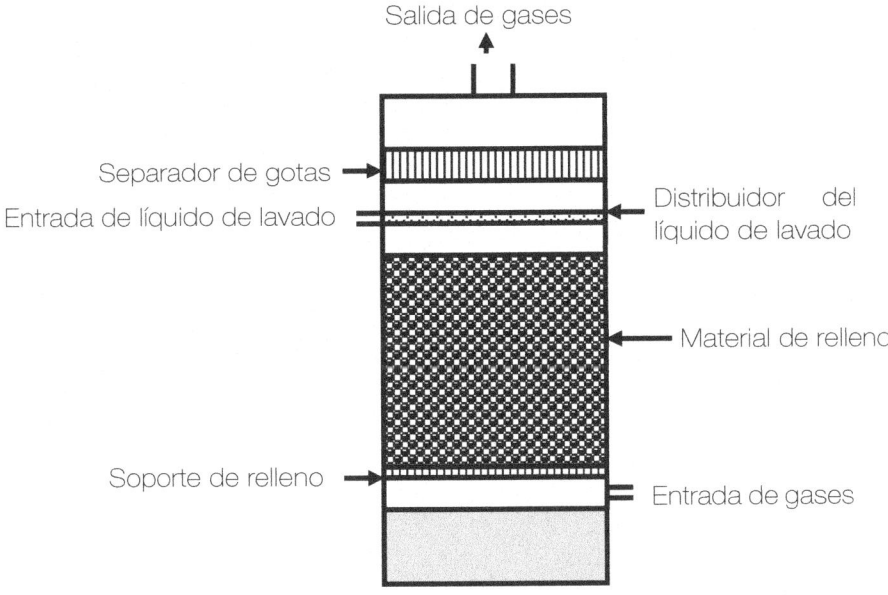

Salida de gases

Separador de gotas

Entrada de líquido de lavado

Distribuidor del líquido de lavado

Material de relleno

Soporte de relleno

Entrada de gases

8.3.2. Biológicos

Los métodos biológicos empleados en el tratamiento de olores son:

- Filtros percoladores o tanques de aireación de fangos activos. Los gases productores de mal olor pueden:

    · Hacerse pasar a través de lechos de filtros percoladores.

    · Introducirse en los tanques de aireación del proceso de fangos activos con el objeto de eliminar los compuestos de cloro.

- Torres biológicas especiales de stripping. Las torres diseñadas para la eliminación de los compuestos de cloro se llenan con materiales plásticos de diversa naturaleza sobre los que se adhiere una película biológica

Recuerda

Un **filtro percolador** es un lecho, circular y extremadamente permeable, con microorganismos adheridos a través de cual pércola el agua residual. Los microorganismos presentes en los filtros son: bacterias, hongos, algas y protozoos.

El proceso de **fango activo** consiste en hacer pasar el agua residual por un reactor aireado que contiene un residuo orgánico (fango preformado en una proporción del 15-25%) y un cultivo de microorganismo aerobios en suspensión (licormezcla).

8.3.3. Físico químico

Para una mejor comprensión y diferenciación de estos métodos vamos a dividirlos en 2:

A. Químicos

Los métodos químicos son:

- **Lavado con álcalis**. Los gases se hacen pasar a través de disoluciones de álcalis. El principal inconveniente de esta técnica es su elevado coste si el agua presenta una elevada concentración de dióxido de carbono.

- **Oxidación química**. Consiste en la oxidación de los gases volátiles por agentes químicos. La oxidación química es un método muy utilizado para reducir los malos olores.

- **Precipitación química.** Se basa en la adición de sales metálicas para la precipitación de los sulfuros. Es un método sencillo y económico.

Definición

Un álcali es un hidróxido metálico muy soluble en el agua, que se comporta como una base fuerte (Real Academia de la Lengua Española).

B. Físicos

Los métodos físicos son:

- **Incineración.** Consiste en la incineración de gases a temperaturas que oscilan entre 650-750ºC. Para alcanzar estas temperaturas tan elevadas se emplean catalizadores.

- **Adsorción por carbón.** Se trata de hacer pasar los compuestos volátiles generadores de mal olor por lechos de carbón activo.

- **Adsorción por arena o suelo.** Es similar la anterior con la diferencia de que los gases se hacen pasar por lechos de arena o directamente por el suelo de las proximidades de la planta de tratamiento.

- **Inyección de oxígeno.** Resulta bastante efectiva la introducción de oxígeno (ya sea puro o en forma de aire) en al agua residual. Se evita así el desarrollo de condiciones anaeróbicas.

- **Agentes enmascarantes.** Consiste en la adición de productos perfumados al agua residual para reducir los olores. Esta técnica no siempre da buenos resultados por lo que no es muy utilizada.

- **Torres de lavado de gases.** Se hace pasar los gases generadores de malos olores por dichas torres. Se suele añadir algún agente químico o biológico al proceso.

Sabías que

Los gases de las alcantarillas pueden incinerarse junto los lodos producidos en las estaciones depuradoras.

8.3.4. Reactivos empleados

En algunos de los tratamientos descritos en los epígrafes anteriores se emplean reactivos químicos para llevar a cabo la eliminación reducción de los malos olores.

Vamos ahora a mostrar en una tabla cuales son esos reactivos y el tratamiento en el que se aplica:

MÉTODO	REACTIVO
Método físico	
Adsorción	Carbón activo
Inyección de oxígeno	Oxígeno puro o aire
Torres de lavado de gases	Ozono, entre otros
Método químico	
Lavado con álcalis	Hidróxido de calcio e hidróxido de sodio, principalmente
Oxidación química	Los más empleados son: cloro, ozono y peróxido de hidrógeno
Precipitación química	Sales metálicas

Recuerda

El carbón activo es un material granular muy empleado en la adsorción de gases ya que poseen una alta superficie específica. Además, se regenera de forma fácil mediante la oxidación y eliminación de la materia orgánica contenida en la superficie. Sin embargo, se destruye entre un 5-10 % del carbón siendo necesaria su regeneración con material nuevo. Este carbón nuevo presenta una capacidad de adsorción ligeramente inferior.

La elección de un método u otra para la eliminación de los malos olores está directamente relacionada con el coste económico del equipo y de los reactivos químicos que se emplean en ellos. Por ello, antes de optar por uno u otro se debe de hacer una valoración económica a largo plazo para evaluar la rentabilidad del tratamiento.

UD8
Lo más importante

- Las aguas residuales emiten malos olores antes y durante su tratamiento debido a la emisión a la atmósfera de compuestos volátiles.

- Los principales son: ácido sulfhídrico, aminas y sus derivados, amoniaco y sus derivados y mercaptanos.

- Los compuestos volátiles emitidos a la atmósfera son dispersados por la acción del viento. En su trayecto, la intensidad disminuye por la acción de dos tipos de factores: climatológicos y orográficos.

- Los malos olores afectan a la población que habita en las inmediaciones y a los operarios de la EDAR.

- Las técnicas de medida y control de olores se basan principalmente en: la captación en bolsas, el empleo de olfactometría, el bombeo en absorbentes y la cromatografía de gases.

- Las dos principales alternativas empleadas para evitar los malos olores son: ubicar la EDAR lejos de núcleos de población y el empleo de MTDs.

- Antes de ubicar una EDAR se realiza un proyecto de construcción y un EsIA donde se analizan las posibles ubicaciones de la EDAR.

- Entre los equipos empleados para la eliminación de gases volátiles productores de mal olor encontramos: lechos de carbón activo, filtros percoladores, tanques de aireación de fangos activos , torres biológicas especiales de stripping y torres de lavado de gases.

- Los métodos biológicos para el tratamiento de malos olores son: filtros percoladores, tanques de aireación de fangos activos y torres biológicas especiales de stripping.

- Los métodos químicos para el tratamiento de malos olores son: lavado con álcalis, oxidación química y precipitación química.

- Los métodos físicos para el tratamiento de malos olores son: incineración, adsorción por carbón activo, adsorción por arena o suelo, inyección de oxígeno, agentes enmascarantes y torres de lavado.

- Entre los reactivos empleados se encuentran: carbón activo, oxígeno, ozono, hidróxido de calcio, hidróxido de sodio, cloro, peróxido de hidrógeno y sales metálicas.

UD8
Autoevaluación

1. El umbral de reconocimiento (ppm volumen) del fenol es:

    a. 47×10^{-3}.

    b. 28.

    c. 10^{-3}.

    d. 47×10^{-4}.

2. Las técnicas de medida y control de olores no se basan en:

    a. La captación en bolsas.

    b. El empleo de olfactometría.

    c. El bombeo en absorbentes.

    d. La espectofotometría.

3. Para evitar los olores desagradables, tras la sedimentación secundaria:

    a. Se produce un mezclado.

    b. Se adiciona ozono.

    c. Se adiciona cloro.

    d. Se adiciona oxígeno.

4. Las principales causas del mal olor en una EDAR son:

    a. Espesadores de fangos.

    b. Arena sin lavar.

    c. Espumas de los tanques de sedimentación primaria.

    d. Todas las anteriores son correctas.

5. En las torres de lavado de gases:

    a. Se inyecta los gases por la parte inferior.

    b. Se inyecta agua de lavado por la parte inferior.

    c. Se emplean únicamente para la eliminación de malos olores.

    d. Todas las anteriores son verdaderas.

6. En las torres biológicas especiales de stripping la película biológica se adhiere a:

    a. Arenas.

    b. Grava.

    c. Materiales plásticos.

    d. Carbón activo.

7. En la precipitación química precipitan los sulfuros por la adición de:

    a. Cloro.

    b. Sales metálicas.

    c. Ozono.

    d. Magnesio.

8. En la incineración se queman los gases a:

    a. 300 °C.

    b. 500 °C.

    c. 650-750 °C.

    d. 800-900 °C.

9. El reactivo empleado en el lavado con álcalis es:

    a. Ozono.

    b. Cloro.

    c. Hidróxido de calcio.

    d. Sales metálicas.

10. El reactivo empleado en la precipitación química es:

    a. Ozono.

    b. Cloro.

    c. Hidróxido de calcio.

    d. Sales metálicas.

Área: seguridad y medioambiente

UD9

Reciclado de aguas depuradas

9.1 Tratamientos empleados

9.2 Normativa sobre aguas depuradas

    9.2.1. Calidad exigida por administración actuante en función del uso

9.3. Parámetros de control de su calidad

9.4. Reutilización de biosólidos

9.5 Valorización energética

9.1.   Tratamientos empleados

La reutilización del agua residual pasa por someterla a tratamientos avanzados para la eliminación de nutrientes que no pudieron ser retirados en los procesos anteriores. Estos tratamientos avanzados se realizan en el tratamiento terciario y fueron estudiados en el tema 6 de la presente unidad formativa.

Importante

No todas las estaciones constan de tratamiento terciario.

Vamos a recordar ahora los distintos tratamientos empleados para la eliminación de los siguientes nutrientes:

Nitrógeno

El nitrógeno se encuentra en el agua residual en 4 formas distintas:

- Nitrógeno orgánico

- Nitrógeno amoniacal

- Nitrito

- Nitrato

Las dos primeras son las formas predominantes en el agua residual no tratada.

Las **fuentes** de **origen** del nitrógeno son:

NATURAL	ARTIFICIAL
Precipitación Polvo Escorrentía Fijación biológica	Aguas residuales municipales Drenaje de área de cultivos Drenaje de instalaciones ganaderas Actividades industriales Filtraciones en fosas sépticas

Vamos a discutir ahora algunos de los **procesos** de **conversión** y **eliminación** del nitrógeno:

– Nitrificación

Como se ha comentado anteriormente, la forma amoniacal es una de las dos formas en las que el nitrógeno se encuentra principalmente en el agua residual. Este amoniaco puede provocar una agotamiento del oxígeno disuelto en el agua en su transformación en nitrato. Véase las reacciones químicas que tienen lugar:

$NH_4^+ + 3/2O_2 \longrightarrow NO_2^- + 2H^+ + H_2O$ (Nitrosomonas)

$NO_2^- + 1/2O_2 \longrightarrow NO_3^-$ (Nitrobacter)

La reacción global sería:

$NH_4^+ + 2O_2 \longrightarrow NO_3^- + 2H^+ + H_2O$

El agotamiento del oxígeno puede evitarse si se oxida en amoniaco antes de su vertido al medio. Esto se puede llevar a cabo mediante dos procesos.

Vamos a analizarlos en la siguiente tabla.

PROCESOS	VENTAJAS	INCONVENIENTES
Proceso combinado de nitrificación y oxidación del carbono		
Cultivo suspendido	Dos tratamientos en una única fase Control estable del liquido mezcla por la alta relación DBO5/KKT	No protección contra tóxicos Estabilidad operacional moderada e influenciada por el decantador secundario (retorno de los microorganismos)
Cultivo fijo	Dos tratamientos en una única fase Estabilidad no influenciada por el decantador secundario ya que los organismos están adheridos al medio	No protección contra tóxicos Estabilidad operacional moderada Alta concentración de amoniaco en el efluente (1-3 mg/L) Inviable en climas fríos
Nitrificación por fases independientes		
Cultivo suspendido	Alta protección contra muchos tóxicos Proceso estable Baja concentración de amoniaco en el efluente	Si la relación DBO5/KNT es baja se precisa un extremo control de los fangos Estabilidad operacional moderada e influenciada por el decantador secundario (retorno de los microorganismos) Precisa un mayor número de procesos unitarios
Cultivo fijo	Alta protección contra muchos tóxicos Proceso estable Estabilidad no influenciada por el decantador secundario ya que los organismos están adheridos al medio	Alta concentración de amoniaco en el efluente (1-3 mg/L) Precisa un mayor número de procesos unitarios

– Desnitrificación

Junto con la nitrificación es el mejor proceso de eliminación del nitrógeno debido a que presenta las siguientes **características**:

· Elevada eficacia de eliminación

· Proceso altamente estable y fiable

· Proceso de fácil control

· Requiere poco espacio de terreno

· Su coste no es excesivo

Las **reacciones químicas** que tiene lugar son:

1ª ETAPA:

$6 NO3- + 2CH3OH \longrightarrow 6NO2- + 2CO2 + 4H2O$

2ª ETAPA:

$6NO2- + 3CH3OH \longrightarrow 3N2 + 3CO2 + 3H2O + 6OH-$

REACCIÓN GLOBAL:

$6 NO3- + 5CH3OH \longrightarrow 3N2 + 5CO2 + 7H2O + 6OH-$

Las bacterias que intervienen en estas reacciones son, principalmente,:

· Pseudomonas

· Micrococcus

· Achromobacter

· Bacillus

Se distinguen dos **procesos** de desnitrificación:

- **Sistema independiente con fuente externa de carbono**

  Se caracteriza por emplear una fuente externa de carbono (metanol principalmente) para la eliminación del nitrógeno.

  Se emplea un reactor donde la masa de microorganismo permanece en suspensión. El gas nitrógeno generado se puede fijar en los sólidos biológicos por lo que se precisa de una etapa, entre el reactor y el tanque de sedimentación, para la liberación de este gas.

  La eliminación de las burbujas que se adhieren al sólido se realiza por aircación:

  › En los canales que unen el reactor con el tanque de sedimentación

  › En un tanque independiente

- **Sistema combinado de nitrificación-desnitrificación y oxidación del carbono**

  La nitrificación-desnitrificación y la oxidación del carbono se realizan en una única etapa. Esto presenta las siguientes ventajas:

  › Menor volumen de aire para la nitrificación y la reducción de la DBO5

  › Desaparición de fuentes externas de carbono (se emplea la descomposición endógena de los microorganismos o el carbono del agua residual)

  › Desaparición de los decantadores intermedios

Vamos a mostrar ahora una tabla comparando los dos procesos:

PROCESO	VENTAJAS	DESVENTAJAS
Crecimiento suspendido con fuente externa de carbono (metanol) después de la nitrificación	Desnitrificación rápida Se requiere poco espacio para las instalaciones Proceso estable Se puede incorporar una etapa para la oxidación del metal sobrante de forma fácil La eliminación del nitrógeno es alta Cada proceso se puede optimizar independientemente	Precisa metanol Estabilidad operacional influenciada por el decantador secundario (retorno de los microorganismos) Necesita mayor número de procesos unitarios
Crecimiento de cultivo fijo con fuente externa de carbono (metanol) después de la nitrificación	Desnitrificación rápida Se requiere poco espacio para las instalaciones Proceso estable La estabilidad no está supeditada a la decantación La eliminación del nitrógeno es alta Cada proceso se puede optimizar independientemente	Precisa metanol Es complicado introducir el proceso de oxidación del metanol sobrante Necesita mayor número de procesos unitarios
Sistema combinado de nitrificación-desnitrificación y oxidación del carbono empleando fuente de carbono endógena	No requiere metanol Necesita menor número de procesos unitarios	Bajas tasas de desnitrificación Requiere de instalaciones grandes Menor eliminación del nitrógeno Estabilidad operacional influenciada por el decantador secundario (retorno de los microorganismos) Nula protección de nutrientes contra las sustancias tóxicas Complicada optimización independiente

– Procesos físico-químicos

Distinguimos tres tipos de procesos físico-químicos de eliminación del nitrógeno presente en al agua residual:

· Arrastre con aire.

· Cloración al breakpoint.

· Intercambio iónico selectivo.

Vamos a ver cada uno de ellos.

· **Arrastre con aire (Air Stripping)**

Este proceso es una modificación del proceso de aireación empleado para la eliminación de otros gases disueltos en el agua.

El amoniaco se encuentra se encuentra en el agua residual en equilibrio con ión amonio:

$$NH_3 + H_2O = NH_4+ + OH^-$$

Si el pH del agua alcanza un valor superior a 7, el equilibrio químico se desplaza hacia la izquierda. Es decir, el ión amonio se transforma en amoniaco y éste puede extraerse en forma de gas si se agita la masa de agua en presencia de oxígeno.

Este proceso se lleva a cabo en una torre de arrastre la cual posee un soplante para la inyección de aire al sistema.

Vamos a ver ahora una figura donde se esquematiza una torre de arrastre:

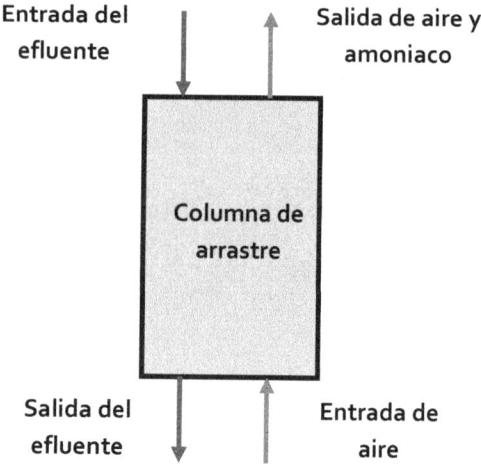

· Cloración al breakpoint

Consiste en añadir una cierta cantidad de cloro para la oxidación del nitrógeno amoniacal presente en el agua residual. Dicha reacción dará lugar a la formación de gas nitrógeno y otros compuestos estables.

La **reacción química** que tiene lugar es la siguiente:

$$2NH_3 + 3HOCl \longrightarrow N_2 + 3H_2O + 3HCl$$

Las principales **ventajas** de este sistema son:

› Puede eliminarse totalmente la cantidad de nitrógeno amoniacal del agua siempre y cuando exista una correcta homogeneización del caudal y control del proceso.

› Se produce simultáneamente la desinfección del agua residual.

› Puede combinarse con otros procesos.

Entre sus **inconvenientes** se encuentran:

› Se debe regular el caudal a tratar para optimizar el rendimiento.

> › El efluente debe ser declorado para evitar efectos negativos en el medio ambiente tras el vertido final.

· **Intercambio iónico selectivo**

El intercambio iónico selectivo consiste en el desplazamiento de los iones de un material insolubles por otro de una especie que se encuentra en solución.

Existen dos tipos de intercambio:

> › **Proceso discontinuo**
>
> La resina se introduce en un reactor con el agua a tratar y se agita. Una vez agotada, se extrae por sedimentación. Posteriormente se regenera y se vuelve a utilizar.

> › **Proceso continuo**
>
> El material de intercambio se sitúa sobre un lecho o torre a través del cual pasa el agua residual.

Las **reacciones químicas** que tienen lugar son:

REACCIÓN:

$RH + Na^+ = RNa + H^+$

$RNa + Ca_2^+ = RCa + 2\ Na^+$

REGENERACIÓN:

$RNa + HCl = RH + NaCl$

$RCa + NaCl = RNa_2 + CaCl_2$

Las resinas de intercambio pueden ser naturales (como las zeolitas) o sintéticas.

Fósforo

El fósforo puede encontrarse en el agua residual en tres formas distintas:

- Ortofosfato

- Polifosfato

- Fósforo orgánico

Las principales **fuentes** de fósforo son:

- Residuos del cuerpo humano

- Residuos alimenticios

- Detergentes domésticos

- Abonos y fertilizantes

El 10% del fósforo presente en el agua residual es eliminado en la decantación primaria. El resto se elimina, mediante sedimentación, por la formación de un precipitado insoluble. Ello se consigue con la adición de productos químicos, tales como:

- Cal

- Sulfato de alúmina

- Cloruro férrico

- Sulfato férrico.

Este proceso puede tener lugar en distintas etapas del tratamiento. Vamos a analizar as ventajas e inconvenientes de cada una de ellas.

TRATAMIENTO	VENTAJAS	INCONVENIENTES
Primario	Se puede aplicar a la mayoría de las estaciones. Alta eliminación de DBO y sólidos en suspensión. Escasas pérdidas de productos químicos. Recuperación de la cal	Escasa eficacia del empleo del producto químico. Puede necesitarse polímeros para la floculación. Fango difícilmente deshidratado
Secundario	Bajo coste. Bajas dosis de productos químicos. Mejora la estabilidad del fango activo. No requiere de polímeros	Toxicidad del metal por sobredosis a pH bajo. No puede usarse cal por valores altos del pH. Disminuye el porcentaje de sólidos volátiles
Terciario	La concentración de fósforo en el efluente es mínimo. Alta eficacia en el empleo del producto químico. Recuperación de la cal	Alto coste de inversión. Alta pérdida del metal del producto químico

Materia orgánica refractaria

La eliminación de la materia orgánica refractaria puede realizarse mediante:

– **Adsorción sobre carbón**

Puede utilizarse dos tipos de carbón activo:

· Granular

· En polvo

Con este proceso se consigue los siguientes valores:

· DBO = 2-7 mg/L

· DQO = 10-20 mg/L

– Oxidación química

La materia orgánica residual puede eliminarse mediante su reducción con cloro y ozono. El empleo de estos productos químicos aporta también las siguientes ventajas:

PRODUCTO	VENTAJAS
Cloro	Desinfecta el agua Reduce los valores de DBO
Ozono	Desinfecta el agua Reduce los valores de DQO Elimina el color

Sustancias inorgánica disueltas

Las sustancias inorgánicas disueltas pueden eliminarse mediante:

– Precipitación química

La precipitación química del fósforo se logra mediante el empleo de coagulantes (vistos en el tema 4 de la presente unidad formativa).

– Intercambio iónico

El procesos es similar al estudiado para la eliminación del nitrógeno.

– Ósmosis inversa

Consiste en pasa el agua residual a través de una membrana semipermeable a una presión mayor que la osmótica provocada por las sales disueltas en el agua residual al otro lado de la membrana. El agua se desplaza del lugar de alta concentración al de baja concentración.

Su principal inconveniente es su alto coste.

– Electrodiálisis

Consiste en la separación de los componentes iónicos del agua residual mediante membranas selectivas y semipermeables y con la generación de una corriente eléctrica que atraviesa la masa de agua. Los cationes van al electrodo positivo y los aniones la negativo.

9.2. Normativa sobre aguas depuradas

La normativa relativa a aguas depuradas es la siguiente:

A NIVEL EUROPEO

Directiva 91/271/CEE del Consejo, de 21 de mayo de 1991, sobre el tratamiento de las aguas residuales urbanas.

Directiva 98/15/CE de la Comisión de 27 de febrero de 1998 por la que se modifica la Directiva 91/271/CEE del Consejo en relación con determinados requisitos establecidos en su anexo I Directiva 98/15/CE.

A NIVEL ESTATAL

Real Decreto Ley 11/1995, de 28 de diciembre, por el que se establecen las normas aplicables al tratamiento de las aguas residuales urbanas.

Real Decreto 509/1996, de 15 de marzo, de desarrollo del Real Decreto-ley 11/1995, de 28 de diciembre, por el que se establecen las normas aplicables al tratamiento de las aguas residuales urbanas.

Real Decreto 2116/1998 que modifica el anterior el Real Decreto 509/1996, de 15 de marzo.

Real Decreto 1620/2007,de 7 de diciembre, por el que se establece el régimen jurídico de la reutilización de las aguas depuradas.

Importante

Las directivas europeas deben ser incorporadas al ordenamiento jurídico español con el objeto de adaptar e introducir a las leyes estatales las directrices marcadas por la Unión Europea. Este procedimiento recibe el nombre de **trasposición**.

Es un procedimiento complejo pues se ha de conseguir una correcta redacción e interpretación de la norma de tal forma que:

– Ayude a plasmar el principio de seguridad jurídica.

– Impida que sea confusa e incompleta.

En España este proceso se complica puesto que la adopción de la directiva puede repercutir en las relaciones de competencias existentes entre el Estado y las Comunidades Autónomas.

Las comunidades autónomas en el ámbito de sus competencias también pueden emanar normas relativas a vertidos, que completen la norma estatal.

Del listado de normativa anteriormente citado es el **Real Decreto 1620/2007, de 7 de diciembre, por el que se establece el régimen jurídico de la reutilización de las aguas depuradas**, el que marca las pautas de la utilización del agua residual previo tratamiento.

Según lo dispuesto en esta norma se entiende por:

Reutilización de las aguas: "aplicación, antes de su devolución al dominio público hidráulico y al marítimo terrestre para un nuevo uso privativo de las aguas que, habiendo sido utilizadas por quien las derivó, se han sometido al proceso o procesos de depuración establecidos en la correspondiente autorización de vertido y a los necesarios para alcanzar la calidad requerida en función de los usos a que se van a destinar".

Sistema de reutilización de las aguas: "conjunto de instalaciones que incluye la estación regeneradora de aguas, en su caso, y las infraestructuras de almacenamiento y distribución de las aguas regeneradas hasta el punto de entrega a los usuarios, con la dotación y calidad definidas según los usos previstos".

Este real decreto tiene por **objeto**:

"Establecer el régimen jurídico para la reutilización de las aguas depuradas, de acuerdo con el artículo 109.1 del texto refundido de la Ley de Aguas, aprobado por el Real Decreto Legislativo 1/2001, de 20 de julio"

El empleo del agua depurada requiere de un **concesión de reutilización** cuyo procedimiento de obtención viene recogido en el Capítulo IV.

En dicho capítulo se establece que:

"Con la finalidad de fomentar la reutilización del agua y el uso más eficiente de los recursos hidráulicos, las Administraciones Públicas estatal, autonómica o local, en el ámbito de sus respectivas competencias, podrán llevar a cabo planes y programas de reutilización de aguas. En estos planes se establecerán las infraestructuras que permitan llevar a cabo la reutilización de los recursos hidráulicos obtenidos para su aplicación a los usos admitidos. En dichos planes se especificará el análisis económico- financiero realizado y el sistema tarifario que corresponda aplicar en cada caso.

Asimismo, estos planes y programas serán objeto del procedimiento de evaluación ambiental estratégica conforme a lo establecido en la Ley 9/2006, de 28 de abril, sobre evaluación de los efectos de determinados planes y programas en el medio ambiente".

Si quieres conocer más sobre dicha normativa, consulta en internet Real Decreto 1620/2007,de 7 de diciembre, por el que se establece el régimen jurídico de la reutilización de las aguas depuradas.

9.2.1. Calidad exigida por administración actuante en función del uso

Los usos para los que puede ser empleada el agua residual están fijados en el art. 4: Usos admitidos para las aguas regeneradas.

Este artículo expone lo siguiente:

"1. Las aguas regeneradas podrán utilizarse para los usos indicados en el anexo I.A.

2. En los supuestos de reutilización del agua para usos no contemplados en el anexo I.A, el organismo de cuenca exigirá las condiciones de calidad que se adapten al uso más semejante de los descritos en el mencionado anexo. Será necesario, en todo caso, motivar la reutilización del agua para un uso no descrito en el mismo.

3. En todos los supuestos de reutilización de aguas, el organismo de cuenca solicitará de las autoridades sanitarias un informe previo que tendrá carácter vinculante.

4. Se **prohíbe** la reutilización de aguas para los siguientes usos:

    a) Para el consumo humano, salvo situaciones de declaración de ca-
        tástrofe en las que la autoridad sanitaria especificará los niveles de
        calidad exigidos a dichas aguas y los usos.

    b) Para los usos propios de la industria alimentaria, tal y como se deter-
        mina en el articulo 2.1 b) del Real Decreto 140/2003, de 7 de febrero
        por el que se establecen los criterios sanitarios de la calidad del agua
        de consumo humano, salvo lo dispuesto en el anexo I.A.3.calidad
        3.1c) para el uso de aguas de proceso y limpieza en la industria ali-
        mentaria.

    c) Para uso en instalaciones hospitalarias y otros usos similares.

    d) Para el cultivo de moluscos filtradores en acuicultura.

    e) Para el uso recreativo como agua de baño.

    f) Para el uso en torres de refrigeración y condensadores evaporativos,
        excepto lo previsto para uso industrial en el anexo I.A.3.calidad 3.2.

    g) Para el uso en fuentes y láminas ornamentales en espacios públicos
        o interiores de edificios públicos.

    h) Para cualquier otro uso que la autoridad sanitaria o ambiental con-
        sidere un riesgo para la salud de las personas o un perjuicio para el
        medio ambiente, cualquiera que sea el momento en el que se aprecie
        dicho riesgo o perjuicio".

Importante

La calidad del agua será distinta dependiendo del uso a la que esté asigna-
da. Así, no tendrá las mismas características un agua destinada al consumo
humano que otra empleada en el riego de jardines. Por ello, la legislación establece un conjunto de características o cualidades que debe cumplir un agua
en relación a uso final.

Respecto a la **calidad** exigida por la administración actuante en función del uso, se encuentra recogida en el art. 5.

Dicho artículo establece los siguiente:

"1. Las aguas regeneradas deben cumplir en el punto de entrega los criterios de calidad según usos establecidos en el anexo I.A. Si un agua regenerada está destinada a varios usos serán de aplicación los valores más exigentes de los usos previstos.

2. Los organismos de cuenca, en las resoluciones por las que otorguen las concesiones o autorizaciones de reutilización, podrán fijar valores para otros parámetros o contaminantes que puedan estar presentes en el agua regenerada o lo prevea la normativa sectorial de aplicación al uso previsto para la reutilización. Asimismo, podrán fijar niveles de calidad más estrictos de forma motivada.

3. La calidad de las aguas regeneradas se considerará adecuada a las exigencias de este real decreto si el resultado del control analítico realizado de acuerdo con lo previsto en el anexo I.B cumple con los requisitos establecidos con el anexo I.C

4. El titular de la concesión o autorización de reutilización de aguas es responsable de la calidad del agua regenerada y de su control desde el momento en que las aguas depuradas entran en el sistema de reutilización hasta el punto de entrega de las aguas regeneradas.

5. El usuario del agua regenerada es responsable de evitar el deterioro de su calidad desde el punto de entrega del agua regenerada hasta los lugares de uso.

6. Las responsabilidades previstas en los apartados 4 y 5 se entenderán sin perjuicio de la potestad de supervisión y control de las autoridades ambientales y sanitarias.

7. La concesión de reutilización podrá ser modificada como consecuencia de las variaciones o modificaciones que se aprueben respecto de la concesión otorgada para el uso privativo del agua al primer usuario de la misma".

Recuerda

El agua es un recurso escaso en países como España, especialmente en el sureste peninsular. Por ello, las autoridades deben promover e incentivar el uso de aguas de las depuradoras pues permite el ahorro de este preciado recurso natural. Este tipo de medidas junto con otras, tales como:

· El empleo de sistema de riego por goteo en la agricultura;

· La construcción de desaladoras;

· La reutilización de aguas grises;

· Medidas de ahorro doméstico;

Permitirán el ahorro de elevados volúmenes de agua.

A continuación vamos a mostrar en tablas los criterios de calidad para la reutilización de las aguas según los siguientes usos:

· Urbano

· Agrícola

· Industrial

· Recreativo

· Ambiental

Vamos a estudiar los valores de los principales parámetros para cada uno de ellos.

— **Uso urbano:**

	VALOR MÁXIMO ADMISIBLE			
	Nemátodos intestinales	Escherichia coli	Sólidos en suspensión	Turbidez
CALIDAD 1.1: RESIDENCIAL a) Riego de jardines privados b) Descarga de aparatos sanitarios	1 huevo/10 L	0 (UFC /100 mL)	10 mg/L	2 UNT
CALIDAD 1.2: SERVICIOS a) Riego de zonas verdes urbanas (parques, campos deportivos y similares) b) Baldeo de calles c) Sistemas contra incendios d) Lavado industrial de vehículos	1 huevo/10 L	200 UFC/100 mL	20 mg/L	10 UNT

– Agrícola

	VALOR MÁXIMO ADMISIBLE			
	Nemátodos intestinales	Escherichia coli	Sólidos en suspensión	Turbidez
CALIDAD 2.1 a) Riego de cultivos con sistema de aplicación del agua que permita el contacto directo del agua regenerada con las partes comestibles para alimentación humana en fresco.	1 huevo/10 l	100 UFC/100 ml	20 mg/L	10 UNT
CALIDAD 2.2 a) Riego de productos para consumo humano con sistema de aplicación de agua que no evita el contacto directo del agua regenerada con las partes comestibles, pero el consumo no es en fresco sino con un tratamiento industrial posterior. b) Riego de pastos para consumo de animales productores de leche o carne. c) Acuicultura.	1 huevo/10 L	1.000 UFC/100 mL	35 mg/L	No se fija límite
CALIDAD 2.3 a) Riego localizado de cultivos leñosos que impida el contacto del agua regenerada con los frutos consumidos en la alimentación humana. b) Riego de cultivos de flores ornamentales, viveros, invernaderos sin contacto directo del agua regenerada con las producciones. c) Riego de cultivos industriales no alimentarios, viveros, forrajes ensilados, cereales y semillas oleaginosas	1 huevo/10 L	10.000 UFC/100 mL	35 mg/L	No se fija límite

3. INDUSTRIAL

	VALOR MÁXIMO ADMISIBLE			
	Nemátodos intestinales	Escherichia coli	Sólidos en suspensión	Turbidez
CALIDAD 3.1 a) Aguas de proceso y limpieza excepto en la industria alimentaria. b) Otros usos industriales.	No se fija límite	10.000 UFC/100 mL	35 mg/L	15 UNT
c) Aguas de proceso y limpieza para uso en la industria alimentaria	1 huevo/10 L	1.000 UFC/100 mL	35 mg/L	No se fija límite
CALIDAD 3.2 a) Torres de refrigeración y condensadores evaporativos.	1 huevo/10 L	Ausencia UFC/100 mL	5 mg/L	1 UNT

— Recreativo

	VALOR MÁXIMO ADMISIBLE			
	Nemátodos intestinales	Escherichia coli	Sólidos en suspensión	Turbidez
CALIDAD 4.1 a) Riego de campos de golf.	1 huevo/10 L	200 UFC/100 mL	20 mg/L	10 UNT
CALIDAD 4.2 a) Estanques, masas de agua y caudales circulantes ornamentales, en los que está impedido el acceso del público al agua.	No se fija límite	10.000 UFC/100 mL	35 mg/L	No se fija límite

– Ambiental

	VALOR MÁXIMO ADMISIBLE			
	Nemátodos intestinales	Escherichia coli	Sólidos en suspensión	Turbidez
CALIDAD 5.1 a) Recarga de acuíferos por percolación localizada a través del terreno.	No se fija limite	1.000 UFC/100 mL	35 mg/L	No se fija límite
CALIDAD 5.2 a) Recarga de acuíferos por inyección directa.	1 huevo/10 L	0 UFC/100 mL	10 mg/L	2 UNT
CALIDAD 5.3 a) Riego de bosques, zonas verdes y de otro tipo no accesibles al público. b) Silvicultura.	No se fija límite	No se fija límite	35 mg/L	No se fija límite
CALIDAD 5.4 a) Otros usos ambientales (mantenimiento de humedales, caudales mínimos y similares).	La calidad mínima requerida se estudiará caso por caso			

Estas tablas están contenidas en el Anexo I del **Real Decreto 1620/2007,de 7 de diciembre, por el que se establece el régimen jurídico de la reutilización de las aguas depuradas.**

Importante

Además de los valores de los parámetros mostrados existen otros criterios específicos para cada uno de los usos.

9.3. Parámetros de control de su calidad

Se distinguen tres tipos de parámetros empleados para conocer la calidad de un agua:

– **QUÍMICOS**

  · **DQO**

  · **DBO**

  · **Sólidos en suspensión**

  · **Nutrientes**

  · **Compuestos nitrogenados**

  · **Compuestos de fósforo**

– FÍSICO-QUÍMICOS

  · Conductividad

  · pH

  · Aceites y grasas

  · Propiedades organolépticas

  · Turbidez

– MICROBIOLÓGICOS

  · Bacterias

  · Protozooos

  · Metazoos

  · Coliformes totales y fecales

  · Estreptococos fecales

  · Virus

Estos parámetros ya fueron estudiados en el tema 1 de la presente unidad formativa, por lo que vamos a hacer un pequeño resumen de sus características más importantes.

Parámetros químicos

— **Demanda Química de Oxígeno (DQO)**

La **Demanda Química de Oxígeno** (DQO) es un parámetro que mide la cantidad de sustancias (orgánicas e inorgánicas) existentes en una medio susceptibles de ser oxidadas por agentes químicos. Se emplea para calcular la cantidad total de oxígeno necesario para la oxidación de los compuestos presentes en el agua.

Se mide en miligramos de oxígeno por litro (mgO2/l).

La DQO es indicador rápido de los contaminantes orgánicos presentes en el agua. Se mide tanto en la entrada de agua a la estación depuradora como a la salida.

— **Demanda Biológica de Oxígeno (DBO)**

La **Demanda Biológica de Oxígeno** (DBO) es un parámetro que mide la cantidad de oxígeno que los microorganismos requieren para oxidar la materia orgánica presente en el agua. Normalmente se mide cinco días después de que se inicie el proceso.

Se mide en miligramos de oxígeno por litro (mgO2/l).

$$\text{Materia orgánica} + O_2 \xrightarrow{\text{Bacterias aerobias}} CO_2 + H_2O + \text{Materia inorgánica oxidada}$$

Importante

La relación entre los valores de DBO y DQO nos señala el tipo de contaminación que presenta el agua residual. Si es menor de 0,2 el vertido es inorgánico mientras que si es mayor de 0,6 es orgánico.

– Sólidos en suspensión (SS)

Los **sólidos en suspensión (SS)** son las partículas que se encuentran flotando en el agua, tales como: restos animales y vegetales, basuras, arenas, arcillas, etc. Algunas pueden ser perceptibles a simple vista. Respecto a su composición ronda entre:

- Sólidos orgánicos: 68% .

- Sólidos inorgánicos: 32% .

Además de los sólidos en suspensión podemos distinguir:

- Sólidos sedimentables

- Disoluciones coloidales

- Sólidos disueltos

Todos ellos están relacionados con el grado de **turbidez** del agua.

– **Nutrientes**

Los principales nutrientes existentes en un agua residual son:

- Potasio (K)

- Sodio (Na)

- Magnesio (Mg)

- Calcio (Ca)

- Compuestos nitrogenados

- Compuestos de fósforo.

De todos ellos, los más importantes son los dos últimos.

Los **compuestos de nitrógeno** poseen un rol muy importante en el desarrollo de la vida animal y vegetal en el agua. Los compuestos nitrogenados del agua residual tienen su origen en:

- Los compuestos orgánicos.

- Los organismos vegetales.

Los más destacados son: nitratros, nitritos y amoniaco

Las reacciones que tiene lugar para la transformación de estos tres compuestos son:

Los **compuestos de fósforo** presentes en las aguas residuales son debidos principalmente a tres fuentes:

- Detergentes domésticos.

- Aguas agrícolas.

- Excreciones humas

Los principales compuestos de fósforo son: Ortofosfato, Polifosfato y Compuestos de fósforo orgánico

Una elevada concentración de fosfato en las aguas, especialmente en los lagos, puede provocar **eutrofización**

Parámetros físico-químicos

— Conductividad

La conductividad expresa la capacidad del agua para conducir la electricidad. Depende de la concentración de sales disueltas (materia ionizable).

La conductividad está directamente relacionada con:

- La pureza química del agua (cuanto más pureza, menor conductividad).

- La concentración de sólidos disueltos.

- La concentración de sales.

La conductividad de un agua se mide con un **conductivímetro**, el cual mide la resistividad del agua y su unidad de medida es el microsiemens por centímetro (µS/cm).

‒ pH

El pH indica la acidez o basicidad de un medio mediante la medida de la concentración de iones hidrógeno o hidrogeniones (H+).

Se expresa con la siguiente fórmula:

$$pH=log(1/[H+])$$

Los valores de pH varían entre 1 y 14, siendo:

· De 1 a 6 = ácido

· 7 = neutro

· De 8 a 14 = básico.

La determinación del pH de una solución acuosa se determina mediante dos métodos:

· pHmetro

· Papel indicador

‒ Grasas y aceites

La distinción entre grasas y aceites hace referencia al estado físico en el que se encuentra el lípido, sólida y líquida respectivamente.

Los lípidos se caracterizan por:

· Ser solubles en disolventes orgánicos e insolubles en agua (son moléculas hidrófobas).

· Tener baja tensión superficial.

· Tener una densidad menor que el agua (1g/l), presentando unos valores comprendidos entre 0,92 a 0,964 g/l.

· Su biodegradabilidad es nula. Sin embargo, son atacados por los ácidos minerales dando lugar a la separación de sus compuestos (glicerina y ácido graso).

No se mide cada sustancia individualmente sino todas en su conjunto, mediante la adición hexano para su disolución.

– Propiedades Organolépticas

Las propiedades organolépticas (sabor, el olor y el color) están sujetas a la subjetividad de las personas.

No obstante, se considera que aguas poseen un **sabor** salado con concentraciones iguales o superiores a 300 ppm de Cl-.

El CO_2, por su parte, le da un ligero gusto picante.

El **olor** desagradable es debido a la presencia de gases como el metano y el ácido sulfhídrico.

Respecto al **color**, nos indica que tipo de contaminantes está presente.

– Turbidez

Anteriormente hemos mencionados que la turbidez se deba a la presencia de sólidos en suspensión. La turbidez hace referencia a la dificultad del agua para transmitir la luz por la presencia de partículas sólidas y microorganismos.

Su medición se realiza con un turbidímetro.

Parámetros microbiológicos

Son microorganismos cuya presencia y niveles de concentración en las aguas nos va a indicar su calidad.

– Bacterias

Las bacterias son microorganismos unicelulares procariotas.

Su tamaño es diverso según las especies, variando entre 0,5 y 5 μm de longitud. Respecto a su forma, pueden ser:

- Esféricas (cocos).
- Cilíndricas (bacilos).
- Sacacorchos (vibrios).
- Hélices (espirilos).

Tienen una pared celular compuesta por peptidoglicano (también conocido como mureína). Algunas bacterias disponen de flagelos para desplazarse (son móviles) mientras que otras son fijas.

Se multiplican por división celular (fisión binaria). Su velocidad de reproducción es muy alta. Una bacteria gram-negativa positiva puede dividirse cada 15–20 minutos y una gram- cada 20–30 minutos.

- **Protozoos**

    Los protozoos son microorganismos unicelulares eucariotas que habitan en medios húmedos o acuáticos (salados o dulces).

    Respecto a su reproducción puede ser: asexual o sexual.

    Su tamaño está comprendido entre los 10-50 µm pudiendo alcanzar hasta 1 mm.

    Existe una gran diversidad de protozoos, distinguiéndose más de 30000 especies distintas. Algunas son nocivas para el ser humano. Actúan como parásitos y le causan enfermedades, tales como: Balentidium, Entamoeba histolytica y Giardia lambia

- **Metazoos**

    Los metazoos son microorganismos pluricelulares, formados por células eucariotas.

    Respecto a su alimentación son organismos heterótrofos, por lo que obtienen la energía a partir de la materia orgánica.

    Al igual que en los protozoos la reproducción puede ser sexual o asexual.

    Entre las principales especies que podemos encontrar en las aguas residuales destacamos:

    · Rotíferos

    · Anélidos

    · Larvas

– Coliformes totales y fecales

Los coliformes totales son bacterias gram negativas pertenecientes a las familias de las Enterobacteriaceae . Poseen una gran capacidad para fermentar la lactosa, lo cual lo hacen en apenas 48 horas.

Son aerobios y anaerobios facultativos.

Los coliformes fecales son un subgrupo de los coliformes totales. Su principal representante es la Escherichia coli, enterobacteria de origen fecal. Llega a las aguas residuales a través de las heces.

Se conocen también como **termotolerantes** debido a que pueden soportar temperaturas elevadas.

– Estreptococccus

Los Estreptococcus fecales (también denominados estreptococos del grupo "D" de Lancefield) son, al igual que los coliformes fecales, bacterias que integran la flora intestinal de los animales homeotérmicos.

Son bacterias gram positivas, no presentan movilidad y anaerobios facultativos. Muy empleadas en sectores como la industria o la medicina.

– Virus

Los virus llegan a las aguas residuales a partir de las heces humanas.

Sabías que

Hasta 109 partículas de virus infecciosos podemos encontrar en un gramos de heces humanas.

Los virus más comunes son:

· Adenovirus

· Enterovirus

· Hepatitis A

· Reovirus

· Rotavirus

Su eliminación en los procesos de tratamiento es importantísimo pues causan enfermedades tales como:

· Poliomelitis;

· Hepatitis;

· Diarrea;

Pueden sobrevivir varias semanas en el medio.

Una vez conocidos los principales parámetros que definen la calida de una agua, se debe proceder a un muestreo sistemático para controlar dicha calidad.

El **Anexo IB**: "**Frecuencia mínima de muestreo y análisis de cada parámetro**" del citado **Real Decreto 1620/2007,de 7 de diciembre, por el que se establece el régimen jurídico de la reutilización de las aguas depuradas** establece que:

> "El control deberá realizarse a la **salida** de la planta de regeneración, y en todos los **puntos** de **entrega** al usuario.
>
> La frecuencia de análisis se modificará en los siguientes **supuestos**:
>
> i. Tras 1 año de control se podrá presentar una solicitud motivada para reducir la frecuencia de análisis hasta un 50%, para aquellos parámetros que no sea probable su presencia en las aguas.
>
> ii. Si el número de muestras con concentración inferior al VMA del Anexo I.A es inferior al 90% de las muestras durante controles de un trimestre (o fracción, en caso de periodos de explotación inferiores), se duplicará la frecuencia de muestreo para el periodo siguiente.

iii. Si el resultado de un control supera al menos en uno de los parámetros los rangos de desviación máxima establecidos en el Anexo I.C, la frecuencia de control del parámetro que supere los rangos de desviación se duplicará durante el resto de este período y el siguiente".

Las frecuencias mínimas de muestreo son:

USO	CALIDAD	NEMÁTO-DOS INTES-TINALES	E.COLI	SS	TURBI-DEZ	NT Y PT
URBANO	1.1 y 1.2	Quincenal	2 veces semana	Semanal	2 veces semana	---
AGRÍCOLA	2.1	Quincenal	Semanal	Semanal	Semanal	---
	2.2	Quincenal	Semanal	Semanal	---	---
	2.3	Quincenal	Semanal	Semanal	---	---
INDUS-TRIAL	3.1	---	Semanal	Semanal	Semanal	---
	3.2	Semanal	3 veces semana	Diaria	Diaria	---
RECREA-TIVO	4.1	Quincenal	2 veces semana	Semanal	2 veces semana	---
	4.2	---	Semanal	Semanal	---	Mensual
AMBIEN-TAL	5.1	---	2 veces semana	Semanal	---	Semanal
	5.2	Semanal	3 veces semana	Diaria	Diaria	Semanal
	5.3	---	---	Semanal	---	---
	5.4	---	---	---	---	---

Respecto a los **métodos o técnicas analíticas,** el Real Decreto propone algunos de ellos con el objeto de que se tomen como referencia. No obstante, se pueden utilizar otros métodos siempre y cuando:

– Estén validados

– Den resultados comparables a los obtenidos por los de referencia.

Los métodos de referencia son:

Parámetros microbiológicos

PARÁMETRO	MÉTODO DE REFERENCIA
Nemátodos intestinales	Método Bailinger modificado por Bouhoum & Schwartzbrod. "Analysis of wastewater for use in agriculture" Ayres & Mara O.M.S. (1996)
Escherichia coli	Recuento de Bacterias Escherichia Coli ß- Glucuronidasa positiva
Legionella spp	Norma ISO 11731 parte 1: 1998 Calidad del Agua. Detección y enumeración de Legionella

Contaminantes

PARÁMETRO	MÉTODO DE REFERENCIA
Sólidos en suspensión	Gravimetría con filtro de fibra de vidrio
Turbidez	Nefelometría
Nitratos	Espectroscopía de absorción molecular
	Cromatografía Iónica
Nitrógeno total	Suma de Nitrógeno Kjeldahl, nitratos y nitritos
	Autoanalizador
Fósforo total	Espectroscopía de absorción molecular
	Espectrofotometría de plasma
Sustancias peligrosas	Cromatografía
	Espectroscopía

Importante

Los análisis deberán ser realizados en laboratorios de ensayo que dispongan de un sistema de control de calidad según la Norma UNE-EN ISO/IEC 17025.

9.4. Reutilización de biosólidos

Los biosólidos (lodos o fangos de depuración) son objeto de reutilización.

En el tema 7 de la presente unidad formativa vimos como los fangos pueden ser sometidos a un proceso de compostaje para la elaboración de compost.

Recuerda

El **compostaje** es un proceso biológico aeróbico, realizado por bacterias y hongos, que consistente en la transformación de la materia orgánica en **compost**, bajo condiciones de temperatura, humedad y ventilación controladas.

Se entiende por **compost** la "enmienda orgánica obtenida a partir del tratamiento biológico aerobio y termófilo de residuos biodegradables recogidos separadamente. No se considerará compost el material orgánico obtenido de las plantas de tratamiento mecánico biológico de residuos mezclados, que se denominará material bioestabilizado" (Ley 22/2011, de 28 de julio).

Este compost creado a partir de fango de la depuradora de aguas residuales es empleado en la **agricultura** debido a que presenta las siguientes características:

· Sin problemas para la salud humana.

· Carente de olores.

· Con características similares al humus.

· Prácticamente pasteurizado.

Definición

El humus es la "capa superficial del suelo, constituida por la descomposición de materiales animales y vegetales" (Real Academia de la Lengua Española).

Pasteurizar consiste en "elevar la temperatura de un alimento líquido a un nivel inferior al de su punto de ebullición durante un corto tiempo, enfriándolo después rápidamente, con el fin de destruir los microorganismos sin alterar la composición y cualidades del líquido" (Real Academia de la Lengua Española).

En el tema 7 estudiamos los distintos uso del compost fabricado con los fangos. En este epígrafe nos centraremos en los aspectos legales que rigen dicho uso.

La normativa que marca la reutilización de lodos es:

– Nivel Europeo

   Directiva del Consejo de 12 de junio de 1986 relativa a la protección del medio ambiente y, en particular, de los suelos, en la utilización de los lodos de depuradora en agricultura

– Nivel Estatal

   La directiva europea fue traspuesta a nuestro ordenamiento jurídico mediante la redacción del siguiente Real Decreto:

   Real Decreto 1310/1990, de 29 de octubre, por el que se regula la utilización de los lodos de depuración en el sector agrario

Vamos a analizar ahora los aspectos más importantes de dicha normativa.

Respecto a las concentraciones de metales pesados

Debidos a la peligrosidad de los metales pesados para la salud humana, se establece que:

– Los **suelos** sobre los que se apliquen los lodos tratados deberán de presentar una concentración de metales pesados inferior a:

Parámetros	Valores límite (mg/kg de materia seca)	
	Suelos con pH menor de 7	Suelos con pH mayor de 7
Cadmio	1	3,0
Cobre	50	210,0
Níquel	30	112,0
Plomo	50	300,0
Zinc	150	450,0
Mercurio	1	1.5
Cromo	100	150,0

Los **lodos** tratados a utilizar en los suelos no superarán la siguiente concentración en metales pesados:

Parámetros	Valores límite (mg/kg de materia seca)	
	Suelos con Ph menor de 7	Suelos con Ph mayor de 7
Cadmio	20	40
Cobre	1.000	1.750
Níquel	300	400
Plomo	750	1.200
Zinc	2.500	4.000
Mercurio	16	25
Cromo	1.000	1.500

Las **cantidades** máximas de lodos que puede **añadirse** al **suelo** (por hectárea y año) son aquellas que no superen los valores límite de incorporación de metales pesados establecidos en la siguiente tabla:

Parámetros	Valores límite (kg/Ha/año)
Cadmio	0,15
Cobre	12,00
Níquel	3,00
Plomo	15,00
Zinc	30,00
Mercurio	0,10
Cromo	3,00

Importante

Esta tabla muestra los valores límites para las cantidades anuales de metales pesados que se podrán introducir en los suelos basándose en una media de diez años.

Respecto a las técnicas analíticas y de muestreo empleadas

– **Análisis de los lodos**

"1. Por regla general los lodos de depuración deberán analizarse, al menos, cada seis meses en la fase de producción. Si surgen cambios en la calidad de las aguas tratadas, la frecuencia de tales análisis deberán aumentarse. Si los resultados de los análisis no varían de forma significativa a lo largo de un período de un año, los lodos deberán analizarse, al menos, con la frecuencia que aconseje su variación estacional y, como máximo, cada doce meses.

2. En el caso de depuradoras con capacidad de tratamiento inferior a 300 kgs DBO5 por día, el análisis de los lodos se limitará a una vez al año.

3. Los lodos tratados deberán ser analizados cuando se considere acabado el proceso de tratamiento y los resultados obtenidos en el análisis de los parámetros que se indican en el punto 4 de este anexo, junto con la especificación de los nombres y ubicación de las depuradoras en su caso, y el de las Entidades locales u otros titulares, constituirá la documentación que obligatoriamente acompañará a las partidas comercializadas para su control en destino.

4. Los parámetros que, como mínimo, deben ser analizados son los siguientes:

– Materia seca.

– Materia orgánica.

– PH.

– Nitrógeno.

– Fósforo.

– Cadmio, cobre, níquel, plomo, zinc, mercurio y cromo".

– **Análisis de los suelos**

"1. Antes de la puesta en práctica del sistema de control y seguimiento de los efectos de la aplicación de los lodos sobre los suelos con fines agrarios, es necesario evaluar el status de los mismos en lo que se refiere a los metales pesados, para lo cual las Comunidades Autónomas decidirán los análisis que haya que efectuar teniendo en cuenta los datos científicos disponibles sobre las características de los suelos y su homogeneidad.

2. Asimismo las Comunidades Autónomas decidirán la frecuencia de los análisis ulteriores teniendo en cuenta el contenido de metales pesados en los suelos, la cantidad y composición de los lodos utilizados y cualquier otro elemento pertinente.

3. Los parámetros que deberán analizarse son:

– PH.

– Cadmio, cobre, níquel, plomo, zinc, mercurio y cromo".

— Métodos de muestreo y de análisis

"1. Muestreo de los suelos: Las muestras representativas de suelos sometidos a análisis se constituirán normalmente mediante la mezcla de 25 muestras tomadas en una superficie inferior o igual a 5 hectáreas explotada de forma homogénea.

Las tomas se efectuarán a una profundidad de 25 cm, salvo si la profundidad del horizonte de laboreo es inferior a ese valor, pero sin que en ese caso la profundidad de la toma de muestras sea inferior a 10 cm.

2. Muestreo de lodos: Los lodos serán objeto de un muestreo tras su tratamiento pero antes de la entrega al usuario y deberán ser representativos de los lodos producidos.

3. Métodos de análisis: El análisis de los metales pesados se efectuará tras una descomposición mediante un ácido fuerte. El método de referencia de análisis será la espectrometría de absorción atómica. El límite de detección para cada metal no deberá superar el 10 por 100 del valor límite correspondiente".

Prohibiciones

Se establece las siguientes prohibiciones:

"a) Aplicar lodos tratados en praderas, pastizales y demás aprovechamientos a utilizar en pastoreo directo por el ganado, con una antelación menor de tres semanas respecto a la fecha de comienzo del citado aprovechamiento directo.

b) Aplicar lodos tratados en cultivos hortícolas y frutícolas durante su ciclo vegetativo, con la excepción de los cultivos de árboles frutales, o en un plazo menor de diez meses antes de la recolección y durante la recolección misma, cuando se trate de cultivos hortícolas o frutícolas cuyos órganos o partes vegetativas a comercializar y consumir en fresco estén normalmente en contacto directo con el suelo".

Todos estos aspectos y otros más se encuentran recogidos en la normativa. Así que si quieres conocerla más en profundidad, consulta en internet el Real Decreto 1310/1990, de 29 de octubre, por el que se regula la utilización de los lodos de depuración en el sector agrario.

Los lodos también son reutilizados en la propia estación depuradora mediante la recirculación de lodos, especialmente en los procesos de lodos activos y lechos bacterianos.

9.5. Valorización energética

En las estaciones depuradoras de aguas residuales puede llevarse a cabo la valorización energética mediante:

· Incineración de lodos.

· Gas generado en la digestión anaerobia

Definición

La valorización se define como "cualquier operación cuyo resultado principal sea que el residuo sirva a una finalidad útil al sustituir a otros materiales, que de otro modo se habrían utilizado para cumplir una función particular, o que el residuo sea preparado para cumplir esa función en la instalación o en la economía en general" (Ley 22/2011, de 28 de julio).

Incineración de lodos

Si los lodos no cumplen los requisitos establecidos por la normativa relativa a su aplicación al suelo agrícola, se procede a la valorización energética del mismo. Para ello se procede a su incineración con recuperación energética (cogeneración).

La incineración de lodos consta de dos procesos:

- Evaporación del agua

- Incineración del lodo seco

Importante

La ignición no se inicia hasta que el lodo esté totalmente deshidratado.

La incineración se realiza mediante el empleo de dos equipos, principalmente.

Estos equipos son:

- **Molino secador**

  Realiza dos funciones simultáneamente:

  · Seca

  · Tritura

  El resultado final es la obtención de un producto pulverizado cuyo poder calorífica alcanza los siguientes valores:

Lodos digeridos	2000-2500 kcal/kg
Lodos crudos	3000-3500 kcal/kg

  Respecto a los valores de temperatura del equipo, éste puede funcionar a 550 °C como máximo.

Importante

La temperatura del vapor que sale debe encontrarse entre 100-150 °C.

Del equipo sale un producto seco junto con vapores. De ahí pasa a un ciclón donde son separados.

Sabías que

El equipo posee un equipo mezclador de lodos sin tratar con lodos secos.

Los lodos son enviados a la parte delantera del rotor, fragmentándose en trozos más pequeños. Posteriormente se dirigen hacia el fondo del rotor conducidos por la corriente de gases. Aquí se procede de nuevo a reducir su tamaño y a secarse.

Importante

En el flujo de gases únicamente pueden salir partículas más pequeñas que un tamaño determinado debido al efecto de separación (realizado por la fuerza de gravedad y la centrífuga).

— **Incinerador de polvo**

Es un aparato robusto y simple donde se produce a la quema, a unos 800-850ºC, del polvo seco generado en el molino secador.

Posee dos partes:

· Quemador de polvo

· Cámara de combustión

El lodo seco en forma de polvo es inyectado, mediante un tornillo de velocidad, en un flujo de aire.

El quemador posee dos tubos concéntricos:

- · Tubo interior, fluye aire secundario junto con polvo seco.

- · Tubo exterior, fluye aire secundario

Se debe suministrar un calor auxiliar para el inicio de la combustión y el aumento de temperatura. Para ello se emplea un quemador de fuel-oil o gas.

Importante

El lodo seco se inflama instantáneamente a un temperatura aproximada de 650°C, quemándose rápidamente.

El siguiente diagrama se muestra un esquema del proceso de incineración de lodo:

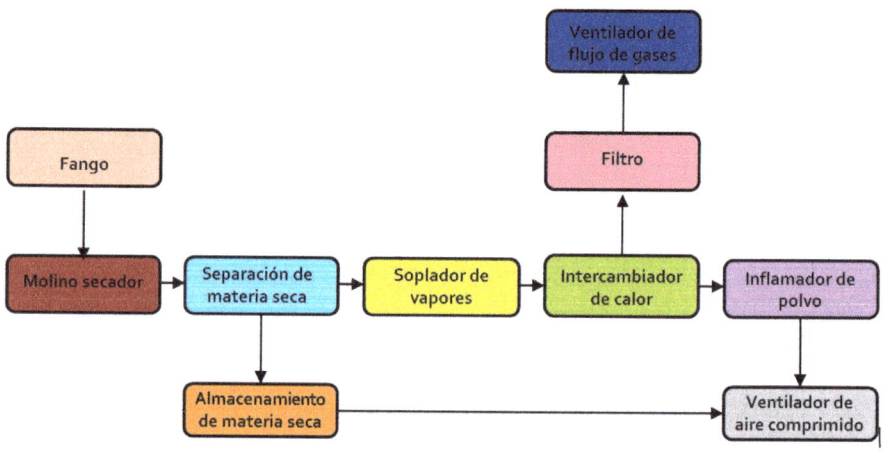

El gas que genera el sistema es extraído para enfriar los gases de combustión producidos por el incinerador de polvo.

Para que se produzca un **ahorro de calor** se debe obtener:

- Una temperatura de los gases de escape baja.

- Bajo ratio de exceso de aire en la combustión bajo.

- Reducidas pérdidas de calor en la combustión bajas.

Importante

La temperatura de los gases de escape es de 150-250°C y la incineración de polvo se hace con una ratio de 1,4 de exceso de aire.

La valorización energética se realiza en instalaciones dotadas de hornos de combustión. Esta actividad se encuentra regulada por el **Real Decreto 815/2013, de 18 de octubre, por el que se aprueba el Reglamento de emisiones industriales y de desarrollo de la Ley 16/2002, de 1 de julio, de prevención y control integrados de la contaminación.**

En esta norma se define **instalación de incineración de residuos** (recordemos que el lodo es un tipo de residuo) como:

Definición

"Cualquier unidad técnica o equipo, fijo o móvil, dedicado al tratamiento térmico de residuos con o sin recuperación del calor producido por la combustión; mediante la incineración por oxidación de residuos, así como otros procesos de tratamiento térmico, si las sustancias resultantes del tratamiento se incineran a continuación, tales como pirólisis, gasificación y proceso de plasma".

La instalación de una incineradora precisa de una serie de **autorizaciones**:

1. "Las instalaciones de incineración y coincineración de residuos estarán sometidas al siguiente régimen de autorización:

a) Las instalaciones incluidas en el ámbito de aplicación de la Ley 16/2002, de 1 de julio, deberán contar con la autorización ambiental integrada regulada en aquella.

b) El resto de instalaciones no incluidas en el ámbito de aplicación de la Ley 16/2002, de 1 de julio, requerirán las autorizaciones exigidas en la Ley 22/2011, de 28 de julio, de residuos y suelos contaminados, así como las exigidas en aplicación de la Ley 34/2007, de 15 de noviembre, de calidad del aire y protección de la atmósfera, sin perjuicio del resto de licencias o autorizaciones que igualmente sean exigibles en virtud de lo establecido en otras disposiciones. Del mismo modo, en estos casos serán exigibles las autorizaciones de vertidos al medio acuático establecidas en el texto refundido de la Ley de Aguas, aprobado mediante Real Decreto Legislativo 1/2001, de 20 de julio, y en la Ley 22/1988, de 28 de julio, de Costas.

2. Las autorizaciones reguladas en este artículo podrán ser revisadas periódicamente, de conformidad con lo establecido al efecto en la normativa sobre prevención y control integrados de la contaminación o, en su caso, en la de residuos, contaminación atmosférica, aguas y costas.

3. En el caso de incumplimiento de las condiciones establecidas en las autorizaciones reguladas en este artículo, los órganos competentes adoptarán las medidas que resulten pertinentes, mediante la aplicación del correspondiente régimen sancionador" (art. 27).

Con ello se pretende regular la actividad para evitar o reducir en la medida de lo posibles los efectos ambientales de la actividad:

- Contaminación del suelo, la atmósfera, las aguas superficiales y subterráneas.

- Contaminación acústica.

- Emisión de olores.

- Riesgos sobre la salud de la población.

Importante

Se deben tener en cuenta tanto loas normas estatales como las autonómicas en materia de protección ambiental.

Gas generado en la digestión anaerobia

El gas generado en la digestión anaerobia puede ser aprovechado para la generación de energía eléctrica en la estación depuradora.

Tal y como comentamos en el tema 7, para su aprovechamiento primero debe ser recogido. Para ello se instala en la parte superior del digestor cubiertas.

Las cubiertas pueden ser:

– **Flotantes**

Permiten aumentar el volumen de gas almacenado en su interior pero sin permitir la entrada de aire del exterior.

Importante

La mezcla de gas y aire del exterior es explosiva.

Las válvulas de seguridad y las tuberías de gas poseen parallamas.

Las cubiertas del gasómetro pueden diseñarse para que almacenen pequeñas cantidades de gas bajo presión.

Se emplean en digestores de fase única o de doble fase.

– **Fijas**

Se instalan de tal forma que permiten un espacio libre entre ella y la superficie del líquido. Cuando aumenta el volumen del líquido el gas almacenado en dicho espacio debe extraerse del digestor y almacenarse en un lugar complementario como compresores de gas.

Debe instalarse medidores para saber la cantidad de gas producido y el retirado del digestor.

Como ya se ha comentado, el gas producido en los digestores puede ser empleado en las plantas de tratamiento.

Sabías que

Un metro cúbico de metano tiene un poder calorífico de 35800 kJ/m^3 mientras que un mol de gas natural (metano+propano+butano) tiene 37300 kJ/m^3.

El gas de los digestores puede emplearse como combustible para:

·   Calderas

·   Motores de combustión interna

Las calderas y los motores de combustión interna se utilizan para:

·   Accionar los soplantes

·   Bombear el agua residual

·   Generar electricidad

El empleo de gas puede cubrir ampliamente parte de las necesidades energéticas de una EDAR.

Sabías que

Aproximadamente un 60-75% de las necesidades energéticas son cubiertas por el gas generado en la digestión anaerobia.

UD9
Lo más importante

- La reutilización del agua residual pasa por someterla a tratamientos avanzados para la eliminación de nutrientes que no pudieron ser retirados en los procesos anteriores.

- Los procesos de conversión y eliminación del nitrógeno son: nitrificación, desnitrificación y procesos físico-químicos.

- La nitrificación consiste en convertir el amoniaco en nitrato por medio de bacterias.

- Las principales características de la desnitrificación son: Elevada eficacia de eliminación, proceso altamente estable y fiable, de fácil control, requiere poco espacio de terreno y su coste no es excesivo.

- Los procesos físico-químicos de eliminación del nitrógeno son: arrastre con aire, cloración al breakpoint e intercambio iónico selectivo.

- El fósforo puede encontrarse en el agua residual en tres formas distintas: ortofosfato, polifosfato y fósforo orgánico.

- La eliminación de la materia orgánica refractaria puede realizarse mediante: adsorción sobre carbón y oxidación química.

- Las sustancias inorgánicas disueltas pueden eliminarse mediante: precipitación química, intercambio iónico, ósmosis inversa y electrodiálisis.

- El Real Decreto 1620/2007,de 7 de diciembre, por el que se establece el régimen jurídico de la reutilización de las aguas depuradas, marca las pautas de la utilización del agua residual previo tratamiento.

- Los usos para los que puede ser empleada el agua residual están fijados en el art. 4: Usos admitidos para las aguas regeneradas del citado real decreto.

- Respecto a la calidad exigida por la administración actuante en función del uso, se encuentra recogida en el art. 5.

- Se distinguen tres tipos de parámetros empleados para conocer la calidad de un agua: químicos, físico-químicos y microbiológicos.

- Los parámetros químicos son: DBO, DQO, sólidos en suspensión, nutrientes, compuestos nitrogenados y compuestos de fósforo.

- Los parámetros físico-químicos son: conductividad, pH, aceites y grasas, propiedades organolépticas y turbidez.

- Los parámetros microbiológicos son: bacterias, protozoos, metazoos, coliformes totales y fecales, estreptococos fecales y virus.

- El Anexo IB de la norma establece la frecuencia mínima de muestreo y análisis de cada parámetro.

- Los biosólidos (lodos o fangos de depuración) pueden ser reutilizados en la fabricación de compost. La normativa que marca la utilización de lodos en la agricultura es el Real Decreto 1310/1990, de 29 de octubre, por el que se regula la utilización de los lodos de depuración en el sector agrario.

- En las estaciones depuradoras de aguas residuales puede llevarse a cabo la valorización energética mediante la incineración de lodos y el gas generado en la digestión anaerobia.

- Si los lodos no cumplen los requisitos establecidos por la normativa relativa a su aplicación al suelo agrícola, se procede a la valorización energética del mismo. Para ello se procede a su incineración con recuperación energética (cogeneración).

UD9
Autoevaluación

1. La desnitrificación:

   a. Tiene una baja eficacia en la eliminación del nitrógeno.

   b. Proceso altamente estable y fiable.

   c. Proceso de difícil control.

   d. Requiere mucho espacio de terreno.

2. La cloración al breakpoint

   a. Consiste en añadir cloro para oxidar el nitrito.

   b. No puede combinarse con otros procesos.

   c. Se produce simultáneamente la desinfección del agua residual.

   d. No precisa regular el caudal a tratar para optimizar el rendimiento.

3. Señala la respuesta incorrecta sobre la electrodiálisis:

   a. Se emplean membranas selectivas.

   b. Se emplean membranas permeable.

   c. Se utiliza para la eliminación de sustancias inorgánicas presentes en el agua.

   d. Se genera una corriente eléctrica.

4. Queda prohibida la reutilización de las aguas:

   a. Para el cultivo de moluscos filtradores en acuicultura.

   b. Para uso en instalaciones hospitalarias.

   c. Para el uso recreativo como agua de baño.

   d. Todas las anteriores son correctas.

5. La concentración máxima de nemátodos intestinales permitida para el riego de jardines privados con agua regenerada es:

   a. No se fija límite.

   b. 0 huevo/10 l.

   c. 1 huevo/10 l.

   d. 2 huevo/10 l.

6. La concentración máxima de E. coli permitida para el empleo de agua regenerada en la acuicultura es de:

   a. 10 UFC/100 mL.

   b. 100 UFC/100 mL.

   c. 1000 UFC/100 mL.

   d. 10000 UFC/100 mL.

7. La frecuencia de muestreo para controlar la turbidez del agua reciclada para el uso urbano es:

   a. Diariamente.

   b. Semanalmente.

   c. Dos veces a la semana.

   d. Una vez al mes.

8. La frecuencia de muestreo para controlar la concentración de sólidos en suspensión del agua reciclada para uso agrícola es:

    a. Diariamente.

    b. Semanalmente.

    c. Dos veces a la semana.

    d. Una vez al mes.

9. Los suelos con pH < 7 sobre los que se apliquen los lodos tratados deberán de presentar una concentración de cobre inferior a:

    a. 150.

    b. 100.

    c. 50.

    d. 30.

10. El incinerador de polvo:

    a. Es un aparato complejo.

    b. Quema el polvo seco a una temperatura de 500-550ºC.

    c. El polvo seco es inyectado mediante un tornillo de velocidad.

    d. Tiene un quemador formado por tres tubos concéntricos.

Área: seguridad y medioambiente

Glosario

– **Acuífero**: estructura geológica permeables (contienen agua en sus poros). El agua se puede mover debido a que los poros están conectados entre sí y a la existencia de un gradiente hidráulico.

– **Agricultura ecológica:** conjunto de técnicas agrícolas que se basan en el empleo óptimo de los recursos naturales con objeto de preservar el medio ambiente.

– **Agua residual**: "agua que no tiene valor inmediato para el fin para el que se utilizó ni para el propósito para el que se produjo debido a su calidad, cantidad o al momento en que se dispone de ella. No obstante, las aguas residuales de un usuario pueden servir de suministro para otro usuario en otro lugar. Las aguas de refrigeración no se consideran aguas residuales" (FAO).

– **Alginato:** polisacárido formado por ácidos manuránicos y ácidos glucónicos. Se encuentran en las paredes celulares de las algas pardas marinas.

– **Compost:** "enmienda orgánica obtenida a partir del tratamiento biológico aerobio y termófilo de residuos biodegradables recogidos separadamente. No se considerará compost el material orgánico obtenido de las plantas de tratamiento mecánico biológico de residuos mezclados, que se denominará material bioestabilizado" (Ley 22/2011, de 28 de julio).

- **Creosota:** compuesto químico derivado del destilado de alquitranes provenientes de la combustión de la hulla.

- **Crisol de Gooch**: crisol diseñado para la filtración en los análisis gravimétricos.

- **Gestión de los residuos**: "La recogida, el transporte y tratamiento de los residuos, incluida la vigilancia de estas operaciones, así como el mantenimiento posterior al cierre de los vertederos, incluidas las actuaciones realizadas en calidad de negociante o agente" (art. 3 de la Ley 22/2011).

- **Humus:** "capa superficial del suelo, constituida por la descomposición de materiales animales y vegetales" (Real Academia de la Lengua Española).

- **Incoar:** "comenzar algo, llevar a cabo los primeros trámites de un proceso, pleito, expediente o alguna otra actuación oficial" (Real Academia de la Lengua Española).

- **Índice de Volumen de Fangos:** es el volumen (ml) ocupado por un gramo, pesos seco, de sólido del líquido de mezcla del fango activado después de media hora de sedimentación en un cilindro de un litro.

- **Licormecla:** también denominado licor de mezcla o cultivo biológico, es un conjunto de microorganismos agrupado en flóculos junto con sustancias minerales y materia orgánica.

- **Nocardias:** son bacterias filamentosas gram positivas y catalasas positivas. Algunas especies son patógenas.

- **Pasteurizar:** consiste en "elevar la temperatura de un alimento líquido a un nivel inferior al de su punto de ebullición durante un corto tiempo, enfriándolo después rápidamente, con el fin de destruir los microorganismos sin alterar la composición y cualidades del líquido" (Real Academia de la Lengua Española).

- **Polímero**: es una cadena formada por unidades denominadas monómeros.

- **Potencial Z:** es el valor de la diferencia de potencial existente entre el límite de la solución pegada a la partícula y la masa del líquido.

- **Rasqueta:** plancha fabricada de hierro con cantos afilados.

- **Residuo:** "cualquier sustancia u objeto que su poseedor deseche o tenga la intención o la obligación de desechar" (Ley 22/2011, de 28 de julio, de residuos y suelos contaminados).

- **Residuo doméstico**: "residuos generados en los hogares como conse-cuencia de las actividades domésticas. Se consideran también residuos domésticos los similares a los anteriores generados en servicios e indus-trias.

  Se incluyen también en esta categoría los residuos que se generan en los hogares de aparatos eléctricos y electrónicos, ropa, pilas, acumuladores, muebles y enseres así como los residuos y escombros procedentes de obras menores de construcción y reparación domiciliaria.

  Tendrán la consideración de residuos domésticos los residuos proce-dentes de limpieza de vías públicas, zonas verdes, áreas recreativas y playas, los animales domésticos muertos y los vehículos abandonados" (Ley 22/2011, de 28 de julio, de residuos y suelos contaminados).

- **Valorización**: "cualquier operación cuyo resultado principal sea que el residuo sirva a una finalidad útil al sustituir a otros materiales, que de otro modo se habrían utilizado para cumplir una función particular, o que el residuo sea preparado para cumplir esa función en la instalación o en la economía en general" (Ley 22/2011, de 28 de julio).

Área: seguridad y medioambiente

Soluciones

UF1666: Depuración de aguas residuales

UD1	UD2	UD3	UD4	UD5
1.c	1.a	1.d	1.a	1.d
2.d	2.c	2.b	2.b	2.a
3.a	3.c	3.c	3.c	3.b
4.d	4.b	4.a	4.d	4.c
5.b	5.d	5.c	5.a	5.c
6.a	6.c	6.a	6.b	6.a
7.b	7.a	7.c	7.a	7.d
8.b	8.d	8.b	8.a	8.b
9.c	9.b	9.d	9.c	9.c
10.a	10.a	10.a	10.b	10.b

UD6	UD7	UD8	UD9
1.d	1.b	1.a	1.b
2.a	2.c	2.d	2.c
3.b	3.b	3.c	3.b
4.c	4.d	4.d	4.d
5.d	5.a	5.a	5.c
6.a	6.d	6.c	6.c
7.d	7.d	7.b	7.c
8.a	8.a	8.c	8.b
9.c	9.a	9.c	9.c
10.b	10.a	10.d	10.c

Área: seguridad y medioambiente

9 000001 993739